平 暴 后 的 反 思

——坚持改革开放、反对资产阶级自由化

唐绍明 主编

李明三
刘春建　副主编

世界知识出版社

目　录

前　言

　　摆在我们面前的，是一部经过1989年春夏之交的动乱和反革命暴乱后深刻反思的书。风波虽已平息，人们特别是青年思想上的一些"扣子"已经或正在解开。但是对这场严重政治斗争的性质和意义的理解，决非短期间能够完全解决的。有些问题，特别是涉及深层次的带根本性的问题，还需要在坚持共产党的领导、坚持社会主义的实践中，通过学习马克思列宁主义、毛泽东思想，才能进一步解决好，真正树立起坚持四项基本原则是立国之本的牢固观念。为了和广大读者共同来思考，本书大体上从三方面编了一批文章：

　　1．对动乱事实真相的了解。较为详尽地介绍了发生在北京的动乱和反革命暴乱的事实真相，帮助人们了解动乱发生的前因、过程、后果以及制止动乱、平息反革命暴乱的正确性和必然性。

　　2．针对人们，尤其是青年中对现实一些具体问题的困惑，如腐败问题，自由、民主问题等，进行了介绍和分析。

　　3．围绕人们普遍关心的宏观方面的问题，如四项基本原则与改革开放、马克思主义的坚持与发展、中西文化的关系、计划经济与市场调节等问题，作了相应的研究和探讨。

　　本书编写时，力求贯穿一个基本要求，即运用马克思主义的基本理论和观点来回答当前一些现实思想问题，用具体的实际材料来阐明马克思主义基本理论的正确性。既非单纯的追求理论的高深，也非简单的材料的堆积，努力将理论和实践紧紧结合起来，用正确的观点，翔实的材料，平易的语言，服务于广大读者。

最近一个时期，党中央总书记江泽民同志多次强调全党同志要学习马克思主义的基本理论。他在庆祝中华人民共和国成立40周年大会上的讲话中指出："鉴于世界和中国的许多新情况、新问题，鉴于我们党在中国社会主义建设中担负的重大责任和在国际共产主义运动中所处的重要地位，有必要把学习和研究马克思主义基本理论，在马克思主义指导下研究和探讨当代重大的政治、经济、社会理论问题，作为一项紧迫任务，提到全党面前。"当前学习形势很好。广大党员、干部、青年的学习热情正在兴起。我们愿献上这本书，作为一个小小的学习辅导材料，帮助党员、干部、青年学习理论，以实际行动来促进学习高潮的到来。

由于编写时间仓促，加之水平所限，书中难免有不妥之处，敬请广大读者批评指正。

编　者

1989年11月15日

北京市发生反革命暴乱真相

北京市委　袁立本

　　本文介绍1989年春夏之交北京由动乱到反革命暴乱的一些情况。其实，陈希同同志在向全国人大常委会的报告中，对整个事件的发生、发展、性质都讲的很清楚了。这里仅就具体情况和当前社会上反映较多的一些问题，以及笔者个人的一些不成熟的看法，作一个介绍。

　　一、暴乱的性质。要搞清这场暴乱的性质，首先有几个大的前提应该搞清楚。不然，对有些具体细节、甚至有些具体事情的真相也很难搞明白。我看有三个大的问题必须搞清楚：

　　第一个问题，我国要不要坚持四项基本原则。这是一个最根本的问题，也是搞清事实真相的根本问题。也就是说，如果按照有些人的想法，认为我国当前的状况，不应该坚持四项基本原则，那么，从学潮到动乱以至发展成反革命暴乱，不管采取什么形式都是合理的、革命的。因为在这些人看来，四项基本原则是反动的，那么，学生的行动当然就是进步的、革命的，甚至是民主爱国运动了。这是毫无疑问的。但是，坚持四项基本原则，是我们的立国之本。对于我们国家来说，共产党领导、走社会主义道路是历史形成的，是我们国家在历史发展中，客观的国情所决定的。所谓民主救国、走西方道路，应该说从满清末期就开始有人在搞了。也提出过"科学救国"、"文化救国"等等口号，幻想靠引进西方思想和先进科学技术来救中国。毛主席在《论人民民主专政》里有一段很精彩的论述。他在论述了自1840年鸦片战争失败后，先进的中国人，经过千辛万苦，向西方国家寻找真理的过程后说："帝国主义的侵略打破了中国人学西方的迷梦。很奇怪，为什么先生老是侵略学生呢？中国人向西方学得很不少，但是行不通，理想总是不能实现。"（《毛泽东选集》第4卷第1407页）在我国那种殖民地、半殖民地的情况下，如果我们要发展资本主义，最后只能作为别的国家的殖民地半殖民地，这是被历史所证明了的。在那种情况下，只有共产党代表全国人民的根本利益，领导全国人民战胜了反动阶级，建立了中华人民共和国。这是我们国家的历史所形成的。所以，必须坚持社会主义道路，坚持党的领导。当然，也必须坚持马列主义、毛泽东思想，这是我们的思想理论武器。十一届三中全会以后，我们很果断地停止使用"以阶级斗争为纲"这个"左"的口号。但是，阶级斗争在一定范围内仍然存在。这个现实是任何人也抹杀不了的。通过这次动乱、反革命暴乱，活生生的事实完全可以说明这一点。所以，坚持人民民主专政当然也是必不可少的。

第二个问题，一些别有用心的人所采取的手段、所使用的方式方法、所要达到的目的，都不是真正的民主。他们的所谓民主、自由，包括新闻界一些人高喊的"新闻自由"、"讲真话"，到底是什么货色？这个问题应该搞清楚。从现象上看，这次学潮是从悼念胡耀邦同志开始的，他们提出的最关键的有两点：一是重新评价耀邦同志的是非功过。对于耀邦同志的一生，党中央的讣告有很明确的结论，给予了很高的评价。那么，所谓重新评价耀邦同志的是非功过是什么意思呢？因为耀邦同志在反对资产阶级自由化上是不得力的，"重新评价"的实质，就是肯定耀邦同志在对待资产阶级自由化上的态度是正确的。二是为在反对资产阶级自由化、反对精神污染中"受迫害"的公民平反。这里有一段插曲。第二点中原文是"为在反对资产阶级自由化和反对精神污染中，受迫害的知识分子平反"。李淑娴说，这样提不好，容易得罪群众，失去群众，因而将"知识分子"改成"公民"。这两点的实质就在于反对党的领导。他们所要求的民主，实际上是资产阶级的民主，不是坚持四项基本原则的社会主义民主。

前几年，特别是最近两年，我们的新闻报道上，否定四项基本原则的文章曾经喧嚣一时，而维护四项基本原则的改革开放的报道受到了打击，受到了压制。也就是说，共产党的舆论工具不为共产党说话。正象有些新闻界人士所说的，他们"不愿做喉舌，愿做大脑"。这样，凡是坚持四项基本原则的文章、理论一概被斥之为"左"的思想、僵化的思想，扣上这样那样的大帽子。有一件事大家还记忆犹新。赵紫阳对《河殇》这个电视片很支持，在他的责成下，复制了许多拷贝，在国内外发行。但是，国内批判《河殇》的文章却不允许发表。平暴后，报纸上发表了一篇"《河殇》到底宣扬什么"的文章，这篇文章是1988年10月份写的。在那个时候，大概由于李政道的名声，在《人民日报》才登了一篇他对《河殇》的看法。那大概是仅有的几篇批判《河殇》的文章之一。也就是说，整个舆论工具为这些所谓"精英"，即长期坚持自由化的一些知识分子所控制。大家知道，在对农村推行适度规模经营的问题上，北京市与《人民日报》有一场争论。当时，北京顺义县还有其它县搞规模经营，这很符合北京市郊区的生产力发展状况。一部分人从事农业生产有较高的收益，另一部分人从事队办企业生产。这是农业发展的一条道路。如果大家都在小块土地上经营，完全靠在土地上提高粮食产量，增加收入是相当困难的。但是全国很快就出现了弃农经商、务工，造成农业在某种程度萎缩的现象。然而，一些"理论家"不顾这些现实，一昧地要求我们的农业不加区别地都承包到个人。事实说明，北京市农业近两年由于坚持结合自己的实际推行适度规模经营，促进了农村生产力的发展，生产形势非常好。1989年在动乱到暴乱期间，北京市夏粮依然取得了大丰收，大约比去年增产 9 ％。但是，当时的《人民日报》连篇累牍，抓住一点枝节，抓住个别人反映的一些个别情绪问题，否定北京市的规模经营，目的就在于宣扬他们的私有制，宣扬他们的个体经营。我们曾经请赵紫阳同志到北京参观一些农村企业，请他参观农村集体的或全民的养鸡场。他没有去，反而只去看个体养鸡户。其实，北京有些个体养鸡户也是在集体的扶植下才搞起来的。从这里可以看出，他们所说的新闻自由就是允许宣传资产阶级自由化的自由。在这场动乱、暴乱中他们就是打着民主、自由、人权的口号，煽动一些不明真相的学生，煽动一些政治上幼稚无知的学生，再加上国际上的大气候，鼓动一些不明真相的群众，对党发泄不满。

第三个问题，是不是赞成赵紫阳所坚持的一套。党的十三届四中全会的文件，对赵紫阳同志支持和纵容动乱，以及赵紫阳同志所犯的一系列错误，都有明确的阐述。如果按照赵紫阳的主张搞下去，那就是全盘西化。香港新闻界所造的大量舆论，很说明这个问题。自从党中央、国务院提出治理整顿方针以后，国外一些很敏感的记者感到这对赵紫阳是一个很大的威胁。香港报纸很直截了当地提出要充分完全地按赵紫阳的路子走，这就是说必须充分地授权给赵紫阳。当时一些反动的舆论发动了一场"倒邓保赵"的运动。特别是上海的《世界经济导报》发表了许多文章，同这种"倒邓保赵"互相配合。因为他们感到赵紫阳的主张，是符合国际大气候的，是符合一些资本主义国家反共势力的政治要求的，也是符合各界反共人士在我们国家实行和平演变总的战略要求的。这两年，大家都有体会，我们党的领导作用是在一片加强声中一步步削弱了。我们的思想政治工作也越来越削弱，从事思想政治工作的政工干部队伍也越来越削弱、涣散。《人民日报》曾经登过一篇文章，讲什么政工干部减一半；生产翻一番的经验。这两年造成群众中的思想混乱，造成党员的思想混乱，也造成各级领导干部的思想混乱，感到对有些问题无所适从。赵紫阳在中央各省的副书记会上谈党的建设问题时，开场白就说，今天，我是赶着鸭子上架。而且，这个讲话作为正式文件发下去时，也是这句话。所以，我们这些搞党的工作的同志感到寒心。当时我们对赵紫阳同志所犯的错误的性质还没有足够的认识。只是觉得，如果我们的总书记讲党的建设都是赶着鸭子上架的，那么，我们党还由谁来讲党的建设呢？所以，从各个方面涣散了我们党的组织战斗力，涣散了整个思想政治工作。

我们首先要把这三个大前提搞清楚，就可以从本质上认识这场风波的性质，就是资产阶级自由化和四个坚持的对立。不然，我们就会在一些枝节问题上纠缠不休。到现在为止，平息反革命暴乱取得了决定性的胜利，但是，不是所有的人在这些问题上都完全有了正确的认识，或多或少都有些转不过弯的地方，还有些糊涂观念，甚至有些人到现在为止还认为，不出几个月或几年，可能这个案还会翻过来。如果作为一般群众这样认识问题，只是个教育问题。作为党员，作为党的领导干部仍坚持这种看法，就是非常错误的。在群众中有不同的意见是允许的，只要不付诸行动。在党内特别是党的领导干部则不允许这种明显的不同的意见存在。看法可以有，但是，涉及基本的原则问题应该是一致的。如果有些人，还感到有些问题不够理解，比如说，部队为什么非进城不可？党和政府如果那时候早些出来做工作，对同学做些让步，早些采取其它办法，问题不就解决了吗？天安门广场到底开枪没开枪？天安门到底死人没死人？到底是群众先烧的军车还是部队先开的枪等等。那就要进一步做好工作。但是我想对这些问题只要稍微动点脑筋就非常清楚了。不要人云亦云，特别是不能感情用事。我们有些同志在初期可能由于对真相不太了解，再加上这么多年来削弱思想政治工作，我们有些党员包括有些领导干部对有些问题也很少动脑筋认真分析。因此，可能刚开始稀里糊涂地跟着谣言转，跟着一面倒的舆论转，介入过深。现在事情真相大白了，从感情上还很难一下扭转过来。如果是这种情况，那么，希望这些同志从大局出发，从党性和国家的前途命运出发，认真分析一下整个事件过程，这样是不难把问题的性质搞清楚的。

二、这场斗争的不可避免性，由学潮到动乱最后到反革命暴乱的必然性。这场学潮的产生不是偶然的。一个时期以来，我们放松了反对资产阶级自由化，放松了坚持四项基本原则的宣传，削弱了党的领导，涣散了我们的思想政治工作。在国际大气候影响下，在所谓民主、自由、人权这些口号的煽动下，资产阶级自由化竞相泛滥。一些长期坚持资产阶级自由化的人越来越胆大，越来越猖狂，妄图从根本上否定四项基本原则。方励之有过一段讲话，认为共产党40年来什么好事也没干，这种论调可以随便发表。北京大学里的所谓"民主沙龙"，可以任意请一些持不同政见的人在学校里腐蚀我们的学生。当时，他们酝酿在1989年利用五四运动70周年、法国大革命200周年、国庆40周年的时机，掀起一次"民主爱国运动"的高潮。方励之曾经给一些学者、教授讲过话，实际上是对他们的一些训示，希望他们胆子更大些。他讲如果这样的会再开两三次，学生就可以上街了。1989年2月份，一个叫张显扬的（原来是文革中的"三种人"，被清除出党了）跟王丹讲，马列主义不适合中国情况，中国还要经过几次教训，其中包括动乱。所以，方励之在4月26日《人民日报》社论之前，就提出过动乱这个词。他们就是要搞一个大的所谓民主爱国运动，要通过动乱这种形式，搞民主运动。学潮一开始，很多人的讲话充分说明这一点。李淑娴为这场动乱安排了四步：

第一步，悼念胡耀邦，顺便提出要为胡耀邦平反，"这样，他们就不好说什么。"从4月15日到4月22日胡耀邦同志的追悼大会这一期间，中央对学生中的一些过激言行，甚至一些过格的言行，也就是反动言行，都采取克制态度。4月15日到4月22日基本上是无法无天的游行。我们的武警战士、公安干警，只是出面维持秩序。每天，天安门广场、东西长安街等主要街道，交通都要堵塞。从他们思想感情上来讲，把政府叫做"当局"，根本没有站在党和政府的立场上，对党和政府工作上存在的一些问题，一些失误，提出一些善意的批评。也就是说，没有共同出发点。再有，群众最恨腐败，所以，有些人，也有些好心的同志讲，学生提出的反腐败，反官倒，有什么不对？我们党和政府也确实存在这种现象，为什么不能接受他们这些口号呢？绝大多数人主观愿望不是好的吗？其实，正象小平同志讲的，"那些别有用心的人提出的所谓反腐败的口号，我们也要当好话来接受。当然，这个口号仅仅是他们的一个陪衬，而其核心是打倒共产党、推翻社会主义制度。"如果有人把李淑娴以这种口气说的话，还认为是学生中正当的要求，唯一的要求，那就未免太天真了，对党员和有些干部来讲，那就太糊涂了。

第二步到新华门静坐。必要时往里挤，只要警察敢管，就是打人。王丹在4月19日凌晨冲击了新华门以后，就曾说过，"新华门前最来情绪的就是拱起警察的火，只要警察气极了，一动手，我们就有借口把事情扩大"。这就是为什么很多谣言都是借这个题目发挥出来的原因。什么"4·20惨案"，"天安门血流成河"，"一千多名知识分子被打倒，躺在长安街上"，"武警的警车故意压死学生"，6月4日凌晨清场时"血染天安门"，包括肖斌生动的表演。为什么都在这上面造谣？李淑娴和王丹的言论完全暴露了他们的真实目的。

第三步就是要求参加追悼会。这样，事态就扩大，就能推向全国，他们几千名学生要求全部参加追悼会，不答应要求就是政府不理，就可以引起全国各地的学生的同情。

最后一步，是5月4日达到最高潮。

这些，都说明了一个问题。可能大多数学生刚开始不太了解这些背景，出于对我们党和政府工作上的失误，特别是对少数党的干部、政府官员以权谋私、腐败官倒的义愤，借助于胡耀邦同志的逝世，发泄不满。但是，很快地这个学潮就纳入了少数幕后策划者的轨道。当然，有些同志可能还有问题，为什么这么多学生会卷入？对当前我们学生的思想状况应如何分析？如果到目前有些人包括一些学生，还强调既然这么多人会卷入，就说明了这场运动是民主爱国的、是反映大众意愿的，那么，我们要问当最后游行中出现了那么多"打倒邓小平"，打倒除了赵紫阳以外所有坚持四项基本原则的党政军领导的时候，打倒现政府的时候，那些学生，那些反腐败、反官倒的党员干部们为什么不出来抵制？最起码可以不参加游行吧。应该看到，由于长期以来对学生的思想政治工作的削弱，一些学生的思想糊涂，做出这种事情不足为奇。如果有些学生不承认自己上当受骗，认为自己还很高明，那么，只有一个说法，那就是同意这场反革命暴乱，同意打倒邓小平、李鹏，反对四项基本原则。所谓高明，只能说明一些人的政治观点非常鲜明。

这场动乱是有预谋的，是有组织的。胡耀邦同志的逝世只是一个机会。他们把这场蓄谋已久的动乱提前了。胡耀邦同志一去世，就谣言四起。胡耀邦同志是在一次政治局会议上心脏病突然发作的，当时只是李铁映同志在汇报教育改革的情况，还没有任何别的发言。可是却谣传什么胡耀邦同志是被气死的。胡耀邦同志是4月8日生病，4月15日早晨因心脏病医治无效去世的。当天，各大专院校就出现了一些大字报和挽联，这天的挽联还有不少是悼念性质的。4月16日情况就发生了变化，有些大字报的语言就很恶毒了，什么"该死的不死，不该死的却死了"等等。这时候，悼念的只占20—30%。到4月17日悼念的内容就更少了。政治温度上升得非常快。他们每天到天安门游行，提出一些政治要求。4月18日三位人大代表，宋世雄、团中央书记处书记刘延东、北京市教育局局长陶西平，接下了学生代表提出的七条要求。王丹当时也讲，如果接了我们的请愿书，能够递交给人大，我们就撤回去。这个时候，王丹给李淑娴打了个电话，李淑娴说，决不能撤离天安门广场。所以，有人讲，如果我们满足了他们的要求，是不是事情就停止了，这是根本不可能的，他们认为这是一个很难得的机会。4月18日晚，就有人开始鼓动学生到新华门去，他们说，这么大的广场，你们每天到广场上坐着，政府根本不理你们。所以4月19日凌晨出现了第一次冲击新华门，凌晨3点钟，公安干警出动，依法驱散了人群，制止了他们这种严重的违法行为。从4月19日晚上到4月20日凌晨，出现了第二次围堵新华门。这次规模比头一次更大，处理起来也更加困难。武警战士手拉手和同学们面对面，往两侧一步步移动，大约将近三个小时，才把新华门前几千人的队伍挤散。最后，新华门前还有二三百人静坐，一直劝到早晨5点，他们仍然不撤，只好由公安干警把他们强行带上公共汽车，送回北大。这以后就出现了所谓4月20日惨案的说法，这当然纯粹是谣言。在4月29日对话时，我已经讲了，武警战士和公安干警是依法履行他们职责的，而学生是违法的，违反了北京的《治安管理处罚条例》，冲击了中央的重要机关，干扰了中央机关的正常工作，阻碍了交通。而且有少数学生、一部分歹徒向警察身上扔石头、汽水瓶子。如果说是4·20惨案，那么这惨案就是学生和一部分歹徒打了公安干警和武警战士。当然，后来有些武警和少数学生发生了一些冲突。这在当时情况下是难免的。但是绝不是他们所说的打死了多少人，那天一个人没抓，一个人没死。在把这200多名学生强行带进汽车时，有个女同学在车上喊"打倒共产党"。我在和学生对话（和袁木等同志一起

12

同学生对话）时，政法大学的周勇军在场。这个人是平息反革命暴乱后第一个自首的。他是高自联第一任头头。4月20日凌晨，他是在新华门现场的，我和他进行了谈话，劝他们退出，他把我的话转达给了静坐的同学，但是静坐的同学不答应。后来，我们强行把这200人带上车时，他溜到边上，我过去问他，这么晚了你怎么走。他说不要紧，天快亮了，可以坐头班车。他回校后也说，实际情况不是像传说的那样，确实没有发生大的冲突。极少数别有用心的人，利用4·20这个事件，向全国各地散发传单，大造谣言，以达到李淑娴所说的激起同学的愤怒。李淑娴是很讲心理学的，她说把警察激怒，动手打人，女同学富有同情心就要哭，男同学有男子汉气概，他们就要出面保护女同学。这样，同学们就都会激昂，就会获得更多人的同情和支持。看来他们就是一步步按李淑娴说的去干的。当然，背后还有更高的人在操纵。一个被一辆105路电车撞死的北师大学生，她本来是去看演出的，由于被汽车中部卷进去给轧死了，这本来是一件很平常的交通事故。可是，有的外校学生对北师大学生讲，你们真是傻帽，你们就说是武警压死的谁知道，搞乱了再说。所以，事态的发展越来越严重。到了4月22日胡耀邦同志追悼会时，他们更是百般刁难，又造谣说政府不理、李鹏不出来接见等等。我在4·22对话中，当面问了郭海峰，我说如果我讲的不符合情况，你当场站出来澄清，郭海峰和周勇军谁也没说出不同意见。追悼会时曾征求他们的意见，如果同学能够自动维持秩序，胡耀邦同志的灵柩可以从广场上通过。但是，他们的代表说："我们的要求不答复，其它要求都无所谓。"在这种情况下，当然不能相信他们。所以，灵车只好从大会堂的西南门走。至于说三个人下跪，这也是他们精心策划的，就是想引起同学的共鸣，引起同学的同情。确实在某种程度上达到了他们的预期效果。在他们下跪以前，我们有些工作人员跟他们讲，我们跪下来接你们的请求行不行，他们不同意。追悼会的工作人员，多次要接他们递交的请愿书，可是一直到最后，他们3个人也没交请愿书。有人说跪下那么长时间，确实引起了一些人的同情心。我认为即使只跪二三分钟，也会引起一些人的同情。因为当时很多人不了解内情。他们当时的一个想法就是要制造借口把事情搞乱。而我们处理一些问题时既要考虑到广大学生的要求，又要坚持一定的原则，所以也是很困难的。一方面少数坏人已经在公开地挑战，而这一斗争实质又没完全暴露在大伙的面前。所以当时，步步都艰难，我感到当时就是委屈求全、忍辱负重，尽量不把事态扩大。可是赵紫阳同志参加了追悼会后，打了一下午高尔夫球。当时我们很不理解，很着急，不知道总书记是心里有底呢，还是有什么其它想法，还是说他很欣赏这种做法。这个期间我们确实曾急得掉过眼泪。我感到我们已经无能为力了。

以后小平同志讲了话，《人民日报》发表了4·26社论。社论发表以后，全国的局势开始平稳了。学校的领导感到工作好做了，各级领导干部和广大党员都感到心里有底了。在这种情况下，4月27日出现了一次较大的反复，学生再一次上街游行。这次游行队伍人数比较多，而且最大的一个变化是所有的口号来了180度的大转弯。原来"打倒腐败政府"现在变成"反对腐败"、"反对官倒"、"拥护四项基本原则"、"拥护社会主义"、"拥护宪法"等等。由于对前一段的情况有些群众不了解，因此，4月27日的游行确实受到很多群众支持，有的喊学生万岁，送茶送水送冷饮，有的还打出当时最流行的手式"V"。学生们感到很受鼓舞，也达到了那些策划者的目的。4月27日以后，虽然学生还陆陆续续到广场上游行，但是热情急剧下降，很多学生也逐渐准备复课了，社会上的群众也逐渐对学生游行产生反感。

5月4日，他们原来准备搞一次大游行，《人民日报》讲的是百万人大游行，实际上较精确统计是1万多人，不到2万人，北京市民声援的、送茶送水的也很少了。一路上队伍稀稀拉拉，无精打采，也没什么喊口号的，4月27日游行时，他们的劲头很足，都从东二环绕一圈回学校，而5月4日基本上是原路返回，队伍到下午4点多钟就很快散掉了。除了北大以外，大多数学校安排了5月5日休息一天，5月6日复课。那么，以后事情为什么又闹大了呢？应该说整个事情的转机是在4号下午，赵紫阳在亚行会上的讲话。如果赵紫阳这个讲话能够同中央保持一致，那么这场动乱很快就制止了。但是，恰恰相反，赵紫阳在这个会上把他和中央的分歧，把对中央的不满完全暴露在世人面前。学生受到了鼓舞，广大党员、广大干部，特别是学校的干部感到迷惑不解，不知道赵紫阳葫芦里卖的什么药，不知道和哪个中央保持一致。我们的处境就更加困难了。我们心里有想法，但是还要对下面区县局讲，赵紫阳的讲话和中央精神及4·26社论是一致的，只是考虑了不同场合、不同对象，因此说法策略一些。

从5月4日以后这场动乱越来越升级。有人讲赵紫阳曾在政治局常委会上讲过话，愿意担这责任。当时没传达，都是由学校传出去的，是赵紫阳的那帮高参传出去的。有些当然传得不太准，但是罗列起来基本上是赵紫阳几次政治局常委会上讲的。他要从4·26社论退下来，这个责任由他来承担。有人讲，他作为总书记，承认4·26社论不对，而且还承担了责任，这样问题不就解决了吗？同志们想一想，作为总书记这样做用心到底何在？小平同志讲话后，他从朝鲜打电报回来表示坚决支持。他回国以后，仍表示拥护小平同志讲话，拥护4·26社论。而事隔不久，他就180度大转弯。同志们想想，如果当时从4·26社论退下来会是什么后果？其后果就是出卖了邓小平同志，出卖了党中央，等于承认学生运动就是民主爱国运动，学生提出的所有要求都是革命的、合理的。所以决不能从4·26社论退回去。有些同志出于好心，说能不能对4·26社论搞个折中的办法退下来。这把我们的对手估计得太简单了，把这些长期坚持自由化的人险恶用心低估了，把他们看得太善良了。如果从4·26社论退下来，我们的党就完蛋了，事实确实如此。在广场上，有些群众问一个学生，你们打倒这个打倒那个，打倒以后谁来干，他说暂时是赵紫阳，过两三年再说。当然赵紫阳本人在这个时候采取这一步也是有他的心计的。赵紫阳的高参向他建议：第一，在政治体制改革上你的形象是不好的，长期以来你削弱党的思想政治工作。第二，在经济体制改革上你的形象也是不好的，经济搞的这么乱，特别是价格政策搞的这么乱。第三，在反腐败问题上你的形象也是不好的，这个大家知道，你的公子倒彩电。现在你只有一条出路，那就是与邓小平保持距离，争取学生。事态的发展恰恰证实了这一点，事态发展到了只有赵紫阳出来才能收拾的局面。当时确实有相当一部分同志认为这时只有赵紫阳出面才行。一些人把我们的老一辈无产阶级革命家、把我们党中央、把我们绝大多数党的领导干部估计低了，把我们这个党估计低了，而赵紫阳和这些长期搞资产阶级自由化的一些人，也确实把形势估计错了，他们认为这个形势也只能由赵紫阳出来收拾。特别是在赵紫阳接见戈尔巴乔夫时讲了我们党的一些重大事情都由邓小平来决策后，第二天就是铺天盖地的打倒邓小平的口号；说邓小平已经自动辞职，广场上还放起了鞭炮。他们也知道这事是谣言，但是他们却希望把谣言说得越圆越好，让广大群众心里没底跟着他们跑。这也确实起到了一定的搅乱人心的作用。我们有些干部确实感到心里没底了。在这种情况下，事态的发展越来越严重，到了5月13日，他们在接到中央同意与学生对话的通知后，仍迫不及待地采取了绝食的恶毒办法。

在绝食期间我们做了大量的工作，我们市委、市政府在绝食队伍进广场后第二天就通知卫生局以红十字会的名义，派去了救护车。从5月14日到19日晚上，全北京市夜里就是救护车的警笛在叫。这点也如期的按他们设想实现了。他们说，如果北京市晚上整夜响的是救护车的警笛，就会唤起全北京的市民对你们的同情。确实这样，那两天的警笛叫的真是声声撕心啊。我们在广场建立了给水站。当时他们不承认市委、市政府，把市委、市政府叫"当局"，已经同党和政府不共戴天啦。我们的给水站，是市委、市政府建立的，甚至办公厅副主任每天送几十趟水，还加了糖和盐。因为我们一直认为，绝大多数同学是上当受骗的，他们还是学生，还是孩子。我们再忍辱负重也要关心他们，不能让他们出现意外。应该说我们是在一片打倒的叫声中做了仁至义尽的工作。怕他们晒，我们运去34000顶草帽，送去了大量防感冒、防中暑、防泻肚的药品。广场上开始是十几个，后来是几十个、几百个医务人员日夜守护。

绝食的第二天夜间，市委、市政府所有领导都到广场去看望绝食学生，同他们对话，可是根本没法对话。学生提出否定4·26社论，要承认学生是民主爱国运动，除此之外就是

17

乱吵乱叫，大家看录相可能看到了。真是难以想象这么年轻的学生会是这样。谈了十几分钟实在谈不下去了，只好挤出一条路撤出广场。所以有人讲，对话不就解决问题了吗？能对吗！5月18日晚上，预报有雨，我们给广场上绝食的学生送去了300条脚手板。那天我接待了几个从台湾来的学者，当听我介绍了这一段过程时他们都掉眼泪了。不管当时他们对问题存在什么看法，但起码认为，我们忍辱负重做到了仁至义尽。平常我们调300条板子也是要费点劲的，当时交通已经非常困难，哪象《人民日报》所说的，交通秩序非常好，学生们自己在维护秩序，真荒谬。那时我们的公安干警根本上不了岗啊！为了他们能够避雨，我们在18日凌晨从2点到6点4个小时，给广场调去了100多辆大公共汽车。为了怕他们冷，我们从卫戍区调了1000条军被。为大多数绝食学生的生命安全、身体健康我们做了大量工作。那几天的声援队伍真是一浪推一浪，此起彼伏。绝食圈里的学生非常可怜，他们刚开始曾想绝两三天就完了，给政府施加点压力。但是他们没想到往那里一趟，就根本出不来了。"同学们，我们支持你们！坚持到底就是胜利！你们的精神代表了中华民族的精神！"在这种情况下，他们还能出来吗？这实际上是把绝食学生一步步推向死亡的边缘。

　　当时，我们的工作已相当困难。有位市长助理姓黄，他乘的车被学生拦住了，问干什么的，司机头脑比较灵活说是民革的黄先生，就放过去了。我们不是说民革同志不好，有一条很清楚，若是共产党员，人下来，车烧掉。所以，这种情况，不是象有些同志所想象的，这些人只是为了要党和政府改正工作中的错误，或者采取了稍微过激的措施。这时，我们无路可退，无步可让，要让步只有一条，那就是在我们国家搞资产阶级的民主、全盘西化。到5月19日下午,有人冒充中央机关工作人员写了一个条子,交给广场上的学生,说晚上政府要采取大的行动,实际上,是把戒严的消息通报给广场的学生。戒严部队的番号,进京路线,哪条路线各有多少人,高自联头头掌握的一清二楚。各个路口都发生了围堵解放军的事情。这个消息走漏之快,真是令人吃惊。斗争已相当尖锐了,形势相当严峻。但又有一个现象,从5月20日以后,也就是5月19日晚党政军领导干部大会以后,这种内部消息几乎完全杜绝了。广场上立时谣言四起,什么"李鹏讲了要杀20万同学,杀20万学生,把我们的安定维持到2000年也值得!","监狱都已腾空了,为了装学生"。这一夜平静过去了。接着又传出什么"工人体育场要空降军队"。有些不明真相的学生真的就涌到体育场去了,又没这事。还有什么"邓颖超退党了","徐向前、聂荣臻不赞成戒严"等等。对这些谣言,只好一个个批驳。邓颖超同志写信,徐向前同志写信,聂荣臻同志发表讲话等等。部队被阻了三天三夜,我们的战士始终保持克制态度,忍饥挨饿,心急如焚。从5月13日到20日,我们的新闻界完全是一面倒的舆论,不游行成了不爱国。报刊上说五四的游行队伍中,学生打着拥护共产党的口号,其实根本不是这样,一个拥护共产党的口号也没有。他们为什么写上这句话呢?很简单,学生走得太远了,容易脱离群众。所以,什么是新闻自由,什么是新闻真实?实际上,是用新闻自由、真实压我们,不许宣传四项基本原则,只许他们一家放火,不许别人点灯。现在同志们对新闻自由、新闻真实应该有一个非常深刻的理解和体会了。没有绝对的新闻自由,谁主持着宣传工具谁就要为本阶级服务,为本阶级的政治服务。到5月末,群众情绪开始平静，社会逐渐安定。为什么部队还要进城呢？实际上这个时期所谓好转只是个表面现象。那些幕后策划者在继续造谣煽动，为了进一步煽动广大群众的情绪，决定发起300个知名人士的绝食。结果就出现了四个人，包括侯德健、刘晓波和四通公司的两个人，另外还搞了个自由女神。香港送来了大批的资金以示援助，小帐篷也是一顶顶源源不断地被运来。他们在广场上维持一天，大约要10万元，大部分是外币，其中包括堵军车、堵部队的费用，每人堵一次30元。他们网罗了一批社会渣滓堵截部队。所以，有的同志讲这场动乱是少数"精英"和一些痞子的结合。这种现象认真分析起来是非常深刻的。他们对法国大革命200周年那么感兴趣，就是想采取攻打巴士底狱的办法来夺共产党的权。这期间吾尔开希曾讲过"三天以后我们要庆祝一个重大事件的发生，庆祝新政权的诞生"。新政权的组成人员、镇压名单他们都已经搞好了。在这种情况下，形势已十分严峻，部队必须尽快进城。事实并不象社会上所说的那样，局势有所好转。实际上人家已经决定血战到底了。6月2日晚，部队进城，情况就更加严重了。一些歹徒和一部分不明真相的群众，在将近24小时的期间里，进行了肆无忌惮的打、砸、抢、烧，部队几百辆军车被烧毁。而我们的官兵，却强忍着精神上巨大的压力和受侮辱的愤恨心情，依然骂不还口，打不还手。一些被冲散的战士遭到歹徒们的绑架毒打、甚至惨忍的杀害。有的战士死得相当惨，崔国政烈士从崇文门过街桥上被扔下来时还没死，又被一个歹徒浇上汽油给活活烧死了。这个歹徒还到处得意地叫嚷："这家伙身上的汽油可是我倒的啊！"没有丝毫顾忌，就象肖斌回去"宣传"血洗天安门广场一样。他在当天晚上连电视都没有看，忙着到处去"宣传"！

说得生龙活现，还用手比划着！为什么他们没有一点顾忌？是因为他们都认为大势已定，都感到如果"新政权"一旦诞生，还能得到点什么，还要请功领赏呢！所以，有些歹徒抓起来比较容易，因为是街坊，大家都互相认识，跑不了。还有刘国庚烈士，被一伙歹徒毒打，折磨了几个小时，死后还被一个歹徒开膛破肚，把肠子拿出来系个结。这些歹徒多么凶狠啊！我曾接见过一个美国代表团，讲了这个情况后我问他们，你们凭良心讲，且不要讲社会制度政治观点不同，就从军人的职责来讲，有哪一个国家的军队象我们的子弟兵一样？你们可以说一说，如果我们的部队先开枪，能受阻挠24小时进不来吗？反击以后，我们的部队不是很快就进入广场了吗？不要说我们的部队有枪有子弹，就是徒手进城，允许还手的话，也不会遭受这么严重的损失，部队会很顺利地进城的，不就是因为我们的部队怕误伤老百姓，怕误伤一些无辜吗？可恰恰相反，我们有些不明真相的群众在这样的情况下，看到部队遭到这么大的损失还不回心转意，依然在那里围观，给部队执行任务带来了难以想象的困难。美国人说："在我们美国，宣布戒严以后，特别是宵禁以后，如果再上街，那么警察就开枪，打死以后，没有任何人敢讲什么，你们这里怎么是这样的情况呢，真叫人难以理解！"我说："你们现在可能理解不了，这只能说明一个问题，抛开国家的阶级性以外，我们的法律的健全程度，宣传的广泛性远不如美国。给你们举两个例子，你们可能认为是笑话，但这确实是事实。6月4日凌晨天安门广场清场时，有两口子穿着裤衩背心抱着孩子还在那儿乘凉，部队播送了那么长时间通告，他们还在那儿看热闹，非要看看最后到底是什么结果。6月5日有的地方还在打枪，有个老太太领着她的外孙女，一边跑一边说："快跑快跑，去晚了就什么也看不见了。"所以在法制观念上我们是落后啊！有些学生在游行中首先要求撤消北京的游行法。这些自认为是天之骄子，能够拯救中华民族的学生，他们就不想一想，世界有哪个国家是没有游行法的呢？这些要求法制、要求民主的"精英"们，第一个要求就是违反法律的。资本主义国家、社会主义国家没有一个国家没有游行法，而且大部分游行法都比我们严得多。美国的游行不能牵扯政治，牵扯政治绝对不批准。美国的法制比我们健全得多，严格得多了。在美国的一次学潮中，警察追赶一批学生，当这批学生跑到一片草地面前时，他们第一个念头是不能踩草地，因为美国有一个反践踏草地法。他们只好绕过草地，他们没有想到这样跑的后果是让警察比较方便地把他们打死了。而我们一些群众这种观念实在是太淡漠了。还有，香港在北京大游行前一天，有些人也捣乱，香港出动了2000个防暴警察，用他们原话讲就跟打狗一样，那些人四处逃窜，警察追上去，不管脑袋屁股乱揍一顿，马上就驱散了。

我们有些人法制观念很差，戒严后，还有几百人以至几千人围在南池子南口。那时候已经有警戒线了。明确规定，越过警戒线鸣枪示警，再往里走可以开枪。有些人，一些无业游民，后来都是一些歹徒，非要往里闯闯，试试看。有人讲，在这种情况下我们可不可以用一些非杀伤性武器。根本不可能的。如果不用杀伤性武器，在群众情绪激烈的情况下，在一些歹徒疯狂的打、砸、抢、烧、杀的情况下，那只能是激烈的搏斗，那样损失会更大。刚开始，我们在有的地方用了橡皮子弹，这些人刚开始四处乱跑，后来一看，原来是橡皮子弹，"哗啦"一下都回来了。在六部口用了两颗催泪弹，是为了抢救一车弹药。可是有的人还跑回来，说"闯一闻催泪弹到底什么味"。我们长期以来在法制观念上淡漠,对社会主义社会在某些看法上、观念上是错误的、糊涂的,给处理这次事件带来了非常大的困难。西方有些国家恶毒污蔑攻击我们,不是害怕中国不安全,而是趁机造谣,达到他们的目的。他们哪个国家的警察不比中国的厉害,哪一个国家的部队不比中国的凶。不要说殴打警察、杀死士兵了,就是谁敢骂他们的军人一声、打军人一下,他们的军人就可以开枪。1970年美国出兵柬埔寨,当时总统是尼克松,国内有60多个学校起来闹学潮,肯特州立大学去了28个美国士兵,进门后在没有任何警告的情况下,当场开枪,打死4人,打伤9人,一人终生残疾,学潮马上压下去了,两天工夫,抓了14300多人。现在我们有些人还在糊涂,难道美国出兵柬埔寨是对的?他们可以说因为你违反了游行法,造反了,就可以开枪。为什么我们在这种情况下,在我们的解放军战士遭受到这么大的伤亡,在我们的共和国生死存亡受到威胁的时候,连反击都不行!公理何在?他们无非是想看到我们这个共和国、我们的党垮台。他们哪个国家戒严不比我们的厉害,却故意在那儿装腔作势:"你们有戒严部队,我们去了害怕。"简直是一派胡言。对这些事情,我们每一个同志都应该清醒地认识到他们多么不愿意看到一个强大、独立的中国啊!

杜勒斯在50年代就说过要把和平演变的希望寄托在中国的第三代第四代领导身上。现在看来,这么多年来他们和平演变的策略是取得了一定成功的,到现在为止他们也没放松这点。布热津斯基也发表了文章,要通过经济渗透促进社会主义国家特别是东欧一些国家的所谓民主化进程,逐渐变成多党制,演变成走资本主义道路。这个目标非常清楚。为了这个目标,在我们大力削弱思想政治工作,糊里糊涂睡大觉的时候,在我们认为阶级斗争已经没有了,资本家都是非常亲善的,都是对我们国家社会主义四化非常关心的时候,美国的统治阶级、资本家和政客们却没有放松和平演变。他们是突出政治的,时刻不会忘记把社会主义国家演变到资本主义轨道上去。在动乱、暴乱期间表现最突出的就是美国之音。我看有两点,一点是值得钦佩,第二点是应该向人家学习。所谓值得钦佩就是人家这种坚韧不拔的精神,这种恬不知耻到了登峰造极的地步应该钦佩。它所造的谣言是无边无际的,一个谣言被戳穿了,紧接着造第二个,第二个又破产了再编第三个,毫无廉耻而言。为什么呢?因为他们有一个坚定的政治信念,只要把你搞乱,只要国内有人听,我就造,最后把共产党搞垮了,就没有人会来追究是不是谣言。美国之音在美国国内是不广播的,它怕惹恼了美国的各界,美国之音只对外广播。他们曾编造了一个38军与27军火并的谣言。来访的台湾学者代表团,专门找了27军和38军。27军一个政委、38军一个政治部主任,谈了之后给他们的印象非常好。27军政委朱少将,总是面带微笑,自始至终用微笑的态度把很多难题解答了。他们都对中国将士感到钦佩。他们原来不相信解放军士兵都是青面獠牙,但是对中国军界领导人到底怎么样他们不清楚。原认为都是一介武夫,没想到谈吐非常自如,很有风度,非常令人信服。我们有些部队首长在天安门广场给他们介绍天安门现场情况都讲得非常好,所以他们感到中国有希望。他们说,台湾有相当一部分人认为,大陆的社会主义政权是不会变动的,是不可触犯的,大陆的社会主义制度的优越性在台湾是没有的,特别是平等自由。一位教授在首钢座谈时,首钢一个医务人员问他台湾的生活水平是不是比我们高。教授反问她挣多少钱。她说200多块钱，他说："在大陆房费是6到11块，在台湾房费占工资的2/5，你们现在上公共汽车6站5分钱，台湾一上车就合人民币2元。"他是团长，又是一个老教授了，每天必须写作。如果不是这样，生活就很拮据。他感到中国的退休人员自由自在，生活有保障。另外，台湾在发展初期是凭借日本搞的基础发展起来的。后来，台湾作为弹丸之地，又有美国的援助，发展是快些。中国有11亿人口，农民占9亿，如果农民每人提高100元，总共是900个亿。而这两年，农民提高的远远不止100元。因此，这个问题要具体地分析。

第二点，就是向人家学习政治坚定性。这场动乱自始至终谣言起了相当大作用，而我们有些同志感情上转不过来，美国之音造的许多谣都已破产了，有的同志还在津津乐道，对我们的报道却不相信，甚至对报道咬文嚼字。对于群众我们可以做工作，对于党员则应进行严肃批评教育。这实际上已经是个立场问题了。

当然还有一个复杂因素，就是赵紫阳同志的支持和纵容。赵紫阳的纵容和支持使这场斗争更加复杂了。5月19日前的游行口号人们都是了解的，那么到底是支持什么，声援谁，是很清楚的。因此，上街游行、声援当然都是错误的。如果说5月19日前人们有这样和那样的想法，在一定意义上还可以理解的话，5月19日以后对于党员特别是领导干部就不能允许了。有的人讲"赵紫阳上去是共产党领导，李鹏上去也是共产党领导，我们觉得谁都可以，有什么错？"但是5月19日以后李鹏代表党中央明确讲了这次动乱的性质，发布了戒严令，为什么还转不过弯来？这就有问题了。无非两点，一是支持赵紫阳的主张。我们允许存在不同政治观点，但是留在领导岗位上不行。群众有这种观点可以，只要不变成行动就允许存在，然后再经过长时间的宣传、教育逐渐解决。作为党员有这样观点是不允许的，如坚持这种观点，可以自动申请退党。第二点是，认为学生搞的是民主爱国运动，认为我们的社会主义制度已不能再发展了，只能走全盘西化的道路，走资产阶级共和国的道路。

这场斗争的不可避免性，还可以从事态发展的整个过程中看出来。国内外反动势力大量地进行干预，从人力、物力、宣传、出主意，包括为这次参加组织暴乱的一些反革命分子的逃亡都出了大力。香港搞了一个逃跑渠道，帮助吾尔开希等逃走。这些人走时都带了十几万至几十万元钱。他们在动乱开始以前采取的手段是潜移默化，支持我们国内坚持自由化的不同政见者，包括像方励之这样的人，在经济上步步牵制我们。在动乱开始以后他们造舆论，散布谣言，提供资金，提供避难地点。一切都是为了他们的政治服务。比如，自设立举报电话到现在，总的来看，共接到电话大约28000个，其中将近75%是滋扰电话，最多的一天下午，接到600个电话，几乎全部是滋扰电话。滋扰电话中绝大多数是从国外打来的，其中有一半是从法国打来的。另外比较多的是美国。在这期间，从美国向国内打电话，可以凭卡不要钱，所以，那时候电话非常多。我们只能把国外的电话堵死。外国的滋扰电话就少多了。可见西方国家要搞垮我们真是不惜一切。

再一个通过经济实力干涉别国内政。美国由于经济比较发达，其统治阶级当惯了世界宪兵，到处干涉别国内政。由于他们的干涉，在一些小国，反对美国的政权就要被颠覆。但对我们这个11亿人口的大国来说，美国却打错了算盘，如果他们坚持下去，必将是自食其恶果的。大家可从报纸上仔细分析，要想制裁中国不是那么容易的，正象袁木同志所讲的，在制裁中国的过程中，中国人所焕发出的自力更生的精神，要比那点外援值钱多了。当然反过来想想，我们前些时候，在引进的问题上有很多教训应该吸取，日本走的一条道路，就是发展基础科学和应用科学有个合理的比例。而我们培养了大批研究生过多地从事高、精、尖的研究。从我们国家的经济基础和科技水平出发，应该更多从应用科学入手。日本应用学科发展得非常快，可以很快把一些科学技术应用到生产上，生产出比较好的产品来。另外，由于研究生招收过多，给我们的教育经费也带来一些问题。我看对有些国外资金的使用也有些不合理，既造成了浪费，也阻碍了我们国家一些民族工业的发展。通过这次动乱、暴乱，我们有许多事情是要认真反思的。总之，国外反动势力的根本目的就是要推翻我们的社会主义共和国。

最后一个方面，讲一下为什么这么多学生和群众卷入了这场动乱。

这么多学生卷入的第一个原因是，长期以来学校的政治思想工作削弱了，思想教育阵地被资产阶级自由化思想所占领。中央发布的加强政治思想工作的决议，最早是连政治两个字都没有的，只有思想工作。就是说怎样搞好团结、搞好生产、增加利润等等，没有政权观念，没有阶级观念，没有政治观念。因此在学生中错误地认为资本主义就比社会主义好，用理想的东西来衡量现实，产生了不满情绪，把需要经过几代人的努力才能达到的目的，天真地认为，只要采取些措施，就能实现。这确实是党和政府工作中的重大失误。因此他们对党和政府这也不满，那也不满，又不愿意付出辛勤的劳动，不愿意做出奉献，不愿意用自己的努力去改变我们国家的落后面貌，盲目地崇拜资本主义制度，盲目地崇拜资本主义民主。他们的所谓民主实际上就是想干什么就干什么。而他们不懂，当人人都想干什么就干什么时，那么就什么也干不成了。

第二个原因是，尽管我们大多数学生有爱国热情，有希望我们国家尽快富裕起来的良好愿望，但是由于长期以来不注意思想改造，政治上幼稚，遇到复杂的斗争，只能人云亦云，很容易上当受骗。而一旦被感情所支配就很难自拔。我们到广场和同学们私下交谈时，他们也认为没想到后来会发展到这一步。为什么有那么多人退不出来，为什么当那些喊出了"打倒共产党"、"打倒伪政府"的口号时，他们还不退出来，就是因为有些同学已经不能自拔了，当然有些人也属于政治上不坚定，看风使舵。在清理广场时，从英国记者手中缴获了一盘磁带，这盘磁带是学生最后讨论如何撤离广场的，由侯德健主持。他说如果举手表决，夜里看不清楚，撤退不撤退大家表决，谁声音大听谁的。最后撤退的声音大，决定和平撤退。这盘磁带里面还要求西方国家声援，要求联合国派兵，甚至提到了其它国家派兵来不及了，最后请苏联出兵，因为苏联离的比较近。难道这还是民主爱国运动吗？还是帮助党和政府克服工作上的缺点吗？还是反腐败、反官倒吗？所以从这点来讲，大多数学生卷入并不奇怪。现在有些同学和群众还认为学生比较多，大多数人是爱国的，这场动乱能这么定性吗？看任何一件事情，看任何一场斗争，关键是看它的纲领是什么，这个斗争所倡导的是什么，发展的结果是什么，而不能光看一部分人的愿望和人数的多少。

对于这么多群众的卷入，我看是可以理解的。一是由于这么多年来我们党削弱了党的建设和思想政治工作，有些领导干部确实存在这样那样的腐败现象。个别领导干部的腐败并不可怕，可怕的是在我们相当一部分政府和党的干部里边，对腐败现象听之任之，麻木不仁。比如大吃大喝的问题，老百姓是最动怒的。但是如果真的揪到了哪个人，说他请了客人大吃大喝一顿，够得上哪条法律呢，够不上。这个现象群众确实不满。还有些干部私建住宅等等。由于长时间以来我们没有严格治党，没有认真加强对党员和各级领导干部的教育，没有强调为人民服务是党员和各级领导干部的根本宗旨。因此，有些党员和领导干部的政治观念，为人民服务的观念，关心广大群众疾苦的观念越来越淡漠了，最后只剩下了一个共产党员的称号，不能全心全意为人民服务。从这一点讲，群众有情绪是可以理解的。我们的党确实存在腐败现象，我们也正在积极纠正。但是，我们这个党没有腐败，更没腐败到非打倒不可的地步。同志们可以想一想，从我们党的最根本的宗旨，从我们的各级组织和广大干部来说，对腐败和一些不正常现象也是疾恶如仇的。从这个基础上来讲，尽管暂时由于开放搞活我们放松了工作，带来一些腐败现象，群众有些意见。群众起来提意见，甚至有些过激言论，我们应该表示欢迎。但是要看到一个本质问题，这次事件发展到最后是这些群众也不能控制的，最后的结果，也已经不是他们本来的愿望了。

第二个是当时错误的舆论导向，把相当一部分群众思想搞乱了，甚至错误地认为不上街游行就是不爱国了。我们有些干部是骑墙派，所谓骑墙，说穿了就是对当时谁胜谁负看不清。一直到平息反革命暴乱以后，我们有些单位领导表态还在说："看看再说，现在谁胜谁负还很难拿准啊！"象这种人我们只能在斗争中考察他们。对于群众游行，当时报纸上宣传这是民主爱国运动，学生的组织纪律如何如何好，北京市社会治安明显好转，刑事犯罪率急剧下降等等。实际上，那两天全市主要交通干道基本堵塞，大多车辆不敢上街。我们市委宣传部搞的一些宣传材料要送到北京电视台都很困难。坐汽车，不敢坐，骑自行车，还得把那个录相带外面贴上"英语教学"标记，不能写上内容，万一查出来，就了不得！戒严以后，我们一个市领导找戒严部队联系武装押运液化气，以解群众生活燃眉之急。是两辆坦克车，一辆军车来接的。同志们想想，我们建国40年了，竟到了这个局面。市里的领导去开会还得坐坦克，可见局面严峻到了什么地步。在这种情况下，有些干部是动摇的。中央电视台有两位播音员穿着"丧服"播音，有些话他们不得不播，但又得表示出他们的政治倾向，因此用了那么一种声调，念我们的戒严令就象念悼词一样。大家都有目共睹，全国各地都知道。在这种错误舆论导向的情况下，有一部分群众认识不清楚是可以理解的。在清查过程中对群众的政策还是很全面、很严格的，包括参加游行声援的群众，只要能够说清楚，通过学习，提高认识就可以了。北京市一个托儿所的一个阿姨领着小朋友们去声援绝食学生，标语上写着："邓爷爷你回家休息吧？"她还是挑了表现好的小朋友去的，写了这么个标语。小孩子一看，这是好事么，扶老携幼么，邓爷爷老了，当然应该回家休息了。这样的阿姨我看不能再当了，这到底要把我们的小孩子引导到什么地方！

第三个是长期以来的思想政治工作严重削弱，我们对国情的教育，历史的教育，艰苦奋斗精神的教育，历史责任感的教育都十分缺乏。有些学生没有历史责任感，只想索取，而却不准备对社会做出奉献。这种思想境界怎么行。有些群众的思想比较乱，比较糊涂，参加了游行、声援等等。他们出于触动一下党，触动一下政府的心理，但是没有想到这种行为所带来的严重后果，应该说这是对党和国家的前途命运不够负责任的表现，对历史的责任感非常淡薄。当然，这个苦果也是我们工作失误造成的，主要责任当然应由赵紫阳负。

刚开始，有个北大的学生到我们那儿游说，希望我们从4月26日社论退下来，我只跟他讲了一段话："我不是个政治家，研究生毕业后搞了很长一段时间技术，我是逐步开始做党的工作的。我不认为我是个政治家，也不认为我具备多高的理论水平。但有一点我可以非常清楚地告诉你，那就是赵紫阳同志同意邓小平的讲话，以后又出尔反尔，这是政治上的小人，是卑鄙的。"一天晚上电视里播出中央几位领导去看绝食学生，其中有个同学，是北京理工大学四年级学生，这个学生后来到市委机关上访，要求给广场支援点物资，在市委一直呆了两天。临走时对我说：你要是个政治家的话，就应有政治家的远见和气度，你得正确分析当前的形势，看准方向。我跟他讲：我本人不是个政治家，我只是一个党的工作干部，如果将来真出现你们所说的那种局面，如果允许的话，我退出政界。我没有你所说的这种政治远见性，也没有这种政治家风度。

一个二十来岁的学生竟然讲出这种话来。事情并不象我们有些同志所想的，党和国家领导人出去接见接见他们，让点步，对他们表示关怀就行了。我们开始关怀得够可以了，我们掉着眼泪送被子，调汽车，后来我们不掉眼泪了。我一闭眼，一想到象王丹、吾尔开希这些家伙，年纪轻轻就和我们有不共戴天之仇，这么恶狠狠地想推翻我们，打倒我们，我们反而更坚定了，非斗争到底不可。我们尽管处境很困难，但是在党中央、国务院、中央军委的领导下，由于解放军进

31

京实行戒严，一举取得了这场斗争的决定性胜利，保住了我们的社会主义共和国。但是，真正从思想上，政治上来讲，还只能说是取得初步胜利。要想真正取得全面胜利，首先一点，应做好澄清事实的工作，使广大群众认清事实真相，了解这场斗争的实质。第二点，要振奋精神，抓紧我们自己的工作，正象小平同志所讲的，我们是应该聚精会神地抓我们的党了，我们这个党不抓不行了。我们各级党的干部、党员应该以崭新的精神面貌投入到工作中去。当然再不能稀里糊涂过日子了，今后我们每个党员的一举一动都要对党负责，对党和国家前途和命运负责，如果现在还不振作起来，象这样动乱，早晚还要发生，到那个时候，我们真的要彻底完蛋了。要想真正的使我们国家繁荣富强，使我们党所代表的广大人民的利益真正能够实现，那只有一条，就是加强党的工作，发扬我们党的优良传统，使每个党员，每个领导干部时刻都想到我是一个共产党员。第三点，也是今后长时间要做的，在有些理论问题上加强研究，加强宣传。比如，关于民主法制问题，民主自由问题，人权问题，多党制问题，私有制问题，还有许多其它问题。现在看来，许多群众对解放军进城不理解，其中一个很重要的因素是40年来的和平生活，法制观点的淡漠，对社会主义制度某些观念的歪曲，使人们从心理上感到难以承受。有的人说："北平解放时还是和平解放，40年了，现在解放军还要荷枪实弹，开着坦克，装甲车进城，感情上接受不了。"因此，在一些人的煽动下，有些群众很容易上当，很容易感情用事，有些现象也很能说明问题。开始，有些群众也上街了，也喊出了一些口号，但是，后来当歹徒向解放军下手时，有的群众悄悄离开，有的还营救了解放军，表明大多数人的愿望是善良的，但看法是糊涂的。通过播放暴乱事实真相，特别是部队开展爱民活动后，情况发生了很大变化。烈士的家属非常坚强，对组织没有任何要求，把他们的子女继续送到部队。这些烈士家属崇高的思想境界，对北京市民是个深刻教育。一名山东群众来信讲：过去，首都人民在外地人心中形象非常高大，我们把首都人民看作我们祖国精神的象征，中华风貌的体现。但是在这次动乱期间，我们万没想到，有些首都市民觉悟如此之低，如此糊涂，希望你们多为部队做些好事，重新树立首都人的形象。相当长时期以来，我们在法制的宣传教育上，有很大失误，如果能够认真总结经验教训，这次坏事就一定能变成好事。有些同志在分析整个事件过程时说，这件事是不是还带来了积极一面？同志们可以回想一下文革十年。文化大革命十年动乱给我们带来了巨大的损失，但从中我们吸取不少有益的教训。在社会主义初级阶段，我们确实没有经验，通过这次动乱，暴乱，特别是在反腐败、为人民服务问题上，应该受到极大的触动。只要是对党的事业忠心耿耿，关心党的事业的人，对我们党的每一步改进都会欢欣鼓舞的。所以，从现在来讲各个方面都应吸取教训，振作起来。有人问我，这次平息暴乱以后的心情。我说有两种心情，一方面，这场斗争真是一次生死存亡的搏斗，现在，我们党胜利了，共和国胜利了，当然很高兴。另一方面我感到心情非常沉痛，建国40年的今天，发生了这种事情，首都制止这次动乱、平息反革命暴乱不得不动用军队，实行戒严，我感到我们的工作中确有许多需要改进的地方，确有许多深刻的教训。只要我们和党中央保持一致，向前看，努力把我们的工作做好，真正全心全意为人民服务。那么，我们党的领导就会越来越坚强，越来越有希望，我们的国家和民族就大有希望。

新闻自由与反对资产阶级自由化

一、从这次动乱和暴乱的
舆论导向来看新闻自由

在1989年春夏之交的动乱和反革命暴乱的短短50天里，舆论上实际存在着5种声音。

第一种是党中央的声音。第一阶段，主要是《人民日报》"4·26社论"——《必须旗帜鲜明地反对动乱》。社论可以概括成这样几点：（1）指出在悼念胡耀邦同志期间就出现了不正常的现象。包括制造各种谣言，指名攻击党和国家领导人，鼓动群众冲击中南海，喊出"打倒共产党"的口号。（2）指出在西安、长沙出现了打、砸、抢、烧的严重事件。（3）指出在悼念活动后，又出现了非法游行，公开鼓动反党反社会主义。在部分高校成立非法组织，向学生会夺权，以及抢占广播室，出版非法报刊，如《新闻导报》。在高校中鼓动学生罢课，盗用工人名义散发反动传单，四处串联。社论根据这些情况，说明这是一场动乱，是从根本上否定共产党的领导，否定社会主义制度，指出这是摆在全党、全国人民面前的一场严重的政治斗争，号召全党、全国人民积极行动起来为坚决制止动乱而斗争。

以后，具有权威性和代表性的是李鹏同志5月19日"在党政军干部大会"上的讲话。讲话指出进入5月以来，社会更加动乱，无政府状态更加严重，法制和纪律遭到严重破坏，治安严重恶化，交通堵塞，严重干扰了正常的生产、学习、生活、工作秩序，使得中苏高级会晤受到影响。指出绝食仍在继续，这实际上是少数人拿绝食同学作人质，要挟强迫党和政府答应他们的条件。指出北京的事态波及全国，各地都出现了冲击党政机关事件，铁路交通中断，将要形成一个全国性的动乱。这些越来越清楚地说明是极少数人要通过动乱达到否定党的领导、否定社会主义制度的目的。这使我们不得不采取坚决果断措施制止动乱。同时提出了两点要求，一个是学生停止绝食，撤离广场；一个是各界停止游行和声援。会上杨尚昆同志宣布要调部分部队到北京。5月20日李鹏同志又发布戒严令。这是党中央用马克思主义的立场观点分析当前形势而做出的一个正确决策。

第二种是赵紫阳同志的声音。主要表现在5月3日和5月4日的讲话；与戈尔巴乔夫的谈话；5月19日凌晨在天安门广场对学生的讲话；以及5月6日与当时主管意识形态工作的中央领导同志的谈话。还有5月19日他拒绝出席"干部大会"，公开分裂党的行动。他的这些言行有几个特点：（1）在已经出现动乱的情况下，他却认为不会出现大的动乱。（2）认为动乱绝不是反对我们的根本制度，而是要求把我们工作中的弊病改掉。（3）否定极少数人在制造动乱、策划动乱的事实。（4）面对国内外反华反共逆流，他认为这是进步潮流，是人心所向。（5）他认为这次新闻媒介对学潮做了报道，新闻公开程度增加了一点，看来风险不大。还认为学潮反映了一个更深层次的问题，即人民强烈要求推进改革，担心改革会全面停顿。（6）在纪念"五·四"讲话中反对提"反对资产阶级自由化"。（7）在与戈尔巴乔夫的讲话中，把不满的矛头对准了邓小平同志。（8）他在广场上的讲话中提出"性质问题终究是能够解决的"，提出"我老了，无所谓了"和"我来晚了，你们怎么批评都可以"。纵观这几次讲话可以看出他与前面讲的党中央的声音完全是唱对台戏的。

第三种声音，一方面，我们从"高自联"、"工自联"，特别是"高自联"在天安门广播站的广播和人民大学的所谓"人民之声"；还有从"高自联"、"对话团"、"绝食团"提出的苛刻的，实际是最后通牒似的对话条件，及从"高自联"的小报和传单中来看，他们认为这次学潮——动乱的起因是要求民主，反对专制独裁，要求继续改革。但实质上他们是想否定我们反对资产阶级自由化的斗争。他们提出的近期目标是：（1）承认学潮是爱国民主运动。（2）承认"高自联"是合法组织，只有他们能代表学生同政府对话。（3）承认他们的游行是合乎宪法和法律的。他们提出的远期目标是成立反对党。他们要求办自己的报纸，这个问题吾尔开希对法国《费加罗报》记者讲的较彻底。

另一方面，是所谓知识界精英们的声音。一个是上海的《世界经济导报》，它坚持要发表的一个座谈会的详细报道。这个报道的根本问题是把矛头指向党中央和邓小平同志，提出要推翻1986年反资产阶级自由化的案，还有许多没有经过核实的，不适合公开报道的东西。另一个是北京的《经济学周报》，它5月21日签出一个"精英们"策化的"5·16声明"，声明的基本态度是呼应非法组织的要求。再一个是《新观察》，它的第17期集中刊登了学潮——动乱的经过，这违背了戒严令。还有一个是严家其和包遵信在香港《文汇报》上发表的一篇文章，公然叫嚷，煽动推翻按我国宪法选举产生的中央人民政府，还对戒严令进行了攻击。并提出了策略和步骤。

第四种是以"美国之音"为代表的一些西方新闻媒介的声音。概括讲有几种手法。第一，纯粹的颠倒黑白。这是它自始至终的一个基调，如把动乱说成是争取民主。第二，凭空制造谣言，典型的是说邓小平同志去世了，李鹏总理受伤了。第三，捕风捉影，典型的是杭州"国旗事件"（仅仅根据杭州一个来路不明的电话，《美国之音》就把一名暴徒撕扯国旗，说成是浙江省政府下半旗悼念北京死难者）。第四，借刀杀人，即借口某某人士的话进行造谣。

第五种是来自首都报纸的声音。就象许多同志指出，我们有几家报纸、电台搞得好，反映了党中央的声音；但也有几家大报出现了不少问题，舆论导向出现了严重错误，以下我们逐日进行一些分析：4月16日这天，首都报纸的版面是正常的，各大报纸都登出了胡耀邦同志逝世的消息和照片。17日，一家大报在一版登了图片新闻，文字说明是"4月16日北京人民来到人民英雄纪念碑前献花圈，沉痛悼念胡耀邦同志"。过去我们悼念党和国家领导人，是比较少的或者是没有去天安门的，一般都是由国家举行隆重的悼念仪式。而这次在报纸上第一次登出了这样的消息，就意味着人们可以去天安门悼念。第二天，日本一家通讯社就报道说，中国报纸的这一行动"表示党承认这种做法"。许多学生也正是这样认为，他们表示是看了报纸上的照片以后来的。18日，另一家中央报纸在一版登出一张照片，题目是"4月17日下午，一批青年教师和学生手捧花圈来到天安门广场悼念 胡 耀 邦 同志"。还有一家中央报纸也登了一张照片，说明是"北大数百名师生在天安门广场纪念碑前悼念胡耀邦，手举标语'耀邦长存'"。这些在客观上都起诱导作用。19日，又一家中央报纸在一版刊登了报道，题目是"倾注哀思——天安门广场目击记"，这就由图片报道发展到文字报道了。20日一家大报刊登的图片新闻提出"中央美院学生将6米高的胡耀邦 画 像矗立在纪念碑前，并在像前手拉手站立"。这又有一点纠察队的味道了。在同一天，新华社报道了18日晚—19日凌晨的冲击中南海事件。《北京日报》发表北京市政府通告，揭露少数人借悼念胡耀邦之机，企图挑起事端。21日，新华社发表消息说一些学生再次冲击中南海，数千人围观，交通中断，同时播发了评论员文章"维护社会稳定是 当 前 大 局"。22日，中央举行胡耀邦同志追悼大会，首都一家报纸在一版发表自稿说："亿万中国人民为你送 行，要办灵堂为你吊唁"。23日，一家大报用3个整版的篇幅（文字和图片）刊登悼念胡耀邦同志纪实。22日照片的画面是密集的人群，在人民大会堂前，说明是"数以万计的人到 广场 悼念 耀邦同志"。在一版的长篇通讯中写到："22日凌晨，群众用掌声迎来了自动地、有秩序地来悼念的第一支大学生队伍"，然后，就列举了一些大学生的名字。通讯写道：悼念队伍"队首已经进入广场，队尾还在几公里以外的西单。凌晨3时，4万余名大学生全部进入广场，学生们席地而坐，广场气氛雄浑悲壮"。另一家报纸在一版登出照片反映了追悼会时，聚集在天安门广场的数万名大学生眼含热泪的场面，题为"送别"。26日，中央各报都发表了《必须旗帜鲜明 地 反 对 动乱》的社论。但有一家中央报纸没有刊登。《北京日报》刊登北京市学联的公告指出"高自联"是非法组织。27日，报纸发新华社的报道，北京、上海召开党员大会。由于钦本立严重违反纪律，上海市委决定撤消他的领导职务，《世界经济导报》正在进行整顿。《北京日报》发表北京市政府发言人谈话，揭露极少数别有用心的人，大搞非法活动。还刊登了北京市公安局通告，禁止非法游行，禁止街头讲演、募捐和散发传单。28日，新华社发表澄清谣言的消息。29日，《人民日报》社论"维护大局，维护稳定"，要求学生复课。30日，报纸突出报道了袁木、何东昌、袁立本同志与北京16所高校45名学生的对话。5月1日，首都一些报纸登出了中央政治体制改革研究室召开5次民主座谈会的消息，提出发展社会主义民主政治的必要性和迫切性。另外，《世界经济导报》发表了一篇署名文章，提出我们需要一个自由的讲真话的环境，提出新闻民主在新闻领域的具体化，它包括：新闻媒介可以不受行政干预；报道一切有关国家和人民的大事，使人民充分了解事件的真相；允许新闻媒介发表不同意见。3日，《北京日报》刊登了北京市公安局通告，"为了保障有关部门5月4日举行的纪念活动顺利进行，从早上7点一晚6点天安门广场禁止与大会无关的行人通行。"其他一些大报刊登了新华社消息，上海高校4000多学生上街游行，首都高校数十名学生递交请愿书。4日，各大报发表了赵紫阳在"5·4"大会上的讲话。同时发表了袁木就部分学生递交请愿书一事答中外记者问，指出对话不应有先决条件。5日，各大报发表了赵紫阳接见出席亚洲银行会议代表的讲话。另外，一家大报第一次发表了自己的稿件，提出首都高校学生欢迎赵紫阳讲话。同时发表了"首都青年纪念五四70周年"的消息，谈到20万人举行游园活动，以及数万高校学生上街游行集会、并且提出上街游行的还有几百名首都年轻的新闻工作者，他们举着"新闻要客观公正"、"我们要讲真话"的标语。该报在第一版还发表了5月4日北京高校学生上街游行的消息。还有一家大报在一版登出了记者集体采写的报道，题目叫"理性与激情的探求——首都五·四侧记"，报道了首都40多家新闻单位数百名记者组成的游行队伍。他们的口号有"捍卫新闻的真实性"等。6日，首都报纸纷纷报道了各界对赵紫阳讲话的反应，认为赵紫阳对亚洲银行会议代表的讲话，受到普遍欢迎。一家大报在《党心、民心、青年之心》的标题下，发表几位知名人士的谈话，其中严家其认为这个讲话是"我们党及其领导人理智、成熟、有信心的标志"。7日、8日，报纸仍然是对赵紫阳讲话反应的报道，同时也报道了北京部分高校陆续复课。9日报纸宣布国家领导人将和学生对话。10日，报道了首都新闻工作者递交对话请愿书。对这个报道的处理是不一样的，有的报纸很简单，只提到有这件事；有的报纸不仅说了这件事，而且把请愿书的一些具体要求也说了；还有一家大报，不但报道这件事的内容，而且把多少报社及报社名称一个个点了出来，这样就造成一个错觉，好象是这些报社都要求跟政府对话。11日，首都报纸比较平静。但是也有一家报纸，报道首都高校学生骑车游行，高呼"新闻自由"。报道提出问题说"不清楚北京市政府有关部门对游行的评价"，还指出在游行队伍中出现了从事文学编辑、出版工作的青年。12日，新华社发表下个月召开人大常委会会议的消息，听取整顿公司和学生游行问题的汇报。另外发出一条消息，就是"社会主义初级阶段理论座谈会"在京召开，指出改革要过两关，一个是市场观，一个是民主观。另外有一家大报指出，中央主管意识形态的一位领导同志到某报社去对话。13日发了新华社消息，"人大常委会召开的这个会议深得人心"。14日，新华社发表消息说国务院和有关部门负责人15日继续与学生对话。另外，首都许多报纸发表了天安门广场数百名学生绝食请愿的消息，同时发表消息，提出"新闻已经到了非改革不可的时候了"。《解放军报》和另外一家报纸当天没有发表学生绝食的消息。15日，新华社发消息说领导同志与大学生对话，但没有取得一致意见。同时也报道了首都高校学生们在绝食请愿。这个时候，一家大报发表自稿说，戴晴、严家其、包遵信等12名学者、作家发出"紧急呼吁"，希望绝食学生离开广场，同时向政府提出三项要求，①承认这次学潮是爱国民主运动。②承认由大多数学生经过民主程序选出的"高校学生自治联合会"合法。③不能以各种名义、方法对绝食学生采用暴力。这就在报面上比较突出地披露了知识界的所谓精英们从幕后直接跑到台前——天安门广场。在同一天，《北京日报》刊登了市公安局通告，"为了保障戈尔巴乔夫访华顺利进行，在天安门广场和人民大会堂周围施行交通管制。"16日，各个报纸刊登了新华社消息，领导同志继续和高校学生对话。当时有一家大报纸自稿，披露知识界人士到天安门广场声援绝食学生。另一家报纸在一版报道了首都某个大学700名教师上书中央，建议"尽早对这次学潮作出实事求是的、公正的评价，以安民心、党心。"下面通栏位置并刊登了该报记者集体采访的"国家民族利益呼唤着理性和人道——5月15日天安门广场记实"，第四版登了照片专版，标题是"共和国的一页"，报导了绝食学生和声援游行的实况。17日，发表新华社消息，赵紫阳等发表书面讲话。另发表了赵紫阳会见戈尔巴乔夫的消息，会见中他指出我们的一些重大决策都是邓小平同志做出的，在这个时候把小平同志点了出来。一家大报发表自稿，"400多名工会工作者游行请愿"。另一家大报用半版的篇幅报道学潮，还刊登了该报工作人员声援学生的照片。这一天，《解放军报》发表了一篇辟谣的消息，指出部分官兵支持学生游行罢课，不去执行任务，纯属子虚乌有。18日，一家报纸发表自稿"首都各界一万人游行声援绝食学生"，下边是外地学生游行声援北京的消息，中间是各界人士及民主党派、人民团体呼吁中央党政领导人尽快与学生对话。二版刊登了一幅照片，照片内容是该报部分职工再次游行示威。另外一家中央专业报以三个版篇幅进行报道，第一版是本报记者集体采写的"5·17首都各界大游行目睹记"，下面登了一篇文章"共和国历史上重要的一页"，赞扬了这次学潮。还有一家大报刊登了一些照片，特别指出国务院机关和中共中央的某某机关部分人员上街游行。19日，一家报纸在一版登了李鹏会见绝食团代表，赵紫阳、李鹏等到医院看望绝食病倒学生的消息，又发表该报自稿，某民主党派的负责人和一些人大常委会委员紧急呼吁召开民主党派领导人会议及人大常委会紧急会议，以及"首都学生绝食请愿进入第6天，各界一万人继续上街游行。"另一家报纸登了"5·16声明"，指责面对当前学生运动，党和政府的某些领导人的做法"不够明智"，要求承认学生组织合法。20日，一家报纸等于平分秋色似的，在一版的前面竖登19日召开"党政军干部大会"的消息。右边四栏冲报头是赵紫阳5月19日凌晨在天安门广场讲话的全文，还配了赵紫阳拿着话筒的照片。下边一条消息是天安门绝食学生停止绝食。它把5月19日李鹏重要讲话全文放在了下辟栏。对比这天的报纸，《解放军报》和《北京日报》都把李鹏的讲话和首都消息放在头条上辟栏，通栏标题，这样一对比，就看得很明显了。对19日晚学生绝食的报道，也是不同的。那天晚上的实际情况是事先有人把机密透露出来了，知道要戒严了，所以"高自联"这些人搞了一个阴谋诡计，抢先停止绝食，以示没有必要戒严。干部大会是晚上10点开的，他们9点半停止绝食。等到大会开完，他们又宣布恢复绝食。看来这是有人策划的，完全是一场政治斗争和政治阴谋。而报纸的反应是：有的报纸根本就没有提到绝食的事；有的是比较完整地写了开始停止，后来又继续绝食；有的报纸只讲前面一段，后一段不提了。究竟是记者没有采访到呢？还是什么原因？但人们从版面上看得出来。从学生绝食后的报纸，特别是17、18、19、20日的几天报纸，可以看出，当时某些报纸的舆论导向错到了什么样的程度。

这件事情说明了一个什么问题呢？从这5种声音可以看出，同样一个事实——就是陈希同同志向人大常委会作的报告，还有北京市委的一些材料里讲的事实，新闻媒介、舆论却有多种声音。

这里问题很多，不能一一列举，只举动乱起因里的两个问题。一个是究竟是动乱还是爱国民主运动，这里有个根本分歧。同样一件事，我们认为是由学潮发展到动乱，或者说学潮的同时就有动乱的因素，就有人在制造动乱，继而发展到反革命暴乱。而有的新闻媒介、舆论却认为这不是动乱，学生游行、示威、绝食、静坐……是爱国民主运动，这是一个比较严重的问题。

另一个就是非法成立的组织"高自联"、"工自联"，还有后来的"首都知识分子联合会"……究竟是爱国民主组织，还是非法组织。在这个问题上，我们根据彭真同志在报

43

纸上提出的"以法律为准绳"来看这个事情。在过去这个问题上有争议的，比如北京学生游行到底是合法还是非法。有一种意见说是非法的。另一种意见说是违法的，但合乎宪法，理由是我们的宪法没有规定游行示威需要申请，需要批准，有的只是北京市人大常委会制定的规定。这个规定是不是违反宪法？根据我国宪法第100条，省、自治区、直辖市的人民代表大会和它的常务委员会在不与宪法、法律相抵触的情况下，可以制定地方性法规，但要向全国人民代表大会常务委员会备案。这里提了两个条件，一个是地方性法规不能与国家的宪法和法律相抵触；另一个是要向全国人大常委会备案，并没有说其他条件，也没有说北京市不能制定这样的规定。还有一种意见说，象游行示威这样的法律属于公民的基本权利，关于公民基本权利的法律地方上不能定，但这不符合实际情况。以新闻法来说，它也是一个基本法，是公民出版言论自由的基本权利。在西德，有一个州就立了自己的新闻法规。又有人说，西德是联邦制，所以州可以立法。但日本不是联邦制，东京也制定了关于地方性的游行、示威法律。再说立法要从实际出发，不能照搬外国的一套办法。我国同外国不一样，应从我国的实际出发。中国土地广阔，沿海城市、内地城市经济文化发展水平差别很大，而且交通和通讯都相当不便，如果这些法律都由中央来定，显然是不符合我国国情的。再有，我们只能根据我们国家的宪法，我国宪法没有规定什么法律地方可以制定，什么法律地方不能制定。再从北京的规定来说，1986年12月26日，北京市人大常委会正式通过了《北京市关于游行示威的若干暂行规定》。它的第一条就写了"为了保障公民游行示威的权利，维护首都的公共秩序，根据宪法和法律的规定，结合本市的实际情况，制定本规定"。它一共 10 条，其中两条是程序性的，其他 8 条都既有保护的内容，又有制约的内容。这在任何国家的法律中都是这样的，它并不违反宪法。所以，问题的严重性在于事情一开始就违反了北京市的"10条"。

对这样一种情况，对于新闻界来讲到底应怎么办？我们认为应该采取几种方法：一种是不报道。为什么？因为从程序上讲，他们的游行事先没有申请，也未经批准，因而是非法的，如果报道他们非法游行，那报道完了就要取缔它；报道他们游行合法，又违反了法律。从实质上讲，这次游行及所提出的口号，名义上是悼念耀邦同志，要求反官倒反腐败，实际上大家都清楚是要翻反自由化斗争的案，是要否定党的领导，否定社会主义制度。另一个是报道，把它当作揭露和批判的对象来报道。再一个是既报道游行的非法性，同时也简要报道这个事件，前一个应该是主要的，目的是帮助大家认清这个事件。这在当时有一定的难度。这件事情，就涉及到我们对新闻自由的理解了。

二、新闻自由的问题

这个问题过去在新闻界是有争议的。有的同志不太主张提新闻自由，认为我们的宪法只提言论出版自由，没有新闻自由的提法，而新闻自由就是言论出版自由在新闻领域的反映，这是一种理解。另一种理解，就是应提新闻自由，但要给它一个科学的解释。

为了说明新闻自由这个问题，首先要讲清楚一些最基本的道理。第一就是究竟怎样看这个自由，第二是要搞清楚，我们究竟怎样看待新闻。围绕着怎样看待新闻，怎样解释新闻，也是有不同意见的。

"自由"本来是拉丁文字，开始的意思是从一种束缚中摆脱出来。对自由，大约在中世纪末期，资产阶级革命初期，曾把它解释成你想干什么就干什么。从这次大学生在天安门的活动也看得清楚，他们想干什么就干什么，想游行就游行，想绝食就绝食，想在天安门竖个什么女神像就竖一个，确实是这么一种情况。从理论上讲，过去确有这么一个观点，就是把自由解释成想干什么就干什么，别人不能干涉。从法律上讲，民主早期也有过这种观点，就是认为人的权力是天生的，他行使权力是不受限制的。在中世纪末期和资产阶级革命初期也有这样的学派，认为个人的权利不受限制。到后来的无政府主义，就更明显了。无政府主义就是主张无权威，无秩序这样一种状态，认为国家的权威是一个祸害。而资产阶级一些启蒙的革命家、学者，如卢梭、洛克、孟德斯鸠等等就不是这种说法，认为自由是不可能绝对的。

我们则可以从四个方面来解释这个自由。（1）从哲学世界观的观点来看，自由和必然是一对矛盾。大家都知道，自由是对必然的认识，后来毛主席加了一个"和改造"。（2）从一般的行为来说，自由和纪律是一对矛盾。毛主席说不可以没有自由，也不可以没有纪律。作为一种社会行为来讲，自由从来都是和纪律在一起的。（3）从法律上讲，法律是上升为国家意志的统治阶级的意志，法律意义上的自由是一种权利。作为一种权利，它与义务是一致的。马克思说过"没有无权利的义务，也没有无义务的权利"。作为法律来讲，自由作为权利是与义务联系在一起的。（4）从社会意义上讲，自由作为一种上层建筑，它又是与经济基础与我们的经济文化发展水平相互制约的。拿新闻自由来讲，新闻自由包括传递自由。在最早，是靠口头传递，那是很有限的。后来靠鸡毛信。在古代中国是靠骑马来传递。而后来发生了一些变化。汽车、飞机、最现代化的电子技术出现了，那么传递的自由度就更大一些了。联系到新闻自由，重点有两个问题：一个是从法律上讲，既有权利又有义务，另一个是从实际行为来讲，既有自由又有纪律。关于新闻，什么是新闻，在西方也有各种观点。他们认为新闻是新奇的、有趣的、非常离奇的东西。我们现在多数同志是肯定陆定一同志的观点，既新闻是对新近发生的事实的报道。以后，又增加了一些形容词，如有的认为不是一般的事实，是重要事实。但总的来讲不外乎这么一个定义。

这个定义说明了两个问题：第一，就是对事实我们应该怎么看。事实大家都知道，用马克思主义观点看无非是一种生产和生产斗争的事实，或者说是一种自然现象。如天下雨……另一种是社会现象，作为报纸来讲，它不是一条条新闻的简单的结合，它是一个整体。事实本身不能表现出来，终究要通过人来选择，这就要报道。报道一个是选择什么材料，一个是选择什么角度，有了同样一个材料，采用什么角度。事实和报道两个方面加起来，可以看出新闻具有政治性、倾向性或者说阶级性。第二，这里涉及到新闻界有争议的一个问题，就是所谓本质真实论。究竟什么是新闻的真实？如果说有报道这么多人上街游行，这是不是一种事实？还是要从为什么游行，来作如实报道才是真实。有的同志讲，新闻有五个W，其中四个W是讲为什么，为什么包括原因和结果及二者之间的关系。这里就有人的主观作用。在新闻界过去有三种观点：一种认为事实和现象有本质区别。既然报道是对事实的报道，那就应该承认新闻的真实有本质的真实。象这次游行，也能看出这个问题。另一种认为新闻本质真实论是非科学的，不可能做到的，根本否定这个观点。再一种认为虽然应该是真实的，但很难做到。我们认为应该是第一种观点。从这次学潮——动乱——暴乱也可以看出来。

总的来说，从自由上讲，自由不是绝对的，是相对的，从新闻上讲，新闻是有倾向性的。那么新闻和自由加在一起，应怎样看呢？刘少奇同志1956年对新华社的讲话中说，新华社的新闻必须是客观、真实、公正、全面的，同时必须是有立场的。我们认为这段话较好地解决了这个问题。

三、对资产阶级新闻自由的认识

在西方，新闻自由和出版自由同样是一个字，就象我们国家人民银行的"行"字和人行道的"行"字是一个字一样。但两个字用在不同的地方代表不同的意思，有时我们对这个问题有些费解，因为它是一个词，就象我们人行道的"行"究竟念"银行"的"行"呢？还是念"人行道"的"行"一样。这必须根据上下文看看才知道。

西方的资产阶级新闻自由也有一个历史发展过程，以英国为例，资产阶级提出新闻自由大概是在16—17世纪的时候，那时突出的表现在争取办报的自由，就是我们讲的出版自由。因为当时不让新兴的资产阶级和民间来办报。当时对办报的问题是要求很严的，有很多限制，要经过批准，总之是不希望你办报。后来经过一些周折后这个问题才解决了。

以后就转到争取报道自由。当时在报道中出现了一些问题，比方危害国家的利益，对公民进行诽谤。什么是危害国家利益、什么是诽谤，在这个问题上也有一些斗争。这是第二个阶段。第三个阶段就是争取采访自由，就是说采访的范围哪一些是保密的，哪一些是属于个人隐私的。等到发展到20世纪初期垄断资产阶级出现以后，西方的新闻理论也发生了变化，这个变化就是强调了报纸的社会责任。因为当时的报纸出现了垄断，一直到现在这种垄断的趋向仍在进行，比方美国1700多个城市，有1600家报纸，基本上是一个城市一家报纸，就出现了一城一报的垄断现象。再一个垄断就是财团与报业集团。美国也好，英国也好，这些国家实际上都是少数的财团、少数的报业集团垄断了大批报纸，大约有70—80％的报纸被100多家所垄断，这是一个变化。第二个变化就是商业化的倾向十分严重。因为西方的报纸，政府不是很明明白白给补贴的，要靠自己，靠财团来补贴，再一个就是靠广告。据了解，在美国、英国这些国家3/4的收入是靠广告，这样就受到了大财团、大广告商的制约。第三个就是报纸为了生存，刊登大量黄色、低级、下流的内容，它是为了追求发行量从而追求利润。所以新闻也是在不断的变化。发展到现在，比方在法国，严肃的报纸是很少的，大量的是黄色的所谓大众化的报纸，大概占70—80％以上，靠这些报纸的收入来补贴严肃报纸的开销。现在的报纸和以前也不一样，以前的规模小，费用低，可以想想办法，到现在这种大的托拉斯，竞争迫使他们要加强投资，要大量的钱。所以出现了这种情况，实际上报纸操纵在这些财团报业集团和我们讲的发行人的手上。

在西方，现在有一个新的观点，新闻界有些权威人士认为对待新闻自由、出版自由和我们讲的言论自由不是一回事。为什么？因为他们觉得一个人的思想可以自由，不需要什么客观的条件，那么言论呢，也是想说什么就可以说什么，好象也不要什么客观条件。就在学生绝食期间有好多学生家长、教师写信要求停止这种"杀人舆论"，因为当时那种声援实际上是把学生架在火上。但当时在很多报纸上登不出来。这种情况不仅我们这次是这样的，任何一个国家都是这样的。因为第一你掌握新闻工具，掌握报纸出版，没有那么多版面，不可能把所有的消息都登上去。第二你选择的东西都是按照一定的观点来选的。所以现在西方有一种观点就是认为新闻自由不是公民的民主权利，而是一种道德权利，就是办报人的权利。这个观点我觉得有点意思。过去，我们理解新闻自由，好象不是这么看的。当然这是新的观点了，究竟怎样看？大家还可以探讨。西方资产阶级发展到现在实际上对新闻自由采取两面的态度，在国内采取的是社会责任论，所谓社会责任论，也是西方一种比较新的理论，在国内有一些人正在大力鼓吹。这个社会责任论概括来说，就是要报纸对社会负责，不能登乱七八糟的东西，也不能想登什么就登什么，甚至于呼吁要政府干涉。但是西方为了对其它国家（主要是社会主义国家）"和平演变"，为了他们的政治目的，对外则宣传他们的早期观点，即所谓绝对的新闻自由，这是西方资产阶级新闻自由的虚伪性的一种表现。就是在今天事情发生了变化的情况下资产阶级在国内搞一套，对国外则是用另一套虚伪的东西来欺骗。为什么"美国之音"只对中国人广播，美国人自己不能听呢？不就是这个道理吗？可以再举一个例子，就是过去新加坡与美国的一家大报还有美国的政府发生的一场争论，这是有代表性的。当时，新加坡政府开辟了一种新的股票市场，他们叫作"市场调节"的第二股票市场，这本来是新加坡国家的内政，结果美国的一家大报就批评新加坡政府，说他们这样做，是转移新加坡的财政困难，欺骗人民等等。这个时候，新加坡政府就提出抗议了，认为这是为了更好地活跃他们的股票市场，开辟第二个渠道。所以要求美国的那家大报更正，因为这不符合实际。美国那家报纸拒绝刊登更正，而美国的政府则说，我国的新闻是自由的，它想怎样登就怎样登，我们无权干涉。美国对外就是搞这么一套东西。而他们对内是有很多限制的，比如说，大家知道的美国U—2间谍飞机到中苏上空进行侦察，这个消息美国的新闻界早就知道了，但是并不报导，一直到飞机被打下来后，才不得不报道。还有象英国与阿根廷的马岛争端，宣传上也有很多限制，只能是英国报纸记者，其它报纸记者不能去，还规定什么样的英国记者才能去，而且还规定任何记者不能单独发消息，所有消息都要经过检查。美国也有一种叫作明显和现实的危险，只要政府认为有这个危险，它就能对你的报道做出反应，有的是通过法院干涉。可是另一方面，对外它却说它的新闻是自由的。新加坡政府也很厉害，美国报纸不肯更正，新加坡政府就自己做了条规定，把美国那家报纸在新加坡的发行做了严格的限制。过去市场都能买到的，现在规定这家报纸只能在公共图书馆订。之后，美国又向新加坡提出抗议，说它压制新闻自由。这不很奇怪吗？他干涉别人内政，人家抗议，它不理睬，人家采取主权国的行动，它反而说人家压制新闻自由。

在新闻自由问题上，还涉及另一个有争议的问题，就是党性和人民性的问题。党性和人民性问题本来是不存在的，在解放区也好，在50年代初期也好，都不存在。要说有也只是少数人议论或者研究。但这几年，确实它成为了新闻界的一大问题。最近，新闻界一位老同志写的一篇文章，谈到这次动乱在新闻界的根源之一就是在党性和人民性问题上的混乱。这个问题要认识它也不怎么复杂，有的复杂是人为的。如果我们从来都讲党报或我们的出版事业是党的事业的一部分。列宁有一篇文章叫《党的组织和党的文学》，后来重新翻译了，认为"党的文学"这个概念不准确，应是"党的出版业"。按照列宁的观点是很清楚的。党的出版业应该是党的事业的一部分。我们党的性质是无产阶级的先锋队，无产阶级没有其他的特殊利益，只有解放全人类才能解放自己。它是代表广大人民的根本利益和长远利益的。从这个意义上讲党性和人民性是一致的，这本来是没有问题的。而从我们党的宗旨来分析，我们党的唯一宗旨是全心全意地为人民服务，所以我们党也好，党领导下的报纸也好，也应是这个观点。再从我们党的路线作风来讲，群众路线，三大作风也是这样。既然说党报、出版业是党的事业的一部分，那么党报作为党的喉舌，当然也要讲党性，而且党性和人民性是一致的。这是不复杂的。但这几年确实搞混乱了，有的同志就是认为人民性高于党性，这与"文革"中讲的群众运动是天然合理是一个思路。实际上，实质问题不在理论上的争议，而是实践即我们在实际工作中怎样贯彻。因为党性有一些具体的要求和标准。我们党有党纲、章、党的组织纪律，按党性的要求，我们就要按照党纲、党章办事，要接受党组织的监督，要接受党的纪律的约束。这是有一套办法的，尽管我们有这样、那样的缺点。有的可能管得严一些，或者管松一些，甚至于有的地方根本就没有管，但总的来说，我们是有章程的，可以说这是我们的光荣传统。但人民性又怎么说呢？人民性，首先谁来鉴定这个人民性，谁来执行，是人民来执行吗？不可能。办报纸的人都知道，要所有的老百姓都来办报，是不行的。就象刚才讲到新闻自由一样，实际上由掌握新闻工具的人来执行。谁来鉴定呢？说穿了，无非是提出人民性高于党性的人来鉴定。这实际上是一种摆脱党的领导，离开党的立场的观点。这次首都一些新闻单位发生舆论导向问题，主要当然是由于赵紫阳在指导舆论上的问题。但也确实出现了无政府状态，就是你想怎么办就怎么办，他想怎么办就怎么办。有的播音员就不听招呼，想怎么播就怎么播。有的报纸版面的编辑或者掌握版面的人，推翻了总编的决定，自己临时换稿子，登出了一些不好的东西。这是在某种程度上受了资产阶级自由民主思想的影响，受了所谓人民性高于党性的影响的结果。本来过去我们一直认为新闻队伍是比较遵守纪律的，但这一次事件暴露得比较清楚。为什么新闻界在舆论导向上发生了错误，就因为这几年我们放松了在新闻界进行四项基本原则的教育和马克思主义的教育，而听凭那些资产阶级自由化思想和资产阶级新闻观点的泛滥。前几年还有一些组织纪律来约束，这次赵紫阳所谓"开一点口子，风险不大"，就等于闸门打开了。听说有些报社的总编思想斗争是很激烈的。一部分记者要登这个，登那个，要新闻自由，新闻讲真话等等。他们要掌握版面，甚至有的记者白天写好稿后，不交给总编辑，到了晚上突然包围总编辑，要求登这登那，讲一大堆理由。有的总编能顶住，有的就顶不住了，造成这么一种情况。

在对待资产阶级新闻观点中，还有一个观点，认为中国新闻无学，如果一定有学，那只能是前科学，还没有达到科学的境地，就是因为新闻同政治靠得太近了。新闻同政治是什么关系，这也是涉及如何看待新闻自由的一个重要问题。恩格斯说过这样一段话："绝对放弃政治是不可能的；主张放弃政治的一切报纸也在从事政治。问题只在于怎样从事政治和从事什么样的政治。"（《马克思恩格斯全集》第17卷第449页）我认为这个观点是对的。新闻不等于政治，但是新闻也离不开政治。就象鲁迅谈到文艺一样，他说：文艺不是政治，但是文艺也离不开政治，我以为新闻比文艺更敏感。从这一次动乱到暴乱也可以看出来，怎么能离开政治呢！另外在新闻界自由化问题上，一位新闻界的老同志有一种观点，认为这几年我们新闻界有两种手法：一种是用多元化来代替事物的主要方面。一种就是中性化，模糊问题的本质。他说的与列宁所批评的折中主义的观点相近。我们认为新闻媒介是宣传党的政策的工具，过去是在解放区，那时报纸、通讯社都跟部队走，也有跟地方走的，是宣传党中央的声音的。进入社会主义时期后，特别是十一届三中全会后，情况比较复杂了，由以阶级斗争为纲，转到以经济建设为中心。改革开放后，大家认为新闻的作用扩大了，功能扩大了。有的说有五种功能，有的说有六种。（1）宣传。宣传党的方针、政策、实行舆论引导。（2）传播信息。（3）形成和反映舆论。（4）进行教育，传播知识。（5）提供娱乐，象文艺节目。有的加了第六种：广告。这本来没有什么不对，确实我们的报纸每天都在起这些作用，而且不同的报纸，有的这方面突出，有的那方面突出，这是不应该成为问题的。但现在的分歧就在于有的同志不承认宣传是报纸的功能，认为宣传这个词不好，是一种生硬的灌输，报纸只能是传播信息。这种观点多数同志是不接受的。在我们国家，宣传不是贬义词。如果说宣传是贬义词，必须用大众传播来代替，那我国这么多宣传部会不会都要改成大众传播部或者传播信息部，不会的。但有一种观点确实在新闻界迷惑了不少人，就是认为宣传也要，但第一位的功能是传播信息。前面提到的那位新闻界的老同志的文章提出来的就是这个问题，指出把这些东西都并列起来，实际上抹杀了我们的主要功能是宣传，这是新闻界自由化思想的反映。那什么是中性化呢？本来我们一直说党报是党的喉舌，是无产阶级的舆论工具。但是，现在提出叫大众传播媒介，这是个西方盛行的词。新闻也是大众传播媒介，是通过大众传播媒介传播各种知识，这个没有错。问题在于现在把它当作问题的本质，而淡化了本质是党的喉舌，无产阶级的舆论工具。还有一种观点认为新闻不是阶级的舆论工具而是社会的舆论工具。认为大众传播媒介，无产阶级和资产阶级都可以接受。但问题实质不在这里，在于它究竟是什么？耀邦同志的那次讲话是很清楚的，说到底它是党的喉舌。当然不能那么简单地说，耀邦同志也做了许多解释，但有人就把这完全否定了。不同的报纸，不同的时期会有不同的特点，但性质是不能模糊的。

下面我围绕新闻自由讲几个问题。在起草新闻法中间涉及新闻自由。一种观点就是不提新闻自由，只提新闻权利或出版权利，这是一种意见。另一种意见认为，有权利就应有义务，既然是一种权利、义务，那么还是可以提新闻自由。而我们讲的新闻自由主要是公民通过新闻媒介来了解情况、发表意见、参政议政这么一种权利，而不是象有些人所要求的办私人报纸。主张要私人办报的同志认为现在的报业结构不合理，需要改变，提出要办民办报纸。这次学生也提到这个问题。对这个问题，我们是这么看的，这里有几个概念要讲清楚，现在我国的报纸都有主办单位（主管单位），有的单位管了，有的单位没管，但在我们的报纸登记表上都有主办单位。那么所有的报纸是不是都是"官"办即国家机关办的呢？不是。因为根据我国宪法，国家机关大体有五个方面。一个是国家的立法机关，一个是行政机关，一个是司法机关，一个是审判机关，一个是检察机关，还有一个武装力量，就是军队。我们党是执政党，也可算是权力机关，那么在我们的登记表上只有党政机关办的是"官"办的，这只是一部分。相当多还是由民主党派办的、人民团体（包括工青妇这样的人民团体，也包括各种民间团体、学会协会）办的各式各样的报纸，这些在我们看来都不能认为是"官"办的，国家办的。但是现在有一个问题，问题有两个方面：第一个方面就是象十三大指出的，我们的一些人民团体和民间组织，它存在一种行政化的倾向，都是向"官"方看齐，这正是我们政治体制改革要解决的内容，即要求这些人民团体在坚持总体利益的前提下，更好地代表他们各自方面的利益，反映他们的呼声。第二个方面就是我们的报纸在这些方面办得特色不突出。这只是改进的问题，而不是说因这些是"官"办的，就要另起炉灶来私人办报。从民间报纸来讲，现在的确没有一家私人办的报纸，现在全国报纸是1600多家，杂志是6300多家，都是有主办单位的。现在的问题就在于我们首先要把现在的报纸办好，按党的十三大提出的一个中心、两个基本点的要求把报纸办得更好，而不是另起炉灶开私人办报这个口子。我们现在的报业结构比较完整了，甚至有点多，现在外面已经觉得我们的报纸过多过滥了，有各种各类的专业报纸，有中央的，地方的，一直到工厂、学校都有。在我们目前的经济和文化条件下，不能算少甚至是多了。我们的纸张供应很紧张，每年要花大量美元从国外进口纸张。报纸过多过滥，纸张供应又不足，因此，我们要压缩报纸。所以在这个问题上，首先要办好现有的报纸，而不是搞什么私人办报。再说用马克思主义看私人办报这个问题，就不仅仅是个报纸问题。列宁有一段话讲得很好，他说："在受到全世界资产阶级敌人包围的俄罗斯苏维埃联邦社会主义共和国，出版自由就是让资产阶级及其最忠实的奴仆孟什维克和社会革命党人有建立政治组织的自由"。（《列宁全集》第32卷第492页）根据列宁的这个思想，在我们国家也好，在那些民族国家也好，建立一个私人的报社不仅是一个报社，它实质上是建立一个社团，建立一个政治组织，一个反对派组织。象这次"高自联"成立以后，就要求办报，为什么？因为它作为一个政治组织要把它的主张通过报纸媒介传播出去，所以搞私人报纸和建立政治组织是一回事。

另一个问题是发表权，这个问题过去讨论过，就是总编辑是不是有决定新闻发表的权利。以前，报纸上曾登过一次，总编辑有决定新闻发表的权利，后来又说不确切。我们认为在一般情况，一个时期的报道方针和部署应由中央决定，各地的宣传重点由各地决定，而日常的宣传、经常性的报道的问题应该由报社和总编辑决定。否则，总编辑怎么当。就象厂长负责制一样，你既然当了总编辑当然有这个权利。但是，这也不是绝对的。这个问题应该这样来把握：一个是我们的主管单位要对报纸负责，加强对它的管理；再一个如果总编辑在某些问题上没有把握，那么可以寻求一下权威方面的意见。对一些重要的谈话，第一次发表的重要言论，应该找有关方面进行核对。过去谈批评问题也分三种，第一种，一般批评，报社可以发，发表后自己负责；第二种，重要的批评可以征求有关部门和有关人的意见，这不是由他决定发不发；第三种，如被批评者对批评有异议，可以进行反批评，反批评可以发表，由反批评者负责。目前，我们国家没有新闻检查制度，这个问题袁木同志讲过，我认为是真实的。所谓新闻检查制度有特定的含义，在过去国民党时期有过，就是规定事先要把每天的报纸版面送到专门的新闻检查机关来检查，我们的确没有这样规定。我们认为责任主要是在总编辑，所以有人说我们搞的总编辑检查制度。这个就不好说了，总编辑的任务就是审稿呗！如果总编辑不看稿子，不检查稿子，这总编辑应该是失职的。而这个跟我们讲的新闻检查制度不是一个概念。新闻检查是指专门的国家检查机构，有专门的检查人员和严格的检查制度，我们没有这种情况。新闻出版署刚成立的时候曾经有过一条新闻，当时讲的是实行新闻检查，后来外国记者来问，你们怎样检查？外国记者写的东西是否都要送来？后来新闻出版署还专门开了个新闻发布会澄清这个事实，没有这个事先检查。我们实行这个事后审读，就是报纸上出现问题后，我们一起商量，共同总结经验教训。事后审读也不总是挑毛病，而是好的表扬，错的批评。所以，新闻检查是没有的。但事先也要有一些通气会，那是另外一回事，或者由主管单位对其所管报纸做一些检查，这是主管单位职权范围之内的事，这些不属于我们讲的那种新闻检查。

最后一个是关于舆论监督问题，舆论监督也是我们国家新闻媒介一直强调的，在新闻监督问题上，也有两种看法，一种只看到压制新闻自由而看不到记者滥用新闻自由，另一种是应该全面看。我们舆论监督中也确实存在问题，包括发生诽谤或侵权的事情，引起了新闻诉讼，出现了所谓"告记者热"。当然不是说所有告的都对，但也不能说都不对。也确实有舆论监督搞错的，甚至利用舆论监督搞明堂的，所以在这个问题上我们认为两个方面都要看到。

新闻法还是要抓紧搞。在这个问题上，要求把公民在言论出版方面的权利义务，把党对新闻事业的领导，把马克思主义的指导在法律上体现出来。我们要科学地总结这些年来新闻工作的经验和教训，特别是这次动乱和暴乱中舆论导向的经验和教训，把它吸收到新闻法中去。

动乱后的反思

国家教委　**王茂根**

1989年春夏之交发生在北京的反革命暴乱和波及全国的动乱，以极为尖锐的形式再次告诉我们，在中国的土地上，共产党领导下的社会主义事业还面临着国际垄断资本和国内反社会主义势力的威胁，社会主义同资本主义的斗争将长期存在，在一定条件下，这两条道路、两种前途不可调和的斗争还将是极为严酷的，搞不好，社会主义制度在中国被颠覆的可能性是存在的。

十三届四中全会标志着党和社会主义又一次获得了胜利，烈士们为之付出了鲜血和生命。在这场惊心动魄、关系国家民族命运前途的斗争中，高校成了发难地，许多学生被卷入了动乱，还有的在动乱和暴乱中堕落为反党反社会主义的敌人。作为教育战线上的一员，面对这样沉痛的事实，我们必须总结、反思。这一局面的出现不是一朝一夕造成的，也不是单一因素决定的，因此就需要全面的总结。今天，我着重从高等学校政治理论教育工作的角度，结合对四中全会文件和小平同志一系列讲话精神的学习，就反思问题本身谈几点认识。

一、搞好反思的前提条件

最近，在中央常委讨论了高校工作意见后，国家教委召开了全国高等学校的工作会议，这次中央关于高校工作的几点意见，已经作为四号文件下发了。在中央常委江泽民同志、李鹏同志、李瑞环同志接见高校代表的时候，李鹏同志谈到：原来不好讲的话，现在可以讲了；原来不好办的事情，现在可以办了。这对反思是一个很有利的条件。要搞好反思就得学好文件。四中全会是在我们党面临生死存亡的关键时刻召开的，四中全会的召开以党和社会主义的胜利，人民共和国的转危为安而载入史册了。全会在总结建国40周年的历史经验，特别是十年来在改革开放中坚持四项基本原则，反对资产阶级自由化斗争经验的基础上，重申了党的基本路线，确定了党的第三代领导集体，明确了当前的紧迫任务，为我国社会主义现代化建设事业的健康发展，提供了政治、思想、组织上的保证。

当前，统一思想、团结全党是我们最大的政治任务，也是我们总结过去，开创未来，做好当前工作的关键。从事思想政治工作和理论工作的同志对此会有切身的体会。只要我们了解实际情况，特别是了解由于这场斗争在人们的思想深层引起的各种思想问题，我们就会对学习文件的必要性有紧迫感。现在，教委的干部在进行学习，清理思想，开展批评自我批评，提高认识，总结经验，吸取教训。学习要抓住三个关口：一是4·26社论前后；二是5·19党政军会议召开前后；三是6·3反革命暴乱发生、平息前后。要对照检查当时自己的思想认识，当时是怎么想的？哪些问题的认识是正确的？哪些问题的认识是糊涂的？在思想上、政治上和行动上是不是和中央一致的？围绕的问题：一是对这场斗争的性质究竟是动乱还是爱国民主运动？二是党中央采取的措施是不是必要的？正确的？三是在这场斗争中对党和社会主义的信念是坚定的还是动摇了？按这样要求来清理思想，学习中央文件，提高认识，使思想统一到四中全会和小平同志讲话的精神上来。

1．这场斗争的严重性和危害性，要求我们必须认真学习。这场斗争是在我们建国40周年前夕，发生在首都，发生在中央眼前的一场反革命暴乱，这是建国以来从来没有过的，而这场暴乱的平息是不得不采取动用军队的方式，不惜流血才解决问题的，所以这场斗争的严重性无论怎么估计都不为过。这个事实说明了什么？在北京的同志有切身的体会。这两个月来，北京陷入了无政府状态，这是一点不假的。面对铺天盖地的反党反社会主义的大字报和反革命政治宣传，面对公开"打倒共产党、推翻社会主义"，要绞杀我们的党和国家领导人，杀掉4700万共产党党徒的狂吠，东西长安街上几百辆军车在光天化日之下被焚烧，大批解放军指战员遭到殴打和谩骂，面对这样一场严重的阶级斗争，有相当一部分群众却视而不见。这说明思想混乱已经达到了多么严重的程度。大批善良的不了解真相的群众被裹进去了，大批天真的青年卷进去了，他们竟然不承认这就是一场你死我活的阶级斗争，不相信在中国这片"充满爱"的和平土地上还存在着敌视党、敌视社会主义的敌对势力。应该说这是一场悲剧，这从两个方面说明这场斗争的严重性。一方面敌视社会主义的力量已经公开地和我们较量，到了直接推翻我们政权的地步；另一方面群众的思想武装已经全面解除，几万、几十万人上街游行，整个东西长安街水泄不通，尽管党和政府一再讲有坏人利用，但是他们听不进去。这场斗争的严重性需要我们认真思考，北京的同志在这一点上有切肤之痛，特别是高等学校的党政领导同志现在感到发自内心的苦痛，如果通过这场斗争还感觉不到疼痛的话，我们就很难把反思和总结工作做好，所以这是我们必须要学习的一个原因。

2. 两个月的身临其境，50多天中可以说在思想上经受着煎熬，在关系到党和国家生死存亡的根本问题上，实际上每一个人都是不站队的站队，不表态的表态。在当时北京高校里，不对学生的游行和绝食表示声援，似乎就是不支持学生运动，就是不反对腐败，不写大字报就遭到孤立。这同文化大革命没有什么两样。北京大学有8位教授，他们最基本的要求是呼吁学生复课，不要无限期的罢课，因为学生要学习，他们除此之外没有什么更多的政治上的要求。提出来以后，遭到了围攻谩骂，甚至于受到人身攻击，有人甚至要求公布这些教授的住址。可见，当时在一线工作的同志，学校领导和政工干部处境极为困难。就我们国家机关来看也存在这个问题，是旗帜鲜明的站出来支持党和政府的正确决策，积极做工作还是沉默不语？各人有各人的选择，各人有各人的表现。现在斗争胜利了，暴乱过去了，许多同志感觉到心情沉重，有的悔恨，有的为自己一时不慎的表现而感到自责，除了那些敌对势力外，我们的同志都需要冷静下来进行深入思考，重新学习，不学习我们的思想就不会提高，用血的代价换取的宝贵的经验教训就难以吸取，所以，从这一点来讲我们更需要认真学习。

3. 平息了暴乱，但斗争还没彻底的胜利，还需要我们继续努力，做好四中全会提出来的主要工作。平息暴乱后，有的人公开讲两年后再见，有的说10年以后，有的说20年，总之这个案早晚要翻过来。他们讲镇压学生运动的绝没有好下场，历史上古今中外都是如此，四·五运动不是翻了吗？匈牙利的纳吉过了30多年不是翻了吗？而这次得到了这么多群众支持和声援的爱国民主运动肯定要翻。这决不仅是对这场斗争性质的评价，这个案要翻意味着什么？这是我们必须认真对待的问题。最近，高校毕业班做总结和鉴定工作时，有的学校校长做动员时，公然有十几次鼓倒掌，在学校放映《巍巍昆仑》时，在过不过黄河的问题上，毛主席坚持不过黄河，说我们向人民讲了，共产党说话要算数，这时就鼓倒掌。最近，我们看到湖南一所大学的毕业班的一个学生在6月份写的自我鉴定，开头就是"本大少爷"，最后一句写这就是本大少爷的总结，里边一套玩世不恭、腐朽没落的东西，这就是正式交给学校的自我鉴定，学校领导跟他讲这样你是无法毕业的，他表示无所谓。在新疆应该是波及最小，影响最小的地方，在毕业班的结业式上，唱"没有共产党就没有新中国"，"社会主义好"的歌曲时，许多人不开口，这些现象说明了什么？说明政治思想战线工作的艰巨性，特别是对高等学校来讲，面临着这样严峻的形势，存在着思想上用马克思主义重新武装的问题。首先我们自己要学好，才能去工作，只有把问题估计的充分，我们的理论准备充分，自己坚定才能去坚定别人。在这样的形势下，需要我们认真学习，才能把工作做好，才能真正做好群众的统一思想的工作。

4．为了搞好清查和党的整顿也要以学好文件为基础。目前，中央在研究这个问题，而且已下达了关于清查暴乱分子问题的3号文件，为了搞好清查和今后党的整顿，这次学习是一次必要的思想准备，为今后做好这项工作打下一个良好的思想基础，这次学习解决的是政治上的大是大非问题。在学校里清查时，明明是问题的，如果认识不提高，明摆的问题也会不认为是问题。

5. 为搞好今后的工作，旗帜鲜明地坚持四项基本原则，反对资产阶级自由化，坚持正确的政治方向，牢记这次斗争的教训，学习也是必要的。在学习过程中，要重新学习小平同志的一系列指示，当时看了以后就过去了，没有深刻的体会，这次回过头来再进行学习，那就不大一样了。对于动乱这个问题，社论发表以后，为什么是动乱？动乱是什么意思？人们都在琢磨这个问题，其实，动乱这个问题不是这次才提出来的，1983年小平同志就讲了动乱的问题。1983年10月12日小平同志在《党的组织战线和思想战线上的迫切任务》这篇文章里谈到最危险的三种人的时候，讲了为什么这些人是最危险的？他讲到这样几条，（1）他们坚持原来的帮派思想，有一套煽动性和颠覆性的政治主张。（2）他们有狡猾的政治手腕，不断的伪装自己，骗取信任，当时机到来时又会煽风点火，制造新的动乱。1987年反自由化的过程中，小平同志在《有领导有秩序地进行社会主义建设》的谈话中，明确指出，"一切反对、妨碍我们走社会主义的东西都要排除，一切导致中国混乱甚至动乱的因素都要排除"。小平同志在会见香港特别行政区基本法起草委员会委员的讲话中，他讲的更远，就是香港1997年回归中国后怎么办？他指出，"1997年后香港有人骂中国共产党，骂中国，我们还是允许他骂；但是如果变成行动，要把香港变成一个在'民主'的幌子下反对大陆的基地，怎么办？那就非干预不行，干预首先是香港行政机构要干预，并不一定要大陆的驻军出动，只有发生动乱、大陆的驻军才能出动，但是总得干预嘛"。4·26社论出来的时候，许多人感觉到不理解，实际上小平同志讲的两个基本点，两手抓，中国要有一个安定的局面，不能搞动乱，这个思想是一贯的，这次是集中爆发了。我们搞理论教育、宣传工作的同志，通过这场斗争有了反面教材，过去体会不深，认识不清的问题，现在有了反面教材，可以加深理解。

当前要反思要总结，首先要抓学习，这也是我们贯彻四中全会，领导好这场斗争，把群众思想统一到四中全会上来，首先要做好的一项工作，也是我们反思的一个前提。

二、政治理论教育需要反思的几个问题

小平同志指出：最大的失误在教育。在接见戒严部队军以上干部的讲话中，进一步明确指出，对全体人民的政治思想教育我们有失误。我们从实际工作中感觉到小平同志的指示是十分正确的。从现象看好象有一个矛盾，我们搞理论教育的怎么还不重视呢？实际情况不是这样，而且也确实存在这方面的问题。认真回顾这几年的实际情况，特别是从我们高等学校的实际情况来看，这个问题就清楚了，这里面有几个问题需要重新认识，重新学习和反思。

1. 思想理论教育必须把坚定正确的政治方向的教育作为政治理论课的根本任务

把坚定正确的政治方向放在学校工作的首位，这本来是我们党办教育的一贯方针，但是近年来，这个方针成了问题。正是因为政治方向问题忽视了，放松了，所以受到了惩

罚。在动乱暴乱中，青年学生的言行说明放松政治方向的教育带来的恶果。极少数学生在这次动乱和暴乱中走到了反党反社会主义的立场上去，成了自绝于人民，自绝于祖国的人。他们在政治上旗帜鲜明地反对四项基本原则，成为资产阶级自由化的俘虏；思想上是极端个人主义，奉行无政府主义；行动上无法无天，反民主反法制，甚至心甘情愿地同国外海外反共反华势力勾结，走向卖国，对祖国的文化历史一概否认。问题发生在少数学生身上，但是，我们也需要反思政治理论教育工作。学校设立政治理论课，从我们党的一贯要求看就是要解决学生的政治方向、政治原则、人生观、世界观问题。但是近年来，学校培养的人是德、智、体全面发展还是重智轻德？这个问题已经有了结论，本来应该是德、智、体全面发展，实际上重智轻德十分严重，政治方向和政治立场的教育放松了，削弱了，甚至基本上取消了，智育放到了第一位。这一点从招生考试，选拔出国留学人员，授予学位，教师评职称、提级、晋升一系列问题上都有反映，这个问题国家教委已下决心要认真总结经验彻底改变这种状况。就我们政治理论课教学看，知识性增加了，而政治性削弱了，思想政治教育中有针对性的立场，观点的教育削弱了。为了避免学生的所谓逆反心理，有些该坚持的原则不敢去坚持，有些该批驳的不敢去批驳，许多应该讲的马克思主义基本理论观点淡化了。在社会上自由化宣传的冲击下，使我们马克思主义的阵地在缩小，学习时间的安排上是一再压缩，要求也一降再降。这场动乱和暴乱使我们感到我们的工作确实要改进，包括一些具体方针政策需要进一步调整。

政治理论课设置的目的既然是要解决学生的政治方向和政治原则，逐步树立正确的人生观和世界观的问题，因此，决不是单纯传授知识的课程，它和其他业务课程不一样，这是保证培养人才达到合格素质的一个重要方面。出现上述问题的原因是多方面的。这是同我们整个党在政治理论思想工作上的失误是直接有关的。自由化之所以这么泛滥，四项基本原则不能得以一贯坚持，首先是因为我们党内两任总书记犯了错误，特别是赵紫阳同志主持中央工作以来，继续发展了这样的错误，本来1987年反对资产阶级自由化，中央发表了一系列文件，如果坚持下去就不会走到这个地步。1983年反精神污染28天，1986年底1987年初开始反自由化不到3个月，5月13日以后，赵紫阳全面刹车，他不是坚持反对资产阶级自由化，而是打击压制坚持四项基本原则的同志。总的是这样一个气候，所以光靠学校这样一个讲台是难以抵挡的，我们不能因为这个来减轻自身的责任，我们应该吸取教训，但是这样的一个客观条件是存在的，小气候顶不住大气候。正如我们有的同志所讲，政治教育如不从政治方向和理论上抓，单纯的知识传授可能得出相反的结果。特别是阶级观点，阶级分析也不提了，不是从政治上考虑问题。在阶级斗争问题上，如果离开了阶级观点和阶级分析讲马克思主义观点就是抽象的。在这场斗争当中，一些同志感到和青年同志缺乏共同语言，而这也不是从今年开始的，因为整个思想体系改变了，一些青年人的思想体系不是马克思主义的体系，所以对任何一件事都可以得出相反的看法来，而且很难做工作，很难去说服他们。在这里列宁讲的话很值得深思：“当人们还不会从任何一种有关道德宗教、政治和社会的言论和诺言中揭示出这些或那些阶级的利益时，他们无论是过去或将来总是在政治上作受人欺骗和自己欺骗自己的愚蠢的牺牲品的。”这场斗争中，许多青年陷入了很悲哀的境地，直到前不久有的学生讲，他也承认解放军同志被打死了，这是暴徒干的，但是他说他与我们不同，我们这个运动是爱国运动。他们就是分不清这个问题，非要把这两个问题截然分开。这怎么能分开呢？明明受了别人的欺骗和利用，到现在还很难转过这个弯来。当然我们相信通过工作逐渐可以使绝大多数学生认识到这个问题。为什么他们在思想上难以转变？因为他们脑子里不是阶级分析，不是无产阶级的立场，不是马克思主义观点在起作用。这场斗争中开始是跟着感觉走，后来是跟着谣言走。北京的谣言煽动性之大我们都感到难以理解，但许多人就是信，这是需要认真总结的。把坚持正确政治方向作为我们政治理论思想工作的一个中心任务，首先要解决这个问题。当然这个问题的解决不是搞过去空洞政治口号的说教，要把马克思主义政治理论的传授和社会科学知识传授结合起来，同社会现实问题结合起来，使政治理论教育有血有肉。这还要我们做更大努力。

2．坚持马克思主义的批判本质

马克思主义理论的全部价值在于这个理论"在本质上是批判的和革命的。"这些年来，批判这个词被糟踏了，成了极左的同义词。在"左"的统治下滥用批判，伤害了不少的同志，大批判被"四人帮"用来反对马克思主义，成为他们篡党夺权的工具。近年来搞自由化的人则把马克思主义的批评本质加以歪曲，使人们不能讲批判，这实际上是把坚持马克思主义的同志捆绑了起来，而使搞资产阶级自由化的人放开手脚大肆放毒，在一片宽松、宽厚、宽容的和谐气氛中，使自由化的宣传完全合法化，日益泛滥成灾。所以在这场斗争中，反党反社会主义的舆论宣传这样公开地进行，决不是两个月的问题，已经长期做了准备。

马克思主义不讲批判性叫什么马克思主义？马克思主义从它诞生之日起，直到今天无时无刻不遭到资产阶级的批判，但马克思主义并未因此而垮台。资产阶级对马克思主义开始时是采取沉默抵制的态度，后来进行论战反驳，反驳不倒就钻到马克思主义内部歪曲它的革命精神。100多年来，资产阶级从来也没有停止过同马克思主义的作战。马克思主义在斗争中，从两个人提出的理论，发展到今天成为许多共产党的指导思想、无产阶级解放的思想武器，也是在同资产阶级的各种理论斗争中夺取了一个又一个阵地，取得了一个又一个胜利。所以否定马克思主义的批判性就是歪曲马克思主义的本质，磨灭它的灵魂和光芒。

政治理论教育讲授的是马克思主义，宣传的是马克思主义指导下结合中国实际制定的党的路线、方针、政策，具有很强的政治性。为了搞好这个工作我们必须针锋相对地反对资产阶级自由化，批判资产阶级自由化的种种怪论，以回击它们对马克思主义本身的攻击。对资产阶级自由化种种理论的批判，这是政治理论教育和政治理论宣传义不容辞的任务。不这样做马克思主义就没有战斗力，我们就不能在同资产阶级自由化争夺青年的斗争中取得胜利，就不能发挥马克思主义在社会主义现代化建设中的指导作用。最近两个多月的斗争使我们对这一点有切肤之痛，这样讲决不是要重复过去"左"的大批判的错误，我想这一点没有同志还在怀疑，而且要警惕这种现象的出现，但现在不是这个问题。国家教委在1986年做过一次理论学习调查，这个调查是从政治经济学领域进行的，经过艰苦的工作后，搞出了一个材料，从这个材料可以看出，现在某些人宣传的自由化理论在几年前就出现了，而且以理论形态出现了。当时我们做这个工作时，思想是有顾虑的，但我们明明看到高校学生在受它的毒害，所以想把它整理出来组织力量进行研究。这个材料说明，动乱中反映出来的问题早已埋下了根子。从工作上看，这几年，要批判错误的东西难得很，有宣传自由化的自由，没有批判自由化的自由。大家都知道，三中全会闭幕式上，王震同志批判了《河殇》，当时，总书记表示对这个问题有不同看法，要思想理论小组去研究，教委领导同志回来以后叫我们组织力量研究这个问题。现在真象大白了，当时《河殇》的录像带送给了外宾，而且复印了500套广为散发，电视台放了一次后引起了强烈反响，其中有不同的意见，这又放了第二次，究竟是批评自由化还是批判马克思主义？在这场动乱中看到，首都的新闻舆论究竟起了什么作用？外地学校的青年学生，每天看《人民日报》，看电视台广播，他们怎么能抵挡得住？舆论完全是一面倒。《人民日报》在戒严几天的宣传，究竟在干什么？

今天强调马克思主义的批判性，从这次学潮中，从国外、海外反共反华势力对我国的颠覆中看，更有现实意义。国内的问题，通过这场斗争，中央下了最大的决心，要加以解决，国内的小气候通过我们的工作是可以改变的，但国外和海外的反共反华势力并不会因为中国平息反革命暴乱而停止对我们的渗透，斗争将是长期的。通过这场斗争大量事实表明，发生在我国的这场风波是国外的政治势力长期渗透，直接插手的结果，这里不仅有自由化宣传和渗透，还有其它的问题。国际垄断资本要把社会主义国家纳入他们的统治，这是一个长期的战略，是不会改变的。从社会主义历史上看一直到今天，过去是赤裸裸的武装干涉，以后是军事包围、经济封锁、政治上孤立的办法，各种手段都采用了，到了50

年代初，杜勒斯就提出要和平演变，要在社会主义国家第三代、第四代领导人身上做文章。30年以来，美国历届政府都秉承了这样一个宗旨，干了大量颠覆共产党、破坏社会主义制度的勾当。从卡特的和平外交，到布什强调的人权外交，他们的提法不断改变，但实质是一个，就是通过培植社会主义国家内部的所谓民主势力，借着民主、自由和人权，动员和组织政治反对派，拉拢、分化共产党内部的不坚定分子，直到使社会主义国家的性质发生改变。中国是一个社会主义的大国，一直是美国搞和平演变的目标。

美国前总统尼克松写了一本《1999——不战而胜》的书，他说："美苏对抗的根本原因是意识形态，美国要阻止共产党的扩张，扩大自由范围，如果我们在意识形态的斗争中失利，我们所有的武器条约，外交和文化交流都将毫无意义。"尼克松认为在意识形态竞争当中美国的王牌就是自由民主的价值观念，只有鼓动苏联内部发生和平演变，才能得到现实的和平，然后，经济力量和意识形态的号召力将起决定作用。据说，美国有的官员曾讲：美国政府认为美国的军事包围和经济封锁都已失败，今后只有趁中国改革开放之机，通过经贸往来和文化交流对中国进行精神渗透，用美式的文明来影响中国走向自由化。美国实行的渗透手法是多种多样的。美国之音在动乱和暴乱中也作了充分表演，美国之音是美国唯一全球性的国际广播电台。1981年时，美国之音的副台长就有这样一段自白："我们应该破坏苏联及其卫星国的稳定，促进他们的人民和政府之间发生磨擦，我们要尽量在共产主义集团各国领导人之间打入楔子，使他们相互不满和互相猜疑，我们应当煽起民族主义的火焰，鼓励铁幕后宗教感情的复萌。"他的宗旨是鲜明的，就是要搞颠覆和思想煽动。1949年以来，美国之音的广播一直是对华心理战的工具，整个50年代，美国之音是以反共宣传而声名狼藉的，被全世界正直的人看成是美国政府颠覆别国的工具、搞暴乱的指挥部。70年代后期，美国政府为了改变美国之音的形象，更多的采取新闻性和事实性的方法来进行宣传。中美建交后，在对华节目中增加了音乐节目，英语教学节目和大量介绍美国的节目，以适应中国人的胃口，骗取群众。但是这种形式上的改变，没有改变他们对我国人民进行蛊惑宣传的目的。美国之音不仅在国外宣传，而且还派人到天安门广场录音、采访，搞了大量的活动，而高校学生们办的广播台大量宣传的是美国之音和港台报刊上的材料。

国际反共反华势力，亡我之心不死，我们应该用马克思主义去武装青年学生，帮助他们认清国际垄断资本的本质，揭露资本主义，在改革开放形势下，决不能解除思想武装，要用马克思主义的立场、观点和方法去观察复杂的事物。

在这场动乱和暴乱中，国外和海外反动势力公开插手。他们搜集我国政局的动向和动乱的情况；使用所有的宣传手段为动乱分子传递信息，给他们指点方向，大量制造谣言，火上浇油，激化矛盾；美国驻华人员直接进行策动；利用中国留学生在国外进行策应；指使中国民联等反动组织插手动乱；庇护策划动乱的阴谋分子，妄图扩大暴乱；对中国政府施加政治压力，进行经济制裁；等等。

在这场动乱过程中，港台反动势力也煽风点火，活动也十分猖狂。他们配合这场暴乱，建立了专门的机构，用来指挥对大陆的破坏活动。为动乱和反革命暴乱提供经费，制造谣言，使动乱升级。

从以上事实已经看出来，这不仅是在宣传资产阶级自由化和反对四项基本原则，他们已经有了组织并付诸行动。因此，我们反对资产阶级自由化的斗争，也不能仅仅停留在理论上反击，还要在政治上彻底揭露，思想上进行批判，组织上加以清除，行动上给予坚决的打击，所以应该是全面的。这次学习和贯彻四中全会的精神以及总结这次反对动乱、制止暴乱斗争的经验教训恐怕也是要几管齐下，道理要讲，事实要揭露，但是敌人也要坚决打击，为了不使用武器的批判就该发挥批判武器的作用。但是这些年来，一大教训就是四项基本原则没有一贯地坚持，放纵自由化的泛滥，带来了极大的思想混乱。我们人民的思想已经解除了武装，思想上没有设防，所以发展到一定的程度再靠批判的武器已经不能解决问题，最后，不得不采取武器的批判。这场教训告诉我们，要想使我们国家长治久安，我们要充分发挥批判的武器的作用，要发挥马克思主义的批判的本质，坚持这一点，使一切错误的东西没有活动的余地，使人们的思想保持清醒的认识。

3. 政治理论教育必须坚持灌输

灌输这个词也是近几年来不断遭到指责攻击的对象，把灌输歪曲为抽象的空洞的说教，歪曲为强迫接受，叫思想不自由，遭到了搞自由化的人讥讽。其实在学校里灌输最多。学习自然科学知识他不认为是灌输，而学习政治理论却认为是强迫学的，遭到讽刺。我们的许多理论课教师是很困难的，有的被挖苦，甚至遭到人身攻击，被认为什么政治课教师都是姓吕的，两张口，是跳芭蕾舞的，天天转等等。可悲的是在资产阶级自由化无端的攻击下，我们党的意识形态领导并没有给第一线的同志撑腰，相反，是反其道而行之。在思想政治工作十分困难，理论教育十分困难，几乎面临全面崩溃的形势下，党的总书记去年居然提出改造思想政治工作的要求，这在学校里引起了极大的震动。这决不是一个简单的用语问题，它涉及到对党的思想政治工作的根本看法，涉及到对十年来思想政治工作的估计，还涉及到是取消还是维护我们党的政治优势的根本问题。这十年来，我们党的思想政治工作是一再的被削弱，连要改造的对象都快没有了，究竟这十年来思想政治工作是不是还是"左"在统治，这个在第一线的同志都有体会，是不是还靠"左"的思想政治工作去整人，我们党的思想政治工作的传统是不是就只有整人的一面，错误的一面。队伍已经垮了，阵地已经丢了，但还要改造，即彻底取消。对思想政治工作的否定必然要影响到思想教育的重要核心即马克思主义的理论教育。

实践证明，马克思主义必须灌输这样一个论断是正确的命题，通过政治理论课向学生灌输马克思主义是加强和巩固思想政治工作阵地的一个重要环节。在我国社会主义初级阶段的今天，由于国内和国外、历史的和现实的各种因素的影响，群众尤其是青年决不会自发地产生社会主义的意识，他们不会天生地树立社会主义的信念和理想，不灌输社会主义必然就接受资产阶级的思想体系。列宁曾经讲过很深刻的一段话："对社会主义思想体系的任何轻视和任何脱离，都意味着资产阶级思想体系的加强。"（《列宁全集》第5卷第352页）列宁的这个论断，在这次学潮里，在动乱和暴乱中又一次得到了证实。在资产阶级自由化泛滥造成严重恶果的今天，应该重申必须向青年灌输社会主义的思想体系，才能逐步消除资产阶级自由化思潮的影响。我们要帮助青年重新认识学习马克思主义的迫切性，帮助他们同资产阶级自由化划清界线。现在，对于任何一个严肃的、追求真理的青年来说，有了这场斗争的教育，对马克思主义有可能听的进去了，我们要尖锐的告诉青年："我们在坚持对外开放的时候将带进资本主义的消极影响。西方一些好的东西我们应该借鉴、学习，但开放也会带来一些坏的东西，影响人们的思想，特别是对青年的影响，所以，我们同时必须反对资产阶级自由化。"还必须告诉青年："一切妨碍我们走社会主义的东西，一切导致中国混乱甚至动乱的因素都要排除。"这些都不是今天才讲的，而是十一届三中全会以来一直在讲的。小平同志上述论述用十分鲜明的语言所表达的思想，要在实践中发挥作用，需要使青年接受并用这个来指导他们的行动。为此，应该使青年们搞清楚，我们搞的是社会主义，需要的是社会主义思想体系，要使自己的思想、行动适应这种要求，必须学习马克思主义，只有这样才能抵制资产阶级自由化，否则将处处碰壁，甚至导致政治上犯错误。这次斗争中，一批青年犯了错误，少数人走向反动，这是同长期拒绝接受马克思主义理论教育分不开的。应该通过耐心细致的工作，利用这次反面教材帮助青年接受这一教训。我们也要从这次风波中，排除干扰，坚持马列主义、社会主义必须灌输的认识，通过教学改革，搞好这一树人立人的工作。

最近，国家教委下达了社科001号文件，大体内容是：

第一是今年所有学校开学后，要集中进行一次政治和法制教育，这个教育的目的是解决根本政治态度和政治原则问题，简单讲就是你究竟是站在党和政府这一边还是站在反革命暴乱那一边？首先要解决这个问题，至于说资产阶级自由化长期泛滥及在思想上引起的混乱光凭这一次集中教育就能解决是困难的，而且在短时期内是很难解决的，但是解决重大政治原则问题方面是必要的。要先解决这个问题，集中教育的时间和方式，由各地教育主管部门和学校的实际情况来安排。

第二是为了进行好这次集中教育必须培养骨干包括党政干部、理论课教师和政工干部以及班主任等，因为现在看来，没有骨干只是上课一般的讲一讲，效果是有限的。一些高等学校给毕业生做工作，投入了很大的力量，硕士生导师也好，博士生导师也好，经过学习，大家有了一个统一认识后，基本上几个人包一个小组，一个一个地谈。经过艰苦的工作，一个是讲清事实真象，用他们本校的事实给学生讲道理，另外传达了党的精神，特别是传达了小平同志5月31日和6月9日的讲话以后，许多人感觉到过去对小平同志有许多误解，思想有很大的提高，再加上事实材料也摆在那儿，因此，思想上有所转变。但是，这是要投入人力的。所以，根据这个情况，有些学校开学，如果力量没有准备充分，可以分批开学，北京有些学校就是这样。培训骨干的问题，这一点是十分重要的，如果教师的思想跟不上或者有些还很糊涂，那么和同学坐在一起谈，究竟谁教育谁就很难说了，所以教师有一个提高和学习的问题。

第三是开学后，理论课按教学计划进行。现在，因为理论课的课程设置有所不同，做法也就很难统一，但是有一个要求，不管原来计划是怎么安排的，不管上什么样的课程，都要贯彻四中全会的精神，要紧密结合这场从动乱到暴乱的斗争，要把在这场斗争中反映的重大理论问题，也就是自由化在学生当中危害最深影响最大的问题结合每门课程的具体内容重点突出地向学生们讲授。因为现在还来不及整理这方面的东西，所以我们向有关学校打了招呼。比如有些学校上革命史已经研究了一套办法，革命史还要上，但是内容重点做了调整，这场斗争里提出需要革命史来解决的问题，就在革命史课上把这个问题重点讲清楚。有些是哲学方面的问题，就在哲学课上从基本理论上讲清楚。理论、思想上的问题要靠理论教学来搞，我们想把搜集上来的具有代表性的好的方案向各地推荐。在此之前，请各地的同志结合自己的情况，根据学生思想的实际状况，就突出的问题进行重点讲解。

政治理论课全面改革以及理论教学过程中引出的各种问题、各种政策，教委还要进行全面研究。现在已经提出如何全面贯彻中央4号文件的问题。为了搞好这个工作，要求对今后的工作进行通盘研究。

扭转精神世界的滑坡

中央宣传部 曲啸

北京发生的反革命暴乱被平息了。50多天来，人们紧张的心情总算松了一口气。痛定思痛，对这场剧烈的政治斗争，确实有许多令人深思的东西。小平同志说，这场暴乱"促使我们很冷静地考虑一下过去，也考虑一下未来。"这确实是非常必要的。

作为一名政治思想教育工作者，回忆几年来我们的工作和我们所接触到的社会现实，深切地感到，在社会主义精神文明建设上，确实收效不大。尤其是在资产阶级自由化泛滥中，人们的精神世界出现了重大的滑坡现象。这一现象主要表现在三个倾斜上：

第一，舆论上的倾斜。讲奉献的少了，讲索取的多了；讲理想的少了，讲钱的多了；讲集体的少了，讲个人的多了；讲大局利益的少了，讲局部利益的多了；讲组织纪律的少了，讲无原则的自由多了。在日常生活中，雷锋那种助人为乐，全心全意为人民服务，艰苦奋斗等优良品德和高尚精神，往往被一些人嘲笑。而不择手段地谋求私利，追求金钱等行为，却被一些人看成是有能耐。于是，投机倒把，贪污受贿，挥霍浪费，甚至卖淫、赌博、偷盗、抢劫等丑恶现象，到处可见。什么党的优良传统，什么艰苦奋斗的精神，几乎都成了"陈腐"的东西。一些人把资本主义社会中发霉的货色，拿来作为"现代意识"渲染着、鼓吹着，严重地污染着社会风气。如果谁敢反对这些乌七八糟的东西，谁就会被扣上一顶"陈腐"的帽子。整个社会舆论被弄得好的不香，坏的不臭，黑白颠倒，是非不清。多少正直的人们感慨地说："金钱冲昏了一些人的头脑，臭气熏毁了美好的河山。这样下去怎么得了！"这种正义的感慨，被发生在北京的反革命暴乱证实了。那些拼命宣扬资产阶级自由化的人，就是想从社会舆论上造成一种趋向：似乎共产党所提倡的一切都过时了，只有全盘西化才能救中国。他们的根本目的，就是要推翻共产党的领导，改变社会主义制度，颠覆中华人民共和国。

目前，清醒者加深了认识，困惑者通过学习转变了一些糊涂的看法，而极少数顽固地站在反动立场上的人，虽然不甘心失败，但在强大的无产阶级专政面前，也不得不承认一个铁的事实，那就是：共产党和人民政权不是可以轻易动摇的。他们或者逃亡国外，或者潜伏起来，幻想着有朝一日卷土重来。这是他们反动本性决定的。这也决定了我们与这些人的斗争，是长期的尖锐的政治斗争，是不以人们意志为转移的斗争。

第二，社会心理的倾斜。由于舆论的倾斜，逆反心理、逆向思维、离心倾向，在一些人身上明显地表现着。尤其是一些青年人，由于年龄所限，经验所限，常常对来自党的教育的声音，一概给予盲目否定。这种倾向是非常有害的。

从心理学的观点看，逆反心理有双重性。它的积极的一面是：对已有的结论或模式，敢于提出大胆的质疑，作出符合科学规律的探索。没有这种积极的逆反，**就不可能有中国共产党领导中国人民推翻压在人民头上的三座大山的历史；**没有这种积极的逆反，也不可能有杨振宁对于宇宙守恒定律的突破。这种积极的逆反，我们是提倡的。但是还有一种消极的逆反。这种消极的逆反表现在，对已有的合乎事实的结论，或得到绝大多数人认为合理的模式，一概给予盲目的否定，只想破坏，不想建设。这后一种逆反的严重后果是，使集体的凝聚力涣散，战斗力削弱，纪律松懈，秩序混乱。而一个国家要富强，民族要振兴，能够依靠这后一种逆反来实现吗？北京50多天的混乱状态，给人们的教训是深刻的。我们有理由说：无政府主义是社会主义建设的大敌。颠覆社会主义共和国就是要断送中华民族的光明的未来。而这正是国内外敌对势力所期望的，也是艾奇逊、杜勒斯之流当年用武力未曾实现的妄想。

第三，制度、职能上的倾斜。主要表现在党的组织制度及职能受到严重干扰，党的政治优势没有得到真正的发挥。我们党的政治优势主要由三个重要因素组成，即：党中央的领导权威，各级党组织对中央精神的贯彻，党员的先锋模范作用。这三者有机的统一，才构成了攻无不克、战无不胜的强大政治优势。然而这几年来，在政治优势的三个因素上，都存在着程度不同的缺憾。

首先，中央的领导权威受损。十年动乱、两个反革命集团的破坏，使党的优良传统和崇高威望受到了严重损害。党的十一届三中全会在总结历史正、反两方面的经验教训后，虽然制定了正确的路线、方针、政策，可中央的个别领导人，很长时间没有真正执行中央的正确指导方针。个人的错误，又严重降低了中央的声望。对于失误，一切正直的人们虽然也不满意，也有牢骚，但面对中国这个十分复杂的国度，也能够理解和正确对待。可在那些敌对者的眼睛里，则不是这样了。他们不仅无事生非，千挑万剔，甚至唯恐天下不乱。把现实中不尽如人意处，统统归咎于共产党的领导和社会主义制度，拼命煽动推翻党的领导的情绪。

其次，由于组织制度职能的漏洞和资产阶级自由化的影响，大大干扰了党务部门和党员、干部认真贯彻中央正确主张的效率。在个别官僚主义者把持的部门中，甚至出现了"上有政策，下有对策"的恶劣行为，公开搞"八路军欺骗共产党"的事，这样就使党的制度职能不能灵活地运转，不仅影响了工作效率，也影响了党的政治优势的发挥。

再次，是共产党员的先锋模范作用。应该说，绝大多数的党员是好的，是真心听党的话的。但是，也确有一些党员，尤其是一些党员干部，忘记了自己是共产党员。他们不是全心全意为人民服务，而是做官当老爷，以权谋私。人民群众义愤地描绘这些人："打麻将两宿三宿不睡，喝烧酒一斤二斤不醉，学跳舞七步八步都会，接收礼物是厚是薄全昧，统计数字一个不对。"在使用干部上，不搞任人为贤，而搞任人为亲。群众也送了一副对联："说你行你就行不行也行；说不行就不行行也不行。"横批是"不服不行"。尽管这些描绘和对联，有其夸大的成分，但这种人确实存在着。他们丧失了一个共产党员起码的党性，忘记了"人民公仆"的性质，对待子女也忘记了周总理生前告诫的"八旗子弟"的教训。个别的弄得民怨沸腾。其结果，严重损害了党的形象。

上述种种，归结为一点——社会主义精神文明建设出现了很大的滑坡，使国内外敌对势力乘虚而入，最终导致了一场动乱到反革命暴乱的发生。这种教训该是何等的深刻。之所以出现这场骇人听闻的动乱和暴乱，原因是多方面的。从某种意义上讲，也可以说是多年全民精神世界滑坡所导致的悲剧。那么什么原因造成了精神世界的滑坡呢？我认为主要有下列一些原因。

1. 严重忽视政治思想教育。正如邓小平指出的，这十年改革最大的失误就是政治思想教育。不仅阶级斗争、政治斗争的观念淡薄了，而且道德、纪律、理想、信念几乎也不讲了。似乎唯有"金钱"才是改革追求的目标。在这种情况下，个人主义恶性膨胀，学校的德育放到了似有似无的地位。讲马列主义的人坐了冷板凳，广大的政工干部不要说待遇，连地位都不能与其他人平起平坐。社会公德和秩序无人抓，一些不法之徒和别有用心的人，肆无忌惮地横行霸道，正气受压，邪气上升，确实到了令人忍无可忍的地步。社会主义精神文明建设，实际上被搁置一边，而致力于思想政治工作的人员遭到歧视和冷淡。直到赵紫阳同志的错误见之于报端，才使人们从困惑中清醒过来：原来问题的关键来自于中央决策层。

2. 对资产阶级自由化不能坚决抵制。几年来，在教育、文化、艺术、理论阵地上，谬论横行，幽灵游动，西方世界大量乌七八糟的精神垃圾，弥漫在社会上、生活中，给人们的思想毒害是极大的。且不说银幕、录相和舞台上那些低级趣味的东西层出不穷，仅就文化市场上，就到处充斥着诲淫诲盗、荒诞不经的下流报刊。实际上连在西方都属于难登大雅之堂的丑恶货色，却成了我们"现代艺术"珍品。观众面对那些用避孕工具和女性卫生用品所组成的一些所谓艺术作品，无不发呕唾弃！在这种污秽腥臭的东西构成的浊潮的冲击下，社会上沉渣泛起，犯罪率节节上升。多年绝迹的性病、吸毒、贩毒又出现在社会上。如果把这一现象与美国1983年10月18日召开的关于"共产党国家民主化会议"所作的"让共产党国家的人们普遍地接触西方的报刊杂志"的阴谋决策相对照，我们就不能不认为：这实际上正是时刻想颠覆社会主义政权的人所期望的。这不是什么文化艺术的问题，完全是严肃的政治问题，是关系到我们国家生死存亡的大事。我们有理由要求，主管部门要为青少年的健康成长着想，净化人们的心灵；为建设社会主义精神文明，坚决取缔那些丑恶的东西，如果让那些乌七八糟的东西在中华大地上泛滥，则党将不党，国将不国，更谈不上建设有中国特色的社会主义！

3.新闻导向的失误。几年来，在一些报刊上常常发表一些不利于社会主义精神文明建设的文章。1988年"蛇口风波"就是一例。当《蛇口通讯报》有意歪曲事实真相，发表了旨在否定党的四项基本原则、把党的30多年思想政治工作污蔑成为"神的文化对人的全面窒息"的文章之后，作者曹长青叛逃国外，发表了反共声明并加入反动组织。在这种情况下，中央某大报还断章取义编织了一篇所谓"蛇口风波答问录"的文章发表，使不明真相的人更加困惑，使实心实意工作着的政工干部陷入更加困难的处境。一位法国研究中国问题的专家当时指出："中国的建设与发展有两个大问题，一是人口数量，一是人口素质，50年代因批判了马寅初的人口论，造成了11亿人口的大包袱；如今'蛇口风波'，将会大大影响人的素质的提高。"这位外国专家的看法是对的。一个民族，如果抽去了精神支柱，各行其是，一切为了钱，那还有什么社会主义文明可言？还有，一度有些报刊发表什么"政工干部砍一半，生产翻一番"，什么"外国都没有思想政治工作，为什么中国有？"这些正是中了美国"攻心战"的毒箭。

美国在1983年开始就拿出10亿美元，加强国际广播，公开提出要直接支持共产党国家里独立的政治组织，要向"非民主世界"建立"民主机构的力量"，提供教育、组织和技术等方面的援助，公开支持杜勒斯之流当年提出的民主个人主义者，公开表示："我们必须帮助他们争取自由的斗争。"舒尔茨更是明确地表示：我们这样做，是美国的历史和世界观。难怪犯有煽动反革命暴乱罪的方励之，在阴谋败露之后跑到美国大使馆求得庇护。

然而我们有的报纸上，竟为宣扬资产阶级自由化而大开绿灯。这样的新闻导向，还谈什么坚持四项基本原则，还谈什么社会主义精神文明建设。党的十三届四中全会提出要整顿报刊的措施，我认为是十分必要的。

4．改革的依靠者和改革的非依靠者分配不公。我认为改革的依靠者理应是工人、农民、知识分子和管理干部；改革的非依靠者即：官倒、腐败分子、非法牟取暴利的个体户，以及社会闲散人员中的投机倒把分子。前者是处在第一线的物质文明和精神文明的创造者，他们靠诚实的劳动为社会做贡献，靠工资收入生活。而后者，只是在流通领域中，用非法手段钻政策空子，攫取财富。虽然人们的生活都有不同程度的提高，但实际收入反差悬殊，致使社会上形成了一种愤愤不平的逆反心态。

5．整个民族中有很多人的素质，与发展社会主义商品经济的要求有很大差距，文化素质、管理水平以及道德素质等均不适应。在改革中，他们开始只注意实惠和金钱，积累财富的手段则往往是原始的、粗糙的，甚至是野蛮的。如在通讯线路上割一段电线就敢卖；在白酒里兑"敌敌畏"也敢干；国家的森林任意砍伐；国家的财产连偷带抢。在发展经济中，甚至主张搬用资本主义国家资本初级积累阶段的野蛮欺诈、抢掠等手段。总之，只要能搞到钱，什么手段都敢用，根本没有法制观念和道德观念。一些人有了钱，就赌博、搞迷信活动，搞买卖婚姻；在领导层，争相用外汇购买高级小轿车，讲享受。

当然，我们伟大的中华民族还有许多优良的传统和美德。也绝不象方励之之流鼓吹的那样，中国要解散、总理要引进，唯有全盘西化方可解决问题。我们承认矛盾，但绝不是全盘否定。不足的要补上，不好的要教育、改造。中华民族既然创造过人类历史上的高度文明，当然也能为发展人类今后的文明做出更大的贡献。中华民族的优秀传统不容否定；资本主义也不能向中国引进。这实际上是两条道路的斗争，我们共产党人必须头脑清醒，站稳无产阶级立场。

党的十三届四中全会胜利召开了。通过学习，特别是学习邓小平同志和江泽民同志的几次重要讲话，使我们心里有了底数。展望未来，任重而道远。我们坚信，在振兴中华的伟大事业中，中国人一定会在中国共产党的领导下，实现我们崇高的目的！

（原文载1989年第15—16期《支部生活》，已经作者修改）

加强廉政建设，巩固人民政权

监察部　彭吉龙

一、为政是否清廉关系
到国家的生死存亡

北京从1989年4月发生学潮到政治动乱，最后演变成反革命暴乱，原因很多。邓小平同志说："这是国际大气候和中国自己的小气候所决定的。"这个概括很精辟。什么是国际大气候？主要是指国际资产阶级反共势力，在世界局势表面上从冷战转向缓和，从对抗转向对话的情况下，加强了对共产党执政的社会主义国家的颠覆和渗透。去年，美国政界的一些头目公开宣扬："不能把集权政治和民主政治的根本分歧掩饰起来。"他们所谓的集权政治是污蔑社会主义国家；所谓民主政治是指美国和西欧资本主义国家。他们还提出要鼓励社会主义国家"国内的自由化趋势"，"一有机会就要努力支持自由化"。今年，美国前总统尼克松在一篇文章中露骨地提出：美国应该施加压力，促使东欧"和平演变"等等。国际资产阶级反动势力，这些年来一刻也没有停止过对社会主义国家的颠覆和瓦解。对有的国家，美国的颠覆活动可以说是达到明目张胆的程度，它们通过非法途径，把资金、印刷品、器材，输送进去，向反对派提供大笔经费等。回顾天安门搞动乱的时候，美国、香港不也是把金钱、帐篷、反动印刷品送来了。许多事实表明，西方资本主义国家对社会主义国家的颠覆瓦解活动这几年是变本加厉了。

我们国家近几年来也一再发生政治事件，比如1979年北京一些人搞所谓"北京之春运动"，其中的骨干分子多是1978年所谓"西单民主墙"的分子，他们攻击我们的党，攻击四项基本原则，鼓吹资产阶级自由化。1986年，北京部分高校学生在天安门闹事，方励之、王若望、刘宾雁这帮人也跳出来鼓吹"全盘西化"。今年春夏之交在北京发生的反革命暴乱是西方反动势力长期渗透、直接插手的结果。这些情况足以说明国际反动资产阶级对社会主义国家搞和平演变，这些年是一时一刻也没有停止过。而社会主义国家的一些人，包括一些领导人，反而在和平演变面前丧失了警惕。由西方资产阶级豢养的方励之之流搞资产阶级自由化，妄图颠覆社会主义制度是绝不可能得逞的，因为我国不同于其他国家，我们有坚强的中国共产党的领导，有坚决拥护社会主义制度的广大人民群众，尽管方励之等人喧闹一时，最后也是以他们的失败而告终。

国内小气候表现在很多方面，但是最主要的是这几年四个坚持不一贯，而资产阶级自由化思潮公开泛滥。党的领导被削弱，政治思想工作被削弱，艰苦奋斗的传统淡化了，出现一些阴暗的、消极的东西，包括各种腐败现象。在我们的党政机关和全民所有制企事业单位中，少数党员干部，特别是一些党员领导干部发生腐败行为，如以权谋私、贪污受贿、奢侈浪费、渎职失职等等这些腐败现象的出现，使一部分群众对我们的党、对政府失去信心。极少数煽动动乱和制造反革

88

命暴乱的坏人趁机打着"反对腐败"、"惩治官倒"的口号，蛊惑了许许多多不明真相的群众，引起了许多群众的共鸣。在这次事件中没有反对改革开放口号的，比较集中的是反对腐败。制造动乱和煽动暴乱的人提出反腐败的口号是他们的一个陪衬，其目的是用反腐败来蛊惑人心。但对我们来说要加强党的建设，实现我们的战略目标，不惩治腐败，党确实有失败的危险。因此这次事件中反对腐败的口号尽管对他们来说是搞阴谋活动的借口，但我们也应该重视，认真做好反对腐败的工作。这项工作搞好了，党和政府的号召力、凝聚力就一定会极大地加强，一切国内外反动势力的挑唆、煽动就很难得逞了。相反，如果廉政建设搞不好，腐败继续蔓延，确实有失败的危险。

从古今中外历史发展进程来看，一个政权，一个政党，一个国家，甚至一个民族，廉洁就昌盛，腐败就灭亡，这可以说是历史实践反复证明的真理。满清王朝的覆灭，外因有帝国主义的侵略，内因也很多，但是朝庭腐败是重要原因。国民党的垮台，其中一个重要原因是官场腐败。蒋宋孔陈四大家族肆意横行，官员贪污腐化，通货膨胀，货币贬值，民不聊生，导致民众的强烈不满，加上我们党的不断壮大，人民军队的节节胜利，国民党接连吃败仗，终于逃跑到台湾。有些第三世界发展中国家，因为执政者巧取豪夺，横征暴敛，人民痛恨，以至政变一再发生，搞得国无宁日。东南亚的菲律宾前总统马科斯夫妇，当政以后到1986年垮台，据不完全统计，他们在海外的存款达100多亿美元。南朝鲜的全斗焕当政时也是腐败成风，他连同他的亲戚贪污索贿，最后声名狼藉而下台。中非共和国是世界上最穷的国家之一，前总统博卡萨，1977年称帝加冕，花的加冕登基费用，相当于这个国家全年国民总收入的一半，最后被推翻王位，逃亡国外。这些例子说明执政者腐败必遭失败，腐败就一定会失去人民的信任。人心向背是成败的关键，失人心者必失天下，相反，得人心者必得天下。古今中外一些比较开明有识的统治者，为了得到人民的拥戴，为了巩固和发展他们的统治，都把整顿官吏，肃贪倡廉，作为他们重要的执政方针和政治目标，都在加强对官吏的监督管理和防止腐败方面有着自己的一套主张。从我国的历史看，被封建史学家所称赞的中兴时代，如西汉的"文景之治"，汉文帝、汉景帝除了注意轻徭薄赋，兴修水利，振兴农业，发展农业，让当时的老百姓在连年战乱后有个休养生息的机会外，还有一项重要的措施就是对贪官污吏的惩治非常严格。凡是犯贪赃枉法罪的，要不关死在监狱中，要不就命令他自杀。唐朝"贞观之治"，唐太宗李世民当政时，国泰民安，盛极一时，他的治国措施之一，也是在肃贪倡廉方面有一套严格的规定和措施，对贪官污吏的惩治也是非常严厉的，有的格杀于庙堂，有的虽赦免死罪也流放到岭南一带不毛之地了其终生。明朝开国皇帝朱元璋，他出身贫民，亲身经受过前朝赃官的迫害，所以他执政后，对贪官污吏的横行霸道非常憎恨，采取了严格立法的办法来惩治贪官，经过他的倡议，明朝初期制定了许多防范和惩办贪官污吏的律令和法规，如对贪污受贿的官员，一贯钱以下的处杖刑70；满5贯钱的罪加一等，累计加刑；贪赃60两银子的砍头示众，情节严重的还要扒皮示众。这方面例子还很多。举这些例子是为了说明，封建时代所谓贤明君主在治国安邦方面，都有一些良策，其中共同一点是整饬吏治，监督官员廉洁从政，封建社会有句名言："官为国之基，治国图治首在吏。"这句话至今也有借鉴意义。官员廉洁奉公，国家才能治理好，因为官员是国家的基石和支柱。

当然，封建统治阶级决不可能从根本上消除朝廷腐败，不可能从根本上实现吏治清廉的，这是由封建统治阶级本性和封建剥削和压迫这种社会制度所决定的。从历代封建王朝的更替看出，一个朝代开国之初，往往以整顿官吏秩序、肃贪倡廉而兴盛一时，随后皇子皇孙腐败凶残，逼民造反而垮台，腐败丛生而灭亡，最后封建剥削制度被比它进步的资本主义制度所代替。清朝思想家顾炎武有句名言："不廉则无所不取，不耻则无所不为，人而如此，则祸败乱亡亦无所不至。"这就是说贪赃枉法最后必遭败亡。

当今世界上许多国家，包括美国、日本、英国等发达资本主义国家都在寻求保持政府廉洁，维护其统治地位的途径，都在探索如何从组织结构、法律法规、监督管理等等方面采取措施来保持官员的廉洁。比如美国1978年由国会通过了一部《廉政法》，到现在已修改4次，这个法管辖的对象主要是由总统任命的联邦政府的高级官员，以及国会议员和法官等。《廉政法》对这些官员的行为做了许多规定，如禁止官员从事有失公务员身份与体面的活动，禁止侵吞公共财物、收受贿赂等。美国有个联邦调查局，它的权力很大，它有权对总统任命人员的道德背景和工作能力进行调查。根据调查结果，它可以报告给美国总统和人事总局，对这些官员的升降奖惩提出意见。在总统提名一个人选时，往往要由联邦调查局先行调查，看他是否够格，如不合格，任命就被否定。比如美国总统布什就任后，曾提名托尔塔任国防部长。经过联邦调查局的调查，发现托尔在经济上不廉洁，私生活放荡。布什的这个提名被国会否定。里根执政时政府官员中不廉洁问题一再发生。所以布什在竞选时，为了笼络人心，他把建立廉洁政府作为重要竞选口号之一。他一当选上台，就成立"总统廉政委员会"，而且下命令要总统廉政委员会研究，如何把他这届政府建设成为廉洁政府。布什上台后签署的第一道法令就是联邦道德法规改革委员会《关于廉政的改革法案》。在这个法案中，对政府官员从政道德作了一些更加具体、更加严格的规定，并且还相应地加强了对官员的监督，以防止联邦政府的立法、司法和行政机关的公务人员利用职权谋取私利。

美国廉政法案的主要内容有：要求所有G.S16级以上的政府官员公布自己的财产和收入；修改财产申报方式，使申报内容一目了然，便于考查和监督；规定联邦法官必须遵守联邦政府有关利益冲突的管理条例；禁止政府官员、法官、议员收受礼物和免费旅行；禁止议员和政府高级官员参加公司企业的董事会；规定政府官员工资外的收入不得超过其工资收入的15%；政府高级官员和国会议员离职后一年内不允许利用其和在职官员的关系从事游说活动；扩大独立检察官的权限，使其可以独立调查国会议员的违法行为等等。这个法案正待国会讨论通过。

日本对公务人员保持廉洁也制订了许多法规，如《国家公务人员法》和《地方公务人员法》规定，公务员不得有任何损害公职声誉的行为。《关于官吏服务纪律的命令》中规定：政府官员对内对外执行公务时要重廉洁，反对贪污；要谦虚谨慎，不准滥用职权。日本在1957年制订了一个《关于整肃政府机关纲纪的决定》，在这个决定中规定公务员在工作中不得与在职务上有利害关系的人一起吃饭，也不得接受其馈赠；对公务员要经常调动工作，防止长期担任同一职务，同一工作而带来弊端；公务人员不经特许不准兼职，兼职一般不领薪水;不经本部门首长批准和最高人事院同意,公务员不准经营私人企业,也不准在私人企业中兼职;公务员离职两年内不许到与其原工作岗位有密切关系的私人企业中任职。

新加坡政府的廉洁在东南亚属于比较好的。新加坡在肃贪倡廉方面,从组织上它设立贪污调查局,直接对政府总理负责,专门查处官员的贪污受贿行为。这个机关的权力很大,它有权对公共服务部门和政府法定机构和公务人员进行监督,有权查处贪污官员。1986年底,原新加坡社会发展部部长涉嫌受贿,滥用职权,贪污调查局对他进行调查,调查期间这位部长畏罪自杀。新加坡立了很多法规,而且对这些法规的内容作了明确具体的规定,使政府官员有法可依,也便于贪污调查局依法监督。例如,他们为了防止官员以权谋私,明文规定:任何官员不准直接或间接利用其官方信息或官方地位为自己谋取私利;不准直接或间接地利用职权或允许他人利用自己的名义为与其有关的企业和民间团体谋取利益;不准官员参与各个团体的广告和出版物的活动等等。为了增加官员财产、收支的透明度,政府规定每个官员被聘用后,必须申报自己拥有的股票、房地产和其他方面获得的利息收入,还必须申报他的担保人和家庭成员所拥有的投资和利息收入,申报表要经过机关的常任秘书的严格检查,发现问题要进行追究。每年7月1日,政府官员都要填写一份个人财务表,以了解他的财务情况。另外对接受礼品等都做了严格规定,如规定除个人私交外,官员不准接受下级人员赠送的任何礼品,包括现金、物品、票券等,不准接受下级人员的邀请参加宴会及娱乐活动。如因离任,下级赠送礼品,官员必须向常务秘书书面报告所受礼品的名称、价值;并规定所收礼品不得超过50美元(大约相当该国普通工人月工资收入的1/6的金额）。最近新加坡国会对《防止贪污法案》又作了修改，重点是提高对贪污受贿人的罚款额，把从原来规定的罚款5000美元提高到5万美元；规定还赋予查处贪污行为的人员以更大的权力，他们可以向任何人索取和了解有关情节和资料，被调查人员若不服从调查则被罚款5000美元或坐牢一年或两者并罚等等。

尽管不少资本主义国家都在采取措施防止官场腐败现象的发生，但是事实上这些资本主义国家仍然受到腐败的冲击，一些官员腐败丑闻不断暴露。例如日本虽然对官员保持廉洁，制定有严格措施，但高级官员中的腐败仍相当严重，在第二次世界大战后，发生过多起政界和财界搞权钱交易的案件。1976年日本发生了洛克希德案件。洛克希德公司向日本高级官员行贿，这次事件导致田中内阁倒台，田中首相因受巨额贿赂而被捕。13年后，日本又发生了利库路特案件，该公司用股票和重金收买从首相、议员到一些内阁成员。据日本报刊透露，直接接受现金贿赂的议员至少有40名，接受股票的议员有18人，连前首相中曾根康弘及竹下登都卷了进去，最后竹下登被迫下台。许多高级官员不得不引咎辞职。接任的宇野宗佑首相刚一上台，社会舆论就很大，除某些政策上发生分歧外，还说他与艺妓有瓜葛，品德不端，宇野上任才50多天，即引咎辞职。自由民主党从中曾根、竹下到宇野的腐败，日本公众对自民党失去信任。在7月23日日本参议院选举，投票结果自民党遭到空前未有的失败。美国是个号称"民主"、"自由"并标榜政府是廉洁的国家，其实并非这样。里根当政八年，美国报纸评论他的政府是腐败的，他当政期间政治丑闻不断发生，据初步统计里根执政期间联邦官员涉嫌贪污受贿的有46名之多，如总统助理艾伦、国防部副

94

部长塞耶、劳工部部长多诺等等因违反廉政法而被迫辞职。1987年1月，宾夕法尼亚州的财政厅厅长杜耶尔图收受回扣被揭发，在记者追问时当场开枪自杀。布什上台不久，众议院议长赖特也涉嫌受贿，这件事还在发展中。其他如南朝鲜及东南亚的一些国家中，官员腐败也是当前的一个严重问题。从这些事例说明，尽管资本主义国家对反对官员腐败做了这样或那样的规定，也必然要发生官场腐败，它们绝不可能根治腐败，这是由资本主义社会制度的本质所决定的。资产阶级一切活动的最终目的是为了追求超额利润，唯利是图、损人利己的阶级本性不能不渗透到国家政府官员当中，拜金主义、享乐至上是他们的价值观、人生观。所以尽管资产阶级国家某些统治者力图消除腐败，巩固他们的统治地位，但是社会制度决定了他们不可能根治腐败。他们一方面制定严格的反腐败措施，另一方面官场腐败又层出不穷，其根子就在他们的社会制度，就在他们的阶级本质。当然我们也不能不注意到某些资产阶级和他们的政治代理人为了笼络人心，为了巩固统治地位，确实相当重视从法律、法规以及监督管理上对政府官员的廉洁问题加强管理监督，企图尽可能把官员同资本家勾结搞权钱交易的活动控制到和减少到最低限度。资本主义制度发展到今天，就总体来讲，资本主义的生产关系对资本主义生产力的发展还有着一定的包容量，一些国家的经济还比较繁荣。出现这个现象原因是很多的，如二次大战后，资本主义政府的本质没有变化，它们是资产阶级统治和剥削工人阶级和其他劳动人民的工具，但其某些功能有了变化，如在调节社会经济的方式和手段方面有了些变化。另外二次大战后，资本主义国家进一步建立了市场秩序，在一定程度上减少了生产的盲目性。再就是企业制度也发生了一些变化，以股份有限公司为典型形式的法人企业的产生和发展，在一定程度上改变了资本主义企业过去那种运行方式。除了这些因素外，还有一个重要原因就是一些国家的统治者注意采取措施，保持政府官员的廉洁，以取得民众的信任。但是，必须强调指出，资产阶级的统治集团只能对生产关系、对上层建筑的某些环节进行局部调整，只能暂时平衡社会冲突，暂时缓解阶级矛盾，而决不能从根本上消除官员的腐败，决不能从根本上克服生产资料私人占有和生产的社会性这个根本矛盾。社会历史发展的总趋势、总结局只能是资本主义制度必然灭亡，社会主义制度必然胜利，这是人类发展的客观规律。政治腐败、官场腐败，正是资本主义制度灭亡的一付催化剂。政治腐败、官场腐败越严重，它灭亡的日子就越快；相反它可能缓解，延长一下寿命。

综上所述，任何国家，任何政权，任何政党为政是否清廉是关系到生死存亡的重大问题。

我们是共产党领导的社会主义国家，为政廉洁是由我们党的性质、政府的性质所决定的，我们对廉政问题应该有更高度的警觉和认识，更需要自觉地反对腐败，保持政府官员的廉洁。

二、廉洁奉公是人民政府的根本特征

共产党是人类历史上最先进阶级的政治代表，它除了代表广大人民群众的利益外，本身没有任何其他特殊的利益。中国共产党是中华人民共和国的执政党，全心全意为人民服务是我们党的根本宗旨，从而决定了我们各级党的、国家的一切机关都应当是廉洁奉公、全心全意地为人民服务的。

我们党从土地革命战争时期创建苏区政府开始，当时在瑞金、在井冈山就很重视为政廉洁问题，当然那时候敌强我弱，国民党势力很大，我们还是星星之火，残酷的战争环境要求我们红军指战员必须和群众同甘共苦，否则连生存的余地都没有。红军指战员贫困清苦的生活，赢得了广大人民群众的拥护，保证了革命的节节胜利。在那么艰难困苦的条件下，国民党五次围剿也没有把我们消灭掉，就是因为我们的指战员深深扎根于群众之中，处处为人民利益着想，与群众同甘苦、共患难，奠定了深厚的基础。在取得全国政权的前夕，随着解放区的不断扩大，党政机关逐渐多了，干部人数也越来越多了，我们的党仍然十分重视廉洁从政的问题。1945年7月毛主席同到延安访问的黄炎培先生谈过一次话，黄炎培先生问毛主席，说他从60多年的生活经历，感到一个团体，一个地方乃至一个国家，不少都没有避免受到从艰苦奋斗到腐败灭亡的周期率的支配，中国共产党能不能避免受这个周期率的支配？毛主席明确回答他：中国共产党能够摆脱这一周期率的支配，我们已经找到一条新路子，这就是民主，让人民群众来监督政府，政府就不敢松懈。1949年3月党召开了七届二中全会，毛主席在报告中指出："敌人的武力是不能征服我们的，这点已经得到证明了。资产阶级的捧场则可能征服我们队伍中的意志薄弱者。可能有这样一些共产党人，他们是不曾被拿枪的敌人征服过的，他们在这些敌人面前不愧英雄的称号；但是经不起人们用糖衣裹着的炮弹的攻击，他们在糖弹面前要打败仗。我们必须预防这种情况。"（《毛泽东选集》第4卷第1376页）现在重读毛主席的这段话，意义仍是非常深刻的。七届二中全会后不久，党中央将离开西柏坡进驻北京，毛主席对他身边的工作人员讲：

我们马上进北京，我们可不是李自成进北京啊！他们进北京就腐化了。我们共产党人进北京是要继续干革命，建设社会主义直到建设共产主义。进城以后，我们党执掌了全国政权，面对着纷繁复杂、花花绿绿的社会，我们党和人民政府十分重视廉洁问题，对腐败的侵蚀保持着高度的警惕性和清醒的认识，对党和政府机关中少数工作人员发生的腐败现象进行了坚决斗争。如1952年开展了"三反"、"五反"运动，当时天津地委领导人刘青山、张子善因为贪污腐化，违法乱纪，被依法处决。这件事轰动了全国，给全党、全体干部上了一堂非常重要的廉洁课。在党的十一届三中全会以后，开展过打击严重经济犯罪的斗争，惩办了一些违纪违法的腐败分子。所以，无论在艰苦的战争岁月还是在工作繁重的建设年代，数十年间，党和政府是重视廉洁问题的。党政机关和工作人员奉公守法，清正廉明，勤勤恳恳地为人民服务，这种作风也受到了海内外广大人士的称赞。正因为我们有个廉洁的政府，保证了革命战争的胜利，推动了社会主义建设事业的发展，使中国屹立于世界强国之林。

在建国快40年的今天，党中央却尖锐地提出了党政机关要保持廉洁、反对腐败的问题，去年6月份、12月底党中央先后发出两个保持廉洁的通知，怎么认识这个问题呢？是不是象方励之之流诬蔑的人民政府是腐败政府，是不是象美国一些人所攻击的中国当前的腐败比满清王朝还腐败，你不得不反对腐败。他们当然是胡说八道，是恶毒的污蔑，其目的不在反腐败，而是要宣传资产阶级自由化，要搞全盘西化，要颠覆我们党的领导，推翻社会主义制度。他们提出反腐败是个幌子，是个陪衬，我们有许多青年学生以及不明真相的群众受到他们的欺骗。至于群众、学生提出要反腐败倡廉洁，这是同党的目标相一致的，因此我们很重视。那么当前党政机关的廉洁状况究竟怎样？该怎样评估？对这个问题，我们要理直气壮地认为：绝大多数党员、干部是廉洁的，或基本廉洁的，是勤勤恳恳工作的，是经得起改革开放的考验的。腐败分子是极少数。这是客观事实。"四人帮"时我国经济处于崩溃的边缘，党的十一届三中全会之后短短十年能发展到今天这样的程度，社会主义的建设取得了明显的成绩，人民生活普遍有所改善。如果整个政府是腐败的，干部队伍是腐败的，我们能取得这么大成绩吗？只要是冷静地、理智地、尊重现实地思考问题，一定会对当前党政机关的廉洁状况作出正确的评估。

为什么首先要对廉洁状况作个正确的分析和估计？因为形势是采取对策的依据，把形势估计过头或估计不足，在对策上就可能发生"左"的或右的失误。"文革"前搞"四清"运动，开始时就是对基层干部队伍状况的分析和估计错了，导致了发生打击一大片的严重后果，结果误伤了许多好同志，损害了我们党的形象，更不用说"文化大革命"所造成的极为严重的后果了。所以我们研究廉政建设，首先要对当前党政机关的廉洁状况有个实事求是的恰当的分析和估计。前两年我们宣传报道廉洁奉公的先进典型是很不够的，事实上，在我们队伍中有许多廉洁奉公、遵纪守法的党员、干部，他们的先进事迹没有得到很好的宣传。这往往给人们以误解。

党政机关的廉洁状况既然总体上是好的和比较好的，腐败分子是少数，为什么党中央国务院当前又把党政机关保持廉洁、反对腐败的问题提了出来，而且要求各地区、各部门、各单位都要把廉政建设作为保证改革开放和社会主义建设的一项重要任务，摆到重要议事日程上呢？这是因为：

第一，在党政机关或企事业单位中的一些党员、干部、包括一些党员领导干部发生的各种各样的腐败行为，如贪污受贿、以权谋私、弄权勒索、奢侈浪费、官僚主义、渎职失职等等，后果十分严重，而且有些单位中掌管钱物、掌管人事的违法违纪问题还相当普遍和严重。他们的腐败行为已经严重损害了党和政府同人民群众的关系，严重败坏了党和国家的形象和声誉，使一部分群众对党和政府失去了信任。

第二，近两年来腐败现象呈蔓延趋势，而且出现了一些值得严重注意的苗头：一是金额巨大的犯罪案件在增多。前不久深圳市查获罗湖区企业发展公司副经理苏金柱，利用职权短短几年竟贪污300万元之多。检察机关搜查时，搜出银行存折44本共104万元，还有港币存折、豪华汽车，在香港、深圳有住房等。1989年上半年经检察机关立案查处的贪污受贿金额在万元以上、案犯是科处以上干部的案件，比去年同期增加1.5倍。二是执法执纪人员违法违纪的有所增加。西安黄河机械厂党委纪律检查委员会委员兼审计监察处处长邓志明，参与倒卖彩电，收受贿赂16000元。江苏滨海县法院院长徇私枉法、包庇罪犯，将一名判处有期徒刑的罪犯，私改为无罪释放。太原铁路局227次列车上乘警和小偷勾结，在列车上偷盗旅客财物。这个苗头如不尽快打击，后果不堪设想。三是单位违纪违法案件越来越突出。一些部门和单位的领导人，甚至是党员领导干部伙同职工谋划如何集体受贿、集体行贿、集体私分国家财物。如湖南省进出口公司通联公司伙同中国工商信托投资公司，非法出口国家禁止出口的电解镍，从中牟取暴利。有些群众抨击这种腐败行为是共产党员挖共产党的墙角，国家干部用糖衣炮弹打国家干部。这些现象必须坚决果断地加以打击。

第三，我国当前存在滋生和发展腐败现象的温床。这就使得在党政机关和公务人员中保持廉洁，反对腐败的任务显得更加严峻，更加迫切。当前存在哪些温床呢？一是我们正处在新旧体制转换时期，一方面随着改革的深入，越来越多的经济活动逐步纳入了市场轨道，一个竞争的开放市场正在逐步形成，经济生活越来越活跃。但另一方面政府的机构组织、职能配置和权力运用方式等，还保留有过去产品体制下的若干特征，至今仍掌握着相当大的人财物和产供销的管理权和控制力，加上许多物资供不应求，特别是紧俏物品供需矛盾相当突出，在这种情况下，紧俏物资给谁不给谁，随意性比较大，需要的一方为了取得紧俏物资，千方百计，不择手段，拉拢当权者；而掌握物资分配权力的某些官员，往往经不住金钱物质的诱惑，谁给好处多就给谁，这些就给金钱与权力交易造成了肥沃的土壤。回顾50年代和60年代初期，我国主要是搞产品经济，实行高度集中的封闭型计划经济体制，市场经济很不发达，很多产品实行配给供给，经济关系比较简单。与这种产品经济相适应的政府机关对经济的管理和调控机制也相当严格和健全，那时候政府机关工作人员要进行经济方面的违纪违法活动的机遇很少，保持廉洁不成其为问题。而现在情况发生了很大变化，出现了发生权钱交易的温床。二是在产品经济向商品经济转化过程中，在体制、管理等方面还存在不少的矛盾和漏洞。两种计划，两种市场，两种价格同时并存，社会主义商品经济新秩序还没有建立，适应商品经济发展的宏观调控机制也还很不完善，这些就使一些人有可能利用新旧体制双轨并存和调控机制不健全的条件，从中钻空子，搞以权谋私。三是法制不健全。在产品经济向商品经济转化过程中，一些旧的、不适应商品经济发展需要的法规、规章和制度，已经不适用或基本不适用了，而适应商品经济的新的一套法规规章又未建立起来，比如我国至今没有"公司法"，成立公司没有个规矩，一个时候公司一哄而起，绝大部分又都是在流通领域，都去倒买倒卖。流通领域的公司过多过滥，这在一定程度上助长了腐败现象的发展。又如我们还没有一部反垄断法，这是不利于商品经济的正常发展的。法制不健全除了表现在应当立的法规、规章没有立起来外，现在还存在有法不依、执法不严的倾向，还存在法纪、党纪、政纪都失之于宽的倾向，这种情况的存在也使得腐败行为不能得到及时的、严厉的惩罚。在客观上也助长了腐败行为的发生。四是这几年四项基本原则坚持不一贯，资产阶级自由化思潮泛滥。党的领导、思想政治工作被严重削弱，艰苦奋斗的优良传统不讲了或淡忘了。自改革开放以来的实践表明，改革开放的总方针是完全正确的，在这个方针指导下，推进了社会主义建设事业的迅速发展，但也带来了一些资产阶级的腐朽东西，就象打开窗户一样，进来新鲜空气、同时也会进来苍蝇一样。深圳建立特区的初期，邓小平同志去视察时就明确地指出：在我们国家坚持两手抓。一手抓改革开放，一手抓严厉打击经济犯罪，包括抓政治思想工作。可是，这几年"两手抓"这个方针并没有真正贯彻，出现了一手硬、一手软的倾向。这是我们工作中的失误。这几年什么东西都引进来了，在我国早已消灭的一些丑恶现象也有所发展。同时在意识形态领域中，这几年资产阶级自由化、全盘西化竟公开宣扬而受不到抵制，甚至一些理论家也公开宣扬"一切向钱看"，似乎离开了物质、金钱就不可能调动人们的积极性。这些论调使得我们一些党员、干部的政治方向模糊了，使他们的道德观、价值观从为人民服务、为人民奉献转向注重自我、崇尚金钱物质和追求享受。他们为了满足自己的私欲不惜违法违纪，腐败堕落。更为严重的是一个时期以来，身为党的总书记的赵紫阳同志，不坚持四项基本原则，放松思想政治工作，并且在一些场合反复讲，在商品经济的初期阶段，出现腐败现象不可避免。这个错误言论的结果是使一些党员、干部在腐败与反腐败斗争中失去应有的警惕性，有的甚至跌入了腐败的泥塘。同时也为贪污受贿等腐败分子起了开脱掩饰的坏作用，也给包括行政监察机关在内的各个监督监察部门开展反腐败斗争设置了重重障碍，以致在某些党政机关和领导干部身上，腐败之风愈演愈烈。此外社会分配不公平，个人生活差异过大现象的存在，也诱使一些党员、干部萌发采取非法手段追求权和钱的欲念。机关干部生活清苦，有的干部公开说"他们可以捞，咱们为什么不能捞，不捞白不捞。"当然这种说法是完全错误的，是为自己违纪违法找借口，但是社会分配不公平的问题，往往助长腐败行为的发生，需要认真加以解决。产生腐败现象的温床，或者叫土壤、条件当然不止于上面列举的几个方面，但足以看出，反腐败斗争不是轻而易举的事情，必须下大力气进行综合治理，在狠狠打击已经发生的腐败行为的同时，要注意创造条件去消除产生和滋生腐败现象的温床，这样才能逐渐减少以至于消除腐败现象。

　　尽管当前产生腐败现象有上述的这样那样的原因，但是必须强调指出，一些党员、干部之所以腐败堕落，最根本原因是他们自己经不住改革开放的考验，他们贪图物质金钱，贪图个人享受，背叛了为人民服务的根本宗旨，丧失了共产党员的优秀品质。这是其内在的根本原因。内因是根据，一切外因只有通过内因才起作用。物必自腐而后虫生。如果只强调一大堆客观原因，而忽视他们个人的品德，那就解释不了为什么生活工作在同样的大环境、大气候下，大多数党员、干部却能廉洁自守的现象。对于这些腐败了的党员、干部一定要严格依法惩治，对他们绝不要姑息宽容。

总之，由于我国正处于从产品经济向商品经济过渡的阶段，行政行为、市场行为、企业行为还没有通过法制形式严密规范，行政机关还掌握着不小的人财物的支配权力，对行政权力又缺乏强有力的制衡和监督，经济上的宏观调控及监督机制还很不完善，加上工作中确实有失误，在这种情况下，腐败行为就容易滋生和蔓延。党中央分析了当前所处的历史时期的特点，分析了当前面临的腐败与反腐败斗争的严峻形势，觉察到现在如不坚决、及时对腐败现象加以打击，这种现象将有可能迅速蔓延，有可能危及党和国家的命运和前途。所以在近两年，一再敲起警钟，发出经济要繁荣，政治要廉洁的号召，要求全体党员、全体干部、特别是各级领导干部，要立即行动起来，同各种腐败行为做坚决斗争。要求从中央、国务院领导同志做起，从上到下保持廉洁，反对腐败。

经过平息少数人制造的反革命暴乱事件之后，坏事在一定条件下变成好事。新的政治局常委领导同志惩治腐败的决心非常坚决，把加强党的建设，惩治腐败列为当前四大任务之一。李鹏同志在外事使节会议上郑重宣布：保持廉洁首先从中央常委开始，同时要扎扎实实地先做几件人民所关心的惩治腐败、保持廉洁的事情。最近，党中央政治局全体会议讨论并公布了近期要办好的七件事的内容。可以预料，照这样的路子抓下去，反对腐败，保持廉洁必将取得明显效果，一定能取得反腐败斗争的重大胜利。

三、行政监察机关当前在廉
政建设中的主要任务

行政监察，是指国家设立的专门机构，用以对国家机关及其工作人员的行政行为（公务行为）所进行的监督和考察的活动。行政监察是保证国家机关正常运转的一个重要环节，它的目的是监督和推进国家机关及其工作人员廉洁高效、遵纪守法，忠实地履行公务，实现国家行政管理的法制化、科学化。

作为统治阶级工具的国家，要能够按照统治阶级的意志进行正常运转，它必须有组织机构和工作人员来进行管理，同时还需要建立体现统治阶级意志的法律、法规、制度，来规范组织机构和工作人员的行为。除此之外，还必须有健全的监督机制来监督、考查这些机构和工作人员是否在依法办事，是不是尽职尽责，是不是奉公守法。任何一个权力实体都有其自我保护的机制，其中很重要的一环就是有效的监督制衡。如果缺乏有效的监督制衡，任何权力都会走向腐败，所以对一个国家、一个政党、一个政权来说监督是非常重要的，是不可缺少的。

世界上各个国家都按照自己的国情建立监督机制。一般来讲，各个国家都有法律监督、行政监督、经济监督、社会监督、群众监督、舆论监督等等。有一些国家的执政党还建立了党的监督机制，比如我们党的纪律检查机关。尽管有各种各样的监督机构的存在，但是行政监察在现代国家权力监督体系中则以它自己的特点而占有重要地位，它发挥着其他监督机构所不能代替的作用。以我国的行政监察来说，有以下的明显特点：一是监督职能的综合性。行政监察对行政机关和工作人员的行政行为进行监督，一般说包括廉政监察、执法监察、效能监察、人事监察等，具有综合监察的特点。同时行政监察机关在履行监察过程中，不仅具有一般的行政手段，比如对行政机关及工作人员的行政行为进行监督、检查、建议、教育、表彰、奖励、保护等，而且它还具有一些准司法的手段，比如它接受控告、举报、调查取证、审理案件，对违反纪律的干部进行一定的惩戒等。再就是行政监察机关监察对象的特定性。监察机关的监察对象是有其一定的范围的。我国行政监察机关的监察对象，是政府机关和它的工作人员以及由政府机关任命的其他人员，包括全民所有制企业、事业中由行政机关任命的领导人员，如厂长、经理等。而其他一些监督机关，比如司法监督机关，它不仅仅对行政行为进行监督，它还对民事行为、刑事责任行为进行监督。司法机关不仅有监督职能，还有侦察、提起讼诉的职能。司法机关监督的对象不仅仅是公民，还包括不具有公民资格的其他人员。

行政监察是我们国家制度的一个重要组成部分，宪法第八十九条中规定了监察职能。在建国初期，政务院下设人民监察委员会，1954年9月政务院改为国务院后，人民监察委员会改为监察部。到了1959年，监察部被撤销，经过十多年的实践证明，削弱和取消行政监察，对于依据宪法健全国家行政体制，促进行政行为的法制化、规范化、科学化，充分发挥行政效能和作用都是不利的，以至于一段时间中一些违反行政纪律的行为，受不到其应有的惩罚。这对于国家制度建设来说，是一个缺陷。

党的十一届三中全会以后，为了进一步加强和改善党的领导，提出了党政分开的问题。实行改革开放以来，随着行政公务活动的日益发展，越来越显露出取消行政监察的弊端。所以在1986年底第六届全国人大第十八次常务会议作出决议，在我们国家恢复和重新建立行政监察体制。1987年6月，新的监察部成立了。

我国的行政监察从领导体制来看，它是在各级人民政府领导下负责行政监察工作的专门机构。监察部在国务院领导下履行监察职责。我国的行政监察机关基本任务有5条：

1．检查监察对象贯彻实施国家的法律、法规和政策的情况；监督、检查其完成国民经济和社会发展计划的情况。

2．监督处理监察对象违反国家法律、法规和政策以及违犯行政纪律的行为。

3．受理个人或单位对监察对象的不良行政行为的检举和控告。

4．受理监察对象不服纪律处分的申诉。

5．按照行政序列分别审议经国务院和地方人民政府任命的行政人员的纪律处分事项。

概括来说主要是监督、检查监察对象是否依法行政、廉洁奉公和富有工作效率。

监察部根据党的十三大提出的坚持四项基本原则，坚持改革开放的总方针，根据党中央近两年提出的经济要繁荣、党政机关要廉洁的要求，按照行政监察机关的性质和基本任务的规定，在去年年底召开了全国监察工作会议。在这次会议上确定了1989年以及今后一个时期各级监察机关的主要任务：以廉政为重点，全面开展监察业务。当前着重要做好三件事：（1）加强执法监察，保证政令畅通；（2）开展以反贪污、受贿为重点的反腐败斗争；（3）加强廉政的法规制度建设。经过半年多的实践，监察部提出的工作重点是符合客

107

观实际的，是符合党的十三届四中全会精神的。

党的十三届四中全会是我们党历史上一次具有重大现实意义和深远历史意义的会议，内容非常丰富，其中一点就是进一步明确了保持廉洁，反对腐败的方针和任务，给行政监察工作指明了前进方向。通过学习邓小平同志的重要讲话和四中全会的精神，监察部对加强以廉政为重点的监察工作进行了一些必要的调整。总的思路是从部机关一直到各级监察机关都要在深入学习、贯彻四中全会精神的基础上，着重抓好以下几个方面的工作：

第一，坚定不移地坚持四项基本原则，旗帜鲜明地反对资产阶级自由化。这是消除腐败的一项根本措施。在资产阶级自由化思潮泛滥的情况下，监察机关不可能履行好自己的职责。事实上，也不会有监察机关和其他监督部门的地位和作用。一个时期以来由于自由化思潮的泛滥，不少监察机关在查处贪污受贿、以权谋私的腐败行为时，往往受到各种刁难和阻挠。少数地方部门，甚至发生了打击、报复监察干部的严重事件。党的原则、党的纪律、国家的法纪、政纪，往往被说情风、关系网所代替；有的地方的领导人甚至认为监察、监督会妨碍和影响改革开放、搞活经济。把监督同开放、搞活对立起来，只抓开放搞活，放弃监督管理，这实际上是资产阶级自由化思潮的反映。资产阶级自由化是产生腐败现象的一个重要原因，而腐败之风又给鼓吹资产阶级自由化的人以可乘之机。所以不反对资产阶级自由化就谈不上反对腐败，保持廉洁。作为监察机关的干部必须坚定不移地坚持四项基本原则，并且自己结合业务的开展，大力宣传坚持四项基本原则，反对资产阶级自由化的必要性。只有这样，我们才能搞好我们的监察工作，才能有效地反对腐败。

第二，集中力量查办一批大案要案，并且增加办案工作的透明度。现在，各级监察机关都在抓住一批重要案件，组织力量进行调查，力争尽快突破一些重要案件。查办贪污、受贿、腐败案件，狠狠打击那些贪赃枉法的官员，并把他们的违纪违法事实公诸于众，这有利于惩一警百，更有利于得民心，顺民意，增强人民群众拥护党，信任党的信念。

第三，根据党中央和国务院部署，配合有关部委起草其中一些廉政规定的实施细则，保证党中央的决定真正得到贯彻落实。在廉政建设方面，我们也做过一些工作，也有所进展，但是总的看来是说得多，做得少，虽然也搞过一些措施和规定，但其中一些规定的可行性、可检查性太差，没有制裁处罚的细则，也没有明确由谁去负责规定的监察和监督，这样的规定实际上是一纸空文，群众很不满意。所以，制订党政干部保持廉洁的措施和规定应当明确、具体，易于执行，也要易于监督检查，对违反规定的要由指定的机关依法予以惩治。除做好上述工作外，监察部针对群众很不满意又带有普遍性的腐败现象，会同有关部门共同研究并草拟一些反对腐败，保持廉洁的规定或措施。比如《国家行政机关工作人员申报财产和收入的规定》，再如干部盖私房问题相当普遍，群众反映非常强烈，我们正就这个问题进行调查，准备提出一些规定或措施，对违法违纪贪占便宜盖私房的干部给以必要的惩处。只要我们针对普遍存在的腐败行为，扎扎实实地一个一个问题加以解决，而不是搞花架子，群众自然会信任和拥护我们，党和政府的战斗力和凝聚力一定能大大增强。

第四，加强廉政制度和法规的建设。反腐败，倡廉政是一个全局性的工作，是一个长期性的工作，要立足于预防，着眼于综合治理，尤其需要建立在社会主义法制的轨道上。

古今中外凡是为政清廉的国家往往都是把廉政建设纳入了法制轨道，这是一条重要经验。如果忽视法制，注重于搞过去那样的群众运动，或片面孤立地强调品德教育（教育是重要的，必须强化，但不能孤立地抓教育），只可能收效于一时，而不能收效于长远，只能治表而不能治本。而且过去搞运动，我们吃的苦头够多了。我们只有在法制的轨道上实行经济的、行政的、纪律的和思想政治工作的综合治理，才能从根本上铲除腐败，保持廉洁。监察部这一年多来是重视廉洁法规和规章的建设。我们起草或参与起草了一些法规，比如《国家行政机关工作人员贪污贿赂行政处分暂行规定》、《国家行政机关及其工作人员在国内公务活动中不得接受礼品的规定》，这两个法规已经由国务院公布了。正在起草的还有《国家行政机关工作人员申报财产收入的规定》、《国家行政机关工作人员渎职失职行政处分暂行规定》等等。真正做到了依法办事，违犯必究，腐败现象就能够得到有效的克服。

第五，加强廉政的宣传教育工作。监察机关结合业务的开展，除了认真做好对廉政法规、规章制度、奉公守法的先进人物和典型案件的公开宣传报导工作外，当前着重围绕下面三个问题搞好宣传教育：一是坚持四项基本原则，反对资产阶级自由化。二是发扬党的艰苦奋斗的优良传统。这些年，艰苦奋斗不讲了，淡忘了，思想政治工作削弱了，什么违纪违法问题都出来了。有些干部往往就从吃吃喝喝，占小便宜开始，发展到贪污索贿最后走到腐败堕落的深渊，落入法网。现在必须要把艰苦奋斗的教育认真地抓起来。按照邓小平同志指出的一直要抓60到70年。落实这个号召要做很多工作，监察机关既要注意抓好对监察对象的艰苦奋斗的宣传和教育，也要善于运用这个强大的思想武器来开展我们的监察工作。三是强化纪律观念,严格执行纪律。这几年纪律松弛,对违法违纪者处理不严,政纪、法纪、党纪都有失之于宽的倾向,这是一个严重教训。纪律不严明就很难根治腐败。对腐败分子下不了手,一再宽大,总是既往不咎,下不为例,该重处分的给以轻处分,这就使得群众认为我们是在搞官官相护,是在包庇腐败,从而失去对我们的信任。只有严格执行纪律,才能取信于民,能不能依法办案,严肃执纪对我们监察机关的干部也是考验。我们要按照四中全会精神的要求,要敢于办案,特别敢于办涉及领导干部的违法违纪案件。这就要有骨气,要敢于坚持原则,不怕攻击谩骂,不然在廉政建设上我们就是失职。

总之,廉政问题是一个很大的课题,既包括理论方面的问题,又包括实践方面的问题,同时这又是一个长期任务,从一定意义上讲,整个社会主义建设时期都有廉政建设任务,只是不同的历史阶段,廉政建设的内容有所不同罢了。还应当看到开展廉政建设,必然会破除积习和触动某些人的既得利益,必然会碰到种种阻力,必然会碰到许多的麻烦和困难。因此必须动员全党、全国和全军都来重视廉政建设,首先是各级党政军和领导机关要把廉政建设作为一项重要任务。只有在党的统一部署下,各级、各部门、各方面、各单位共同努力排除干扰,克服困难,坚定不移地反对腐败,扎扎实实地倡导廉洁才可能把廉政建设这件大事办好。

经过平息反革命暴乱,经过改选建立起来的新中央政治局领导核心,非常重视廉政建设并且公布了近期要做好的七件群众关心的事情。当前是肃贪倡廉的非常有利的时机,可以相信,在我们国家进行的这场反对腐败保持廉洁的斗争,必将取得重大的胜利,必将在我国开拓一条经济繁荣、政治廉洁的社会主义道路。

民主政治建设与四项基本原则

中共中央党校　**陈登才**

我国社会主义民主政治建设必须坚持四项基本原则，这是当前政治体制改革中十分重要的问题。它是我们党和国家领导机关的实际工作部门与广大理论工作者非常关心的问题。它也是这次从学潮到动乱发展成为首都的反革命暴乱的过程中，我们同那些顽固坚持资产阶级自由化立场搞政治阴谋的人搏斗的一个严重的政治斗争问题。

在首都平息反革命暴乱之后，是否还继续进行政治体制改革？干部和群众中的这种思想动态很值得注意。我们党领导的社会主义改革和社会主义现代化建设事业，是在实践中不断总结经验教训，不断前进的。我们的改革是全面的改革。十三届四中全会坚持"一个中心、两个基本点"的基本路线，指引我们继续深化改革，重申四项基本原则是立国之本，改革开放是强国之路。在深化经济体制改革的过程中，继续有领导、有秩序、有步骤地推进政治体制改革，是我国社会主义现代化建设的总体布局决定的。必须坚定不移地进行。当前需要解决的问题是，要正确认识和处理民主政治建设与四项基本原则的关系，继续排除来自右的和"左"的错误干扰。用马列主义、毛泽东思想来指导社会主义民主政治建设，不能离开"四个坚持"搞政治体制改革，我国的民主政治建设不能搞"全盘西化"。邓小平同志最近指出过：在政治体制改革方面，有一点可以肯定，就是我们要坚持实行人民代表大会的制度，而不是美国的三权鼎立制度。这仍然是我们继续进行政治体制改革的正确方向，是建设社会主义民主政治的根本指导思想，应该成为我们在改革的具体实践和理论研究中应当牢牢掌握的一个根本原则。

一、建设社会主义的民主政治，
既要克服"左"的习惯势力，
又要批判资产阶级自由化的观点

十一届三中全会以后，我们在拨乱反正和全面改革中，始终把以经济建设为中心的社会主义现代化建设作为党和国家工作的重点，着重纠正了长时期以来的"左"倾错误，也曾经批评过资产阶级自由化的错误倾向。在过去十年，我们纠正"左"的错误，重申"四个坚持"，是完全正确的。但从我们亲身体验的政治实践中，这些年来，对于"左"是最大的危险，已经有了比较一致、比较深刻的认识，而对于搞资产阶级自由化同样是很大的危险的认识，则是从这次学潮演变为动乱和暴乱之后才在头脑中逐步明确起来的。

建设社会主义民主政治，如果没有这两方面的认识，我们就缺乏清醒的头脑，政治上就不可能是成熟的。所以，我们要推进民主政治建设，一方面需要继续清除"左"的习惯势力的影响，克服一些旧的思想观念；另一方面要旗帜鲜明地批判资产阶级自由化的观点，使政治体制改革沿着"四个坚持"的正确方向发展。

"左"的习惯势力，主要是我国在社会主义改造基本完成以后，长期以来关于社会主义社会阶级斗争的理论和实践上的"左"倾错误。一是不能正确认识和处理社会主义社会在一定范围内长期存在的阶级斗争问题，而把它绝对化，把不属于阶级斗争的问题仍然看作是阶级斗争，所以不能正确地观察和处理社会主义社会发展进程中出现的政治、经济、文化等方面的新矛盾新问题；二是由此而来在社会主义社会里继续采取"以阶级斗争为纲"的方针和具体政策，对于新条件下一定范围内的阶级斗争，又习惯于沿用过去搞群众性斗争运动的旧方法和旧经验，从而导致阶级斗争的严重扩大化。另一种"左"的习惯势力，就是在毛泽东逝世以后，华国锋同志继续坚持"左"倾错误，采取"两个凡是"的错误方针和态度。这些"左"的错误，在拨乱反正过程中，已经为我们党纠正了。然而，由于它年深日久，成为一种习惯势力，彻底清除它的思想影响仍然不可忽视。如果我们不彻底克服"左"的错误思想影响，建设社会主义民主政治的历史任务是难以完成的。

　　我们要推进民主政治建设，必须改革我国政治体制的弊端。政治体制上的弊端，是历史形成的。在我国，首先由于封建主义有着根深蒂固的影响，新民主主义革命胜利后，从政治思想上肃清这种影响远未完成，因而也成为一种习惯势力，而且同领导干部职务的终身制、官僚主义、家长制、一言堂、特权思想和个人崇拜，以及裙带关系、人身依附与唯命是从等现象紧密相联。不革除这类弊端，就不能发展社会民主政治。其次，民主革命时期逐步形成的"党的一元化领导"的思想观念影响也很深远。尽管在革命战争年代里，我们党在文件中曾经提出实行党的一元化领导，但不是党委包办政权系统的工作。然而在建国初期中共中央发出《关于加强中央人民政府系统各部门向中央请示报告制度及加强中央对于政府工作领导的决定》，特别是在1958年6月，中共中央关于成立财经、政法、外事、科学、文教各小组的通知下发以后，强调大政方针在政治局，具体部署在书记处；大政方针和具体部署，都是一元化，党政不分；政府机构及其党组有建议之权，但决定权在党中央。这样，发展了党政不分，以党代政的弊端。"文化大革命"中又提出"革命委员会要实行一元化的领导"，集中党政军财文政法大权。中央书记处被取消了，作为国家最高权力机关的全国人民代表大会的职能被削弱了，它的部分职权甚至被破坏了。所以，相当长时间，在加强党的一元化领导的口号下，不适当地、不加分析地把一切权力集中于党委，党委的权力又往往集中于第一书记，什么事情都要第一书记挂帅、拍板。权力过分集中的弊端不加以改革，同样不能发展社会主义民主政治。

总的说来，我国是人民民主专政的社会主义国家，基本政治制度是好的。但在具体的领导制度、组织形式和工作方式上存在一些重大的缺陷。我们要兴利除弊，建设有中国特色的社会主义民主政治，这是政治体制改革的中心问题。所以，我们要继续清除"左"的习惯势力的影响，克服那些不适应社会主义民主政治发展需要的思想观念。这一点，在制止动乱和平息暴乱之后，我们丝毫也不能动摇。我在这里要强调的一点，是在我们党的历史上，右倾和"左"倾错误的危害大家印象很深，建国后特别是在"文化大革命"十年动乱中全局性的长时间的"左"倾错误，我们也吃够了苦头，对其危害认识也是比较深刻的。但是，我们对于资产阶级自由化思潮泛滥会造成什么样的恶果，要吃到什么样的苦头，原来领会不多也不深。对此，尽管小平同志多次提醒全党注意，但真正有所领悟，教育比较深刻还是在这次从学潮到动乱和暴乱开始的。应当说这是客观的事实。尽管有的卷进这场风波跟着起哄者还未认识是错误而说是"输"了，但应该说现在越来越多的人们已经开始比较充分地认识到：让那些搞资产阶级自由化的人肆无忌惮地折腾起来，造成的社会动乱乃至反革命暴乱，同样给我国人民，给我们党和国家带来了灾难性的破坏。这是一场血和火的教训，我们千万不要忘记。

在民主政治建设方面，应批判哪些资产阶级自由化的观点？我在这里作些简要归纳和说明，主要是：

1．否定邓小平同志为代表的老一辈无产阶级革命家在建设有中国特色的社会主义民主政治中的历史作用和卓越的贡献。顽固坚持资产阶级自由化立场的人策划煽动"倒邓保赵"的政治阴谋，严家其、包遵信一伙的"5·17宣言"，恶毒地攻击我们党和国家是所谓"老人政治"，叫嚷什么"有一位没有皇帝头衔的皇帝"，是"一位年迈昏庸的"、"老朽的独裁者"，疯狂地攻击我们共和国的政府"丧失人性"，"是在一个独裁者权力下的政府"。同时，他以"文化大革命"中惯用的语言，嚎叫"独裁者没有好下场"，"必须辞职"，否则就要"打倒"，推翻所谓"伪政府"。鲍彤一伙搞政治阴谋的人鼓吹所谓"强人政治"，"精英政治"。这样，刹时间，首都上空乌云翻滚、北京街头动乱四起，赵紫阳同志纵容支持反党反社会主义的动乱，从而被捧为中国的所谓"强人"，他的"智囊"要员鲍彤、严家其一类权欲熏心的人物似乎都成了中国的"精英"。这伙阴谋抢班夺权的野心分子竭力煽动搞动乱，打着"改革"的幌子和推进民主政治的旗号，叫喊不要"太上皇"，反对"垂帘听政"，有的还提出要"解散"中顾委，"打倒"中央人民政府。他们把邓小平等无产阶级老革命家同封建清皇朝的慈禧太后类比，真是反动荒唐。我们知道，中国社会主义的政治制度，是以毛泽东为首的中国共产党领导各族人民浴血奋战几十年，推翻了帝国主义封建主义和官僚资本主义在中国的反动统治，建立了人民民主专政的新国家，经过基本完成社会主义改造才确立起来的，为我们今天进行社会主义的政治体制改革奠下根基。十一届三中全会以来我们党在邓小平为代表的老革命家指导下，提出建设有中国特色的社会主义民主政治的历史使命，并在十一届五中全会决定建立中央书记处和党的总书记，通过《关于党内政治生活的若干准则》，提出废止干部职务实际上存在的终身制，改革党的干部制度的任务。接着，在1980年8月召开的中央政治局扩大会议上小平同志又作了《党和国家领导制度的改革》的讲话，并于8月31日经中央政治局讨论通过，这是指导我国政治体制改革的纲领性文件。邓小平等老革命家为加强党的最高领导核心的集体领导，改变个人高度集权和个人交接班的弊端，制定和贯彻干部队伍革命化、年轻化、知识化、专业化的方针，模范地执行党的干部制度的新规定，做推进民主政治建设的表率，作出了卓越的贡献。但是搞资产阶级自由化的人，利用我们党在废除领导干部职务终身制的实践过程，攻击我们党和国家是"老人政治"，搞"垂帘听政"，其实质是诋毁以邓小平为核心的中央领导集体，阴谋分裂党，夺取党和国家的最高权力。方励之1988年到处兜售"中国科学家正在中国民主化促进运动中起着带头人的作用"，声称"科学家是自由化运动的必然领导人"。1989年2月17日，在纽约哥伦比亚大学召开"促进中国民主化联合组"成立会议，方励之任组长。常务干事是反动组织"中国民联"成员倪育贤。2月19日台湾《中国时报》刊登了他们在会上发表的宣言，这个宣言胡说什么"现行政治体制的根本弊端是：它取消了人民理所当然应该享有的对于政治制度、政府和执政党的政治选择权"，他们认为"对于执政者的选择权"是根本的问题，一语道破他们阴谋篡夺党和政府领导权的天机。

2. 鼓吹西方资产阶级的"自由、民主、人权"。资产阶级自由化的代表人物方励之要西方"关注"中国的"人权"问题，为没有出席美国布什总统宴会一事，在家里举行记者招待会求救于美国在中国人权问题上采取更为强硬的立场，他对台湾《中国日报》记者说：人权的涵义应包括对个人人权的尊重与保障、政治犯的释放、以及言论自由与新闻自由。西德《明镜》周刊驻意大利的记者那天询问他在中国担负什么使命？他回答说是"民主化"，"不承认个人的人权就没有真正的民主。"他同《美国之音》的记者说，民主不是上帝给予的民主。他发表《中国需要民主》和《中国的失望和希望》等反动文章认为民主是对我们党和政府施加的压力，扩散民主意识必然形成"制衡力量"的"压力集团"，"这种压力的目的就是要用非暴力的方法促使当局逐步接受政治民主经济自由的改革。"所以，他同其妻子李淑娴支持王丹等人在北大搞所谓"民主沙龙"集会，并称赞这些集会"对当局采取完全批判、彻底批判的态度"，"火药味很浓"，"连续开三次，就要上街了"。他煽动知识分子出来"呐喊"，"必须行动"，散布"今年是大陆的人权年"，否定中国共产党是中国各族人民利益的忠实代表者，胡说"中共自称代表绝大多数人民的利益，根本是强奸民意，这是对人权的最大破坏，大陆连最基本的人权都没有。"等等，完全混淆是非，颠倒黑白。中华人民共和国宪法明文规定国家的权力属于人民，公民享有宪法规定的一切民主权利和义务。显然，方励之一伙鼓吹西方的自由、民主和人权，目的是煽动和制造社会动乱，反对共产党领导和社会主义制度，以实现其"全盘西化"的政治企图。

3. 宣扬"政治多元化"。主张在中国实行"多党制"，实行"多党政治"，搞"两院制"、"两党制"，其实质就是反对共产党作为领导全国政权的执政党，要共产党下台，搞轮流执政，也叫轮流坐庄。这一点，早在1957年极少数右派分子的头面人物就提出来过，毛泽东当年也批评过，但在改正错划的右派分子的过程中，对这种资产阶级自由化的思想清算不够。现在，一些坚持资产阶级自由化立场的人重弹老调。原中国社会科学院的苏绍智在动乱期间散播"政治的多元化"这类货色，他指责我们党和政府"不承认政治多元化"，"不承认社会主义有危机"。他认为政治多元化不一定就是"多党制"，但它的发展是"多党制"。很清楚，他是打着政治"民主化"的旗帜，宣扬"政治多元化"来否定共产党的领导。

4. 崇拜美国式的民主政治，鼓吹在中国实行"三权分立"。方励之一伙长期以来认为"美国的民主政治，我们不及它"，实行"三权分立"，"这是民主化必须做到的"。"三权分立"，也叫"三权鼎立"。美国式的"三权鼎立"制度，表面上互相制衡，实际上是形式民主，为美国垄断资产阶级服务，强化垄断财团的利益，显露了美国式的"三权鼎立"的重要性。这个问题，我在后面还要专门讲，这里我要着重指出的是搞资产阶级自由化者主张在中国搞"三权鼎立"，提出所谓"政治制衡论"，其实质就是要否定我国的人民代表大会制度。他们把美国的"三权鼎立"当作民主政体的"典范"吹上了天，目的是要在中国推行西方资产阶级的反动统治秩序，贩卖资本主义的政治制度和形式。实际上，这种政体并不是唯一的，西方国家也不都是实行三权鼎立式的制度。

5．鼓吹在中国建立"反对党"。还是这个方励之，他不仅提出"中共政权必须多元化"，而且直接反对共产党的领导，他狂叫"党的领导已经成为一种宗教"，"现在中共已经无力控制一切了"，"其唯一的出路是让别的组织上台"。他竭力制造成立"反对党"的舆论，说什么"目前大陆虽有多个党派，但无形成反对力量，算不上是反对党。"他还断言建立共产党以外的反对党，可以发挥相互制衡的作用，"民间组织反对党与中共对抗的形势将会出现，并会成为一个趋势，因为，这亦是一个世界潮流。"方励之不但煽动用反对党来对抗中共，而且叫嚣要"解散"中国，同严家其一唱一和，他们不仅是言者，而且是行者，策划煽动学潮，制造和组织动乱，其要害目的是反对中国共产党领导的人民民主专政，要建立一个完全西方附庸化的资产阶级共和国。他们以"反腐败"、"惩官倒"的口号作为陪衬，"而其核心是打倒共产党，推翻社会主义制度。"

6．否定马列主义、毛泽东思想指导民主政治建设。苏绍智原来是在马列主义、毛泽东思想研究所工作，但心里并没有马列主义、毛泽东思想的信仰。相反，他却打着"马克思主义是批判的"的旗号来反对马克思主义。无产阶级革命导师说过，马克思主义理论本质上是批判的、革命的。但在苏绍智看来要发展马克思主义，首先要批判马克思主义。他在"马克思主义是批判的"题目下大作文章，胡说"马克思主义受权力支持就蜕化成为官学"，"马克思主义没有特权，要拉到历史审判台上审查批判。"在他的头脑里，马克思主义在中国不再是建设民主政治的指导思想了。方励之更露骨地说"马克思主义在中国已经死了"，"没有多大用处了"，对自然科学来说"过时了"，"在社会问题上也失去了它的权威"。所以，有的外国记者问他你已经攻击过地方干部、北京市委、中央政治局之后，下一步的攻击目标是什么？方励之当即回答说就是攻击"马克思主义"。坚持资产阶级自由化立场者无不攻击马克思主义，无不否定马克思主义的指导地位。他们把马克思主义说成只是一个学派，是"百家"中的"一家"，而且是"过时"了的"一家"。他们也无不攻击毛泽东同志和否定毛泽东思想对中国改革的指导作用。在动乱的日子里，北京就有极少数人跳出来攻击毛泽东同志，非常荒唐地说他是个什么"无赖"，叫嚷什么"不彻底否定毛泽东思想，改革就毫无意义"。毛泽东同志在全党在全国各族人民的心目中始终是伟大的领袖。邓小平说，毛泽东同志的智慧和功绩，在我们党内是属于首位的，他创造性地把马列主义运用到中国革命的各个方面，包括哲学、政治、军事、文艺和其他领域，都有创造性的见解。他最伟大的功绩是把马列主义原理同中国革命的实际结合起来，指出了中国夺取革命胜利的道路。以毛泽东为主要代表的中国共产党人创立和发展起来的毛泽东思想，不仅过去引导我们取得革命的胜利，现在和将来还应该是中国党和国家的宝贵财富。我们的改革是社会主义制度的自我完善和发展，否定马列主义毛泽东思想的指导地位，只能说明资产阶级自由化同"四个坚持"的尖锐对立。

总而言之，资产阶级自由化思潮的泛滥，在思想上造成很大的混乱，《世界经济导报》起了很坏的作用，赵紫阳同志作为党总书记对意识形态领域里出现那么多乌七八糟的东西并没有提出纠正，相反任其蔓延下去。江泽民同志和上海市委下决心整顿《世界经济导报》，赵紫阳不仅不去支持反而说什么"搞糟了"。他在纪念五四运动70周年会上的讲话稿，中央政治局和常委同志提出应当加进反对资产阶级自由化的观点，他置之不理，拒绝接受，说明他不仅纵容和支持搞自由化的宣传，而且要否定反对资产阶级自由化的斗争。小平同志提出搞资产阶级自由化的宣传，也就是走资本主义道路的宣传。党的十二届三中全会的决议说："搞资产阶级自由化，即否定社会主义制度，主张资本主义制度，是根本违背人民利益和历史潮流，为广大人民所坚决反对的。"赵紫阳同志的言行和态度，同党的决议是背道而驰的。经过这次动乱到暴乱的风波，导致政治上经济上的很大损失，使我们真正懂得了，如果不同搞资产阶级自由化的人作坚决斗争，共产党都被推翻，社会主义的人民共和国被颠覆了，还能说什么建设社会主义民主政治呢？！所以，我们继续进行政治体制改革和经济体制改革以及科技文化教育体制改革，不能光是批评"左"的习惯势力，也要批评资产阶级自由化的观点，必须全面贯彻执行"一个中心、两个基本点"的基本路线，否则就会造成灾难，出现历史的大倒退。

二、马克思主义的民主理论没有"过时"

　　在这个问题上，这些年来鼓吹资产阶级自由化的人制造了许多混乱。现在是到了非澄清不可的时候了。方励之在外国攻击"中国目前没有民主，连民主的ＡＢＣ也没有。"他在香港污蔑我们"不懂得民主的起码知识"，什么是民主的ＡＢＣ呢？他还在国内到处贩卖反马克思主义的民主观，喋喋不休地说："民主本身的涵义就是每个人都有自己的权利，然后每个人去争取这种权利，组成一个社会。"他起劲地鼓吹超阶级的抽象的民主，以达到在中国推行资本主义民主政治的目的。

因此，我们必须重新学习和宣传马克思主义的民主理论，以正本清源：

1．马克思主义的民主观是建设社会主义民主政治的理论基础。

第一，马克思主义认为，民主从来不是超阶级的抽象的空谈。马克思、恩格斯一百多年前在《共产党宣言》中就提出"工人革命的第一步就是使无产阶级上升为统治阶级，争得民主。"（《马克思恩格斯选集》第1卷第272页）从马克思、列宁到毛泽东都不赞成抽象地空谈民主，不认为有什么超阶级的民主，用列宁的话说："从古代的民主萌芽时期起，在几千年过程中，民主的形式必然随着统治阶级的更换而更换。在古代希腊各共和国中，在中世纪各城市中，在先进的各资本主义国家中，民主有不同的形式和不同的运用程度。"（《列宁选集》第3卷第723页）这是一个起码的常识，在理论上和政治上不懂这一点就是一个错误。

第二，马克思主义认为，民主的本来涵义是指国家制度。马克思说，"民主制是作为类概念的国家制度。"（《马克思、恩格斯全集》第1卷第280页）列宁也明确指出："民主是一种国家形式，一种国家形态。"在奴隶制度下，一般的国家形式是君主制，即是一人独裁的政权，至于在奴隶占有制的国家内还有贵族共和制与民主共和制的形式，本质也只是一个：奴隶主阶级执掌政权，奴隶没有任何权利。君主制在封建社会里的发展达到了高峰，用法国国王路易十四的话说叫"朕即国家"，封建君主专制制度是最普遍的国家形式，即政权归封建君主一人掌握，而且是终身制和世袭制的。即使是中世纪欧洲一些实行共和制形式的小国，也是从地主中选举出来的人参加政权，民主权利对于广大农民来说是除外的。在资本主义社会里，资产阶级统治的正规形式是共和国，从16世纪的尼德兰（荷兰）和17世纪的英国先后发生资产阶级革命起至今有三四百年的历史，资产阶级运用"天赋人权"、"主权在民"、"三权分立"和"权力制衡"，以及国家元首不按血统世袭和终身等民主思想，反对封建专制制度，建立起资本主义民主制的国家制度，主要有君主立宪制（包括议会制和二元制）和民主共和制（包括议会制和总统制）两种形式，其本质都是维护资产阶级民主权利，实现资产阶级专政。在由资本主义向社会主义过渡的历史转变时期，以至社会主义社会里，则是工人阶级和劳动人民当家做主的国家政权，实行的形式多种，但其实质是无产阶级专政的制度，这是具有世界历史意义的新型民主制。它的发展便是人类社会最高类型的社会主义民主。

第三，马克思主义认为，民主作为一种国家形态是民主和专政相结合的统一体。它一方面是有组织有系统地对人们使用暴力；另一方面它意味着在形式上承认公民一律平等，承认大家都有决定国家制度和管理国家的平等权利。无产阶级民主制国家就是"新型民主的（对无产者和一般穷人是民主的）国家和新型专政的（对资产阶级是专政的）国家。"

（《列宁选集》第3卷第200页）毛泽东有一句名言："在人民内部实行民主，对人民的敌人实行专政，这两个方面是分不开的，把这两个方面结合起来，就是无产阶级专政，或者叫人民民主专政。"（《毛泽东著作选读》下册，第823页）任何把民主和专政对立起来，割裂开来，美化资产阶级民主制，攻击无产阶级民主制是"独裁"、"专制"政体，都是庸俗的资产阶级民主观，是完全背弃马克思主义的。

第四，马克思主义认为，民主是属于政治上层建筑，是由一定的经济基础所决定并为其服务的。正如列宁所说："任何民主，和一般的任何政治上层建筑一样（这种上层建筑在阶级消灭之前，在无阶级的社会建立之前，是必然存在的），归根到底是为生产服务的，并且归根到底是由该社会中的生产关系决定的。"（《列宁选集》第4卷第439页）在剥削阶级占统治地位的社会里，任何民主制总是维护统治阶级对生产资料和其它财产的所有权，根本没有一种脱离统治阶级经济利益的民主。在社会主义社会里，由于消灭了剥削阶级赖以存在的经济基础，因而在社会主义社会生产关系基础上劳动人民有广泛的民主权利，但是这种权利，也不能超出社会的经济结构以及由经济结构所制约的社会的文化发展。

第五，马克思主义认为，民主将随着无产阶级国家的消亡而消亡。作为国家形态的民主，是随着私有制和阶级的出现而产生的，原始社会没有作为国家形态的民主，共产主义社会提供了真正完全的民主，国家形态的民主成为不需要的东西也就自行消亡。无产阶级专政国家的建设、巩固和发展，逐步创造了国家自行消亡的社会政治、经济和思想文化等条件，作为国家形态的无产阶级民主制，使真正的全体人民都学习管理国家，并且开始管理国家，"这是向社会主义的民主制和使国家能开始消亡的条件的 过 渡"（《列 宁 选集》第3卷第524页）。所以，无产阶级国家消亡之时，也是作为国家形态的民主消亡之日，列宁说，"只有那些没有想到民主也是国家、在国家消失时民主也会消失的人，才会觉得这是'不可理解'的。""国家，指最完全的民主，只能'自行消亡'"。（《列宁选集》第3卷第185页）国家的消亡也就是民主的消亡，完全的民主等于没有任何民主。这不是怪论，而是真理！

第六，马克思主义还认为，民主与集中、自由与纪律是辩证的统一关系。"民主集中制是社会主义制度的一个不可分的组成部分。"（《邓小平文选》第161页）同时，民主又是手段和目的的辩证统一。列宁曾指出："任何单独存在的民主都不会产生社会主义，但在实际生活中民主永远不会是'单独存在'，而总是'相互依存'的，它也 会 影响经济，推动经济的改造，受经济发展的影响等等。这是活生生的历史的辩证法。"（《列宁选集》第3卷第238页）在社会主义社会里，任何打着"民主"的旗号，鼓吹"抽象民主"和"绝对自由"，追求"无限制的民主自由"，就会导致极端民主化和无政府主义思潮的泛滥，直至滑向否定四项基本原则的邪道；如果离开马克思主义的观点对待民主与专政、民主与集中、自由与纪律、手段与目的，就不可能实现我们的目标：造成一个又有集中又有民主、又有纪律又有自由，又有统一意志、又有个人心情舒畅、生动活泼，那样一种政治局面。

马克思主义关于民主的基本理论观点，不仅没有"过时"，而且是我们建设有中国特色的社会主义民主政治的理论基础和强大的思想武器。它阐明的关于民主的实质、民主的阶级内容和形式，民主的社会性及其产生与发展的历史特点，是谁也否定不了的。方励之的所谓"民主的涵义"同马克思主义的民主理论是风马牛不相及的。他鼓吹超阶级的纯粹民主，不仅表明他完全不懂得马克思主义关于民主的历史和理论的起码知识，而且完全是一种愚弄群众的骗局。方励之一伙空谈抽象民主的谎话，完全是对国家实质的无知。但也有的自以为懂得了马列的人却在《世界经济导报》上发出所谓"民主的本质是没有阶级性的，也不存在国界"一类的谬论，这同方励之的"民主涵义"是异曲同工的，都掩盖不了否定人民民主专政的实质。

2. 马克思主义的民主观是我们揭破搞资产阶级自由化者鼓吹所谓"民主目标"的锐利武器。

方励之直言不讳地说："争取民主的长期目标是多党制的民主制度，近期的目标是实现必要的人权，争取言论、思想、新闻等自由及受教育均等的权利。"我们用马克思主义这个望远镜和显微镜来观察搞资产阶级自由化者的言行，便清楚地看到他们的政治目的，在于反对共产党的领导，要改变人民民主专政的社会主义国家制度，这是问题的要害。所以，方励之完全否定中共十三大提出的政治体制改革的长远目标——是建立高度民主、法制完备、富有效率、充满活力的社会主义政治体制。同时，他也完全否定十三大规定的"改革的近期目标，是建立有利于提高效率、增强活力和调动各方面积极性的领导体制。"他认为"中国的改革应朝向全盘西化"即资本主义化，照搬西方的"三权分立"和多党轮流执政。这也是搞资产阶级自由化者的一种教条化。他要青年知识分子采取"激烈的斗争"手段为实现多党制的民主制度去胡闹，其险恶用心是妄图把青年一代引向脱离四项基本原则的歧途。

邓小平在十一届三中全会开过不久，就郑重地指出："我们一定要向人民和青年着重讲清楚民主问题。社会主义道路、无产阶级专政、共产党的领导、马列主义毛泽东思想，都同民主问题有关。"（《邓小平文选》第161页）这是向我们党的理论宣传、教育和研究工作者提出的一个新课题，过去在相当长时间里没有引起我们的充分注意和高度重视，经过这次风波使我们清醒起来，越来越感到这个问题的极端重要性。

为什么坚持四项基本原则都同民主问题有关呢？这是因为：

第一，中国人民今天所需要的民主，只能是社会主义民主或称人民民主，而不是资产阶级的个人主义民主。所以，我们宣传民主，一定要把社会主义民主同资产阶级民主、个人主义民主严格地区别开来，而不是相反。不然的话，就会导致走向丑化社会主义而美化资本主义的邪路。

第二，人民的民主同对敌人的专政是分不开的。在社会主义条件下，民主要扩大，专政要继续。只有发展人民民主，才能有效地对敌人实行专政，达到巩固人民民主专政的目的。1982年12月，第五届全国人大五次会议通过的宪法规定："中华人民共和国是工人阶级领导的、以工农联盟为基础的人民民主专政的社会主义国家"；"中华人民共和国的一切权力属于人民"；"中华人民共和国的国家机构实行民主集中制的原则"。这就明确规定了我们国家的性质，我们国家制度的核心内容和根本准则，规定了我国的国体和政体。我国的人民民主专政是国体和政体的统一。它对于人民来说就是社会主义民主，是工人、农民、知识分子和其他劳动者所共同享受的民主，是历史上最广泛的民主。同时，它对于少数破坏和敌视我国社会主义制度的敌对势力和敌对分子来说就是专政。没有对人民的敌人实行专政，不依照宪法和法律，打击少数触犯刑律的人，制裁那些违宪违法的行为，就不能保卫和发展社会主义民主。诚如邓小平说的"不对他们专政，就不可能有社会主义民主。"（《邓小平文选》第155页）所以，社会主义国家的专政职能还不能削弱，常备军、公安机关、法庭、监狱等还不能消亡，"它们的存在同社会主义国家的民主化并不矛盾，它们的正确有效的工作不是妨碍而是保证社会主义国家的民主化。"（《邓小平文选》第155页）但是，资产阶级自由化的鼓吹者们却无视我国的宪法这个根本大法，站在人民民主专政的对立面。

第三，中国的人民民主是共产党领导下经过人民的长期艰苦革命斗争得来的，要建设社会主义的民主政治仍然应当在共产党领导下才能实现，中国共产党是中国社会主义事业的领导核心，没有中国共产党，就没有社会主义的新中国。这是历史形成的。我们坚持发扬党的民主和人民民主，如果要求削弱甚至取消党的领导，这是人民群众所不能容许的，否定党的领导，就会导致社会主义事业的瓦解和覆灭，建设社会主义民主政治也只能是一句空话。

第四，建设有中国特色的社会主义民主政治是一个伟大的复杂的社会系统工程，必须在马列主义毛泽东思想的指导下才能够正确地认识和解决各类社会矛盾问题，完成民主政治建设的历史任务。离开马列主义、毛泽东思想的科学体系的指导就会迷失方向，就会失去精神支柱。同时，离开马列主义、毛泽东思想的指导就不可能正确认识和处理社会主义制度下的民主集中制，不懂得个人利益和集体利益是统一的，局部利益和整体利益是统一的，暂时利益和长远利益是统一的，所以，我们必须按照统筹兼顾的原则来调节各种利益的相互关系。否则，势必两头都受损失。小平同志指出："民主和集中的关系、权利和义务的关系，归根结底，就是以上所说的各种利益的相互关系在政治上和法律上的表现。"（《邓小平文选》第162页）正因为这样，从毛泽东到邓小平，都强调要造成社会主义民主的政治局面。建设和发展这种政治局面，离开马列主义、毛泽东思想的指导是难以想象的。

总而言之，"四个坚持"都同民主问题有关，我们过去对民主宣传得不够，实行得不够，制度上有许多不完善之处。因此，继续努力发扬民主，是我们全党今后一个长时期的坚定不移的目标。要把民主与专政、民主与集中、民主与法制、民主与纪律、民主与党的领导结合起来，把社会主义与资本主义民主区别开来。只有党内外上上下下人人都注意照顾大局，我们才能顺利地克服困难，争取四个现代化的光明前途。相反，"如果离开四项基本原则，抽象地空谈民主，那就必然会造成极端民主化和无政府主义的严重泛滥，造成安定团结政治局面的彻底破坏，造成四个现代化的彻底失败。那样，我们同林彪、'四人帮'的十年斗争就等于白费，中国就得重新陷于混乱、分裂、倒退和黑暗，中国人民就将失去一切希望。"（《邓小平文选》第162—163页）这是十分深刻的。这次学潮到动乱和暴乱，搞资产阶级自由化的人施展的政治阴谋，使我们更清醒地理解了这个大道理。

三、中国民主政治建设不能搞"三权鼎立"

搞资产阶级自由化的人，总是百般美化"美国的民主政治"，鼓吹在中国实行"三权鼎立"。一些天真烂漫的青年学生，他们并没有对美国的历史和现状作全面的了解，看到美国总统可以搞竞选，发达资本主义国家生产力水平比落后国家高得多，知识分子的工资比我们高，工人的科学文化水平和生活的消费水平一般都比较高，因此，也认为美国的民主政治比我们好。对这个问题如何看，需要运用辩证唯物主义和历史唯物主义作科学的分析，透过现象看本质。是不是美国的政治制度就象一般人说的那么民主呢？我们是否得照搬美国的"三权鼎立"才能建设好民主政治呢？这是一个重要的理论问题和实际问题。对此，我们需要从以下两个方面来分清是非。

1. 美国式的"民主政治"的形式及其性质

在今天的世界上，美国等资本主义国家的民主制度，对比封建专制制度是一种巨大的进步，这是历史的事实。它对于社会主义国家的民主化建设也有一定的历史联系和借鉴作用，这也是历史的事实。但是，如果抹煞社会主义民主同资本主义民主的根本区别，那就脱离了辩证唯物主义和历史唯物主义的根本观点，必然会在理论上和实践上制造混乱，造成所谓资本主义比社会主义好的假象，借以骗人。其实，无论在民主的阶级本质上还是在民主赖以产生和为之服务的经济基础上，抑或在民主的内容和形式上，以及民主的原则和实践上，社会主义同资本主义都是根本不同的。

一般的说，当代资本主义国家通行的民主制度，主要是：（1）维护资产阶级民主权利的"普选制"；（2）巩固资产阶级政治统治的"议会制"（又叫"国会制"与"代议制"）；（3）适应资产阶级政治需要的"两党制"（或"多党制"）；（4）服务于调节资产阶级统治集团之间的利益关系的"三权分立制";等等。这些民主制度,归根结底,都是资产阶级专政的一种工具,是为巩固资本主义生产方式的需要,为维护资本主义的发展服务的。它也是资本主义所能采用的最好的"政治外壳"。

然而,由于无产阶级在同资产阶级一起反对封建专制主义的斗争中,资产阶级的民主要求,也有无产阶级的民主要求伴随着,因而在资本主义民主制度下,无产阶级和其他劳动者的处境也比先前好一些,但是仍然没有能够改变在政治上的无权地位,也没有能够改变在经济上也受剥削者的支配的状态。据《美国政党和选择》的记载,加里福尼亚州众议院议长杰斯·昂鲁认为在美国的民主政治中"金钱是政治活动的乳母"。资本主义国家的宪法和选举法,表面上公民享有选举权利,但是由于在选举资格上有财产状况、教育程度和种族、性别等各种限制,以及实行选举保证金的规定,广大劳动人民被选举权的民主权利实际上被剥夺了;资产阶级议会表面上是国家最高权力机关,实际上越来越受政府操纵,真正的国家工作是在后台办理,由政府各部门执行,议会成为专门为了愚弄老百姓而从事空谈;美国民主党和共和党都为大垄断财团所控制,他们轮流执掌政权,朝野之争,虚张声势,制造民主假象来欺骗人民,转移人民对切身利益的注意,实际上是一切照旧,资产阶级政党依旧是用最肮脏的手段为最卑鄙的目的运用国家的权力去统治和掠夺人民;美国按照"三权分立"的原则组织国家机关行使国家权力,由国会行使立法权,政府行使行政权,法院行使司法权,这"三权鼎立",互相制约,就其立足点来说都是为了维护垄断资产阶级的政治统治的。即使在历史上以"议会之母"著称的英国,在帝国主义时期,由于垄断资产阶级为达到其对外对内政策的目的，逐步削弱议会的权力而代之"政府（内阁）专横"，但是，劳动人民则无权予以对付。显而易见，资产阶级自由化的鼓吹者，对于美国等资本主义国家的民主政治不作历史地科学地分析，盲目崇拜，并主张把全盘引进到中国来。如果照此办理，那么我们国家的民主政治就会被改变性质，立国治国之本的四项基本原则也随之被取消了，这当然是一个根本政治原则和政治方向的问题，必然为广大人民所反对。

"三权分立"是资产阶级民主制的重要形式。它是英国和法国资产阶级革命时期的启蒙学者洛克与孟德斯鸠的政治主张，后来美国的资产阶级政治家杰斐逊发展了这种主张。这种"三权鼎立"、"权力制衡"的制度，是资产阶级统治内部为了协调各个集团的意志和利益而普遍采用的形式。从历史上看，它是对封建专制制度的否定。维护了资产阶级专政，促进了资本主义的发展。这种调节资产阶级统治集团的"三权分立制"，同维护资产阶级民主权利的"普选制"、巩固资产阶级统治主要形式的"议会制"和适应资产阶级政治需要的"两党制"，就是人们所说的资产阶级民主制的本质内容和集中表现。美国200多年来，一直按照杰斐逊的政治主张，实行"三权分立"和互相制约的原则，以维护美国资产阶级的政治统治。其显著特点是：

（1）国会有最高立法权，总统则有权否决国会制定的法律，而国会又有权在一定条件下推翻总统的否决；

（2）总统拥有全国最高行政权，不向国会负责，国会也没有权力要求政府辞职；

（3）国会不向总统负责，总统也没有权力解散国会

（4）总统有任命政府高级官员的权力，国会则有权力

批准总统任命高级官员，并有权在一定条件下弹劾总统；

（5）最高法院独立，但法官又需要总统任命，并经国会批准。

这些权力都是在美国宪法中规定的。它明显地表明所谓"美国的民主政治"，并没有改变资产阶级专制的本质。它比封建专制主义是一大进步，但劳动人民仍然不能够摆脱被压迫的地位。随着垄断资产阶级统治的发展，它们采取实际的步骤加强政府的权力，削弱议会的权力，使"议会至上"逐步变成"内阁专横"。这样"三权分立"的历史进步性也随之逐渐消失，而越来越成为一个陷阱和骗局。

2. 中国式的民主政治建设的特点

在我国，具有一定的马克思主义理论基础的人们，能够正确地理解资本主义的历史和现状的人们，对我们社会主义国家的民主化发展有正确认识的人们，都认为我国的民主政治反映了社会主义制度的优越性，比资本主义好得多，其中有一些重要特点是美国等现代资本主义国家所不能比拟的。

（1）它是建立在生产资料的社会主义公有制基础上，为巩固和发展社会主义的经济基础服务的；（2）它是工人阶级领导的以工农联盟为基础的人民民主专政的社会主义国家的国体和实行民主集中制原则的社会主义国家的政体的统一；（3）它具有国家形态的民主，又逐步扩大非国家形态的民主；（4）它是社会主义民主理论和实践相结合的。

《中华人民共和国宪法》明确规定我国"一切权力属于人民"。人民行使国家权力的机关是全国人民代表大会和地方各级人民代表大会。人民依照法律规定，通过各种途径和形式，管理国家事务，管理经济和文化事业，管理社会事务；国家权力机关"都由民主选举产生，对人民负责，受人民监督"，国家行政机关、审判机关、检察机关都由人民代表大会产生，对它负责，受它监督。同时规定：年满18周岁的公民，不分民族、种族、性别、职业、家庭出身、宗教信仰、教育程度、财产状况、居住期限，都有选举权和被选举权（依照法律被剥夺政治权力的人除外）……等。我国这样的民主政治实际比美国的民主政治要好得多。

所以，邓小平强调说，我国社会主义民主政治要从中国的实际出发，"我们要坚持实行人民代表大会的制度，而不是美国的三权鼎立制度"。为什么中国不能搞美国那样的"三权鼎立"呢？

（1）"三权鼎立"制度不符合中国的国情。中国历史上曾是一个封建大国，后来沦为半殖民地半封建的国家，经过新民主主义革命和社会主义改造才建立起社会主义制度，现在我国还处在社会主义的初级阶段，这是我国的基本国情。所以我国民主政治从内容到形式，不能照搬适应美国经过200年资本主义发展的"三权鼎立"制度。同样，也不能照搬其他国家所采取的形式，而应当创造适合本国特点的形式。

（2）我国人民民主专政国家的政权性质决定我们不能实行美国的"三权鼎立"制度，这是历史的选择。我国的人民民主专政，是中国共产党领导全国各族人民浴血奋战几十年的结果，也是中国人民自鸦片战争以来105年的政治经验中作出的历史选择。它是中国历史上从来没有过的人民当家作主的新型政权。在中国的土地上，人民民主专政的国家政权代替了大地主大资产阶级专政的国家政权，标志着帝国主义、封建主义和官僚资本主义在中国的反动统治的终结。人民民主专政的实质就是无产阶级专政。它表明了我们国家政权的民主性质。我国社会主义国家的国体和政体的统一，不能以资本主义的"三权鼎立"来取代，否则就是历史的倒退。

（3）我国的民主政治建设是在马列主义、毛泽东思想的指导下进行。马克思主义的历史唯物史观，马克思主义的民主理论，指引我国建立了无产阶级领导的人民民主制度，不可能也不应再走资产阶级"民主制度"的老路。无产阶级专政在不同的国家可以有不同的形式。以马列主义、毛泽东思想为指导的中国共产党，在领导中国人民进行新民主主义革命的实践中，创造了一种适合中国情况和革命传统的新形式，这就是毛泽东说的工人阶级（经过共产党）领导的以工农联盟为基础的人民民主专政。这是马克思列宁主义在中国的运用和发展，是毛泽东思想的贡献。

（4）我国的人民代表大会制度，既符合马克思主义，又符合中国实际，具有无限的生命力。如前所说，我国人民民主专政的国家性质决定人民是国家和社会的主人。《中华人民共和国宪法》规定："人民行使国家权力的机关是全国人民代表大会和地方各级人民代表大会"，"人民依照法律规定，通过各种途径和形式管理国家事务，管理经济和文化事业，管理社会事务"。宪法还规定，全国人民代表大会和地方各级人民代表大会由民主选举产生，对人民负责受人民监督。"国家行政机关、审判机关、检察机关都由人民代表大会产生，对它负责，受它监督"，"中央和地方的国家机构职权的划分，遵循在中央的统一领导下，充分发挥地方的主动性、积极性的原则"。这些都是资产阶级民主制所不可能比拟的，与所谓"三权分立"在本质上是完全不同的。人民民主专政是四项基本原则的一项重要内容，是建设和发展社会主义民主政治的基础和根本保障。四项基本原则是不以人们的意志为转移的历史发展规律，否定四项基本原则，鼓吹资产阶级民主制是违反历史发展规律的。

总而言之，搞资产阶级自由化的人，完全抹煞了人民民主专政同资产阶级专政的本质区别，否认了社会主义国家的民主建设同资本主义国家的民主制的本质区别，其实质是鼓吹资产阶级民主制，否定人民民主专政，他们企图把西方资本主义的政治统治制度照搬到中国来，改变我国人民民主专政的国体和政体，这是根本违背人民的利益和历史发展规律的。

四、社会主义民主政治建设
不能离开四项基本原则

社会主义在消灭阶级压迫和剥削制度的基础上，为充分实现人民当家做主，把民主政治建设推向一个新的历史高度开辟了道路。

在社会主义条件下，经常注意扩大民主，这一点更带有本质的意义。党的八大把健全社会主义民主和法制问题提到了重要的地位上来，但后来在"以阶级斗争为纲"的方针指导下，没有集中力量发展经济，又没有切实建设民主政治，直到发生"文化大革命"的灾难，这是深刻的历史教训。十一届三中全会以来，把建设有中国特色的社会主义民主政治，逐年实现高度民主，作为社会主义的伟大目标之一，并针对新的实际提出发展社会主义国家民主化的一系列新课题。这些课题正确的解决离不开发展经济，离不开改革开放，也离不开四项基本原则，一句话，离不开全面贯彻执行党的基本路线。从民主政治建设的思想观念来说，我们应当明确：

1. 社会主义愈发展，民主也愈发展。小平同志说，没有民主就没有社会主义，就没有社会主义的现代化。长期以来，在民主的实践方面，我们过去作得不够，并且犯过错误，现在我们已经坚决纠正了过去的错误，并且采取各种措施继续努力扩大党内民主，充分发扬人民民主。我们进行社会主义现代化建设，是要在经济上赶上发达的资本主义国家，在政治上创造比资本主义国家的民主更高更切实的民主，并且造就比这些国家更多更优秀的人才，保证全体人民真正享有通过各种有效形式管理国家、特别是管理基层地方政权和各项企业事业的权力，享有宪法和法律规定的各项公民权利，调动人民群众的积极性，充分发挥社会主义制度的优越性，加速社会主义现代化建设事业的发展。社会主义愈发展，民主也愈发展，这是确定无疑的。搞资产阶级自由化的人，把民主与社会主义对立起来，制造动乱，煽动暴乱，这无论在理论上还是在实践上，都是一个历史性的罪过。

2. 社会主义民主要制度化、法律化。为了保障人民民主，必须加强法制，必须使民主制度化、法律化，使这种制度和法律不因领导人的改变而改变。旧中国留给我们的封建专制传统比较多，民主法制的传统比较少。解放以后，我们也没有很系统地建立保障人民民主权利的各项制度，法制很不完备。十一届三中全会以来强调民主要制度化、法律化，这就是使人民当家作主的权利在制度上和法律上有可靠的保证。民主只有用制度的形式规定下来，才能使其成为人们共同的行为规范，在政治生活上才有共同的准则，从而在规章制度上保障人民的民主权利。民主只有通过法律的形式固定下来，才能使之成为合法，在宪法和法律的保护下，人民的民主权利就有可靠的法律保障，不受任何人侵犯，谁要是侵犯了它就要受到法律的制裁。所以，社会主义民主和社会主义法制是不可分的，要进一步扩大社会主义民主，就必须健全社会主义法制。小平同志说：不要社会主义民主的法制，决不是社会主义法制，不要社会主义法制的民主，决不是社会主义民主。我国的国家大事要靠法治，不是靠人治。因此，一方面要加强建设以宪法为根本的社会主义法制体系，加强社会主义的劳动纪律和工作纪律，要同种种压制和破坏民主的行为作坚决的斗争；另一方面要依法打击一切破坏我国社会主义民主制度的敌对分子，依法惩处经济犯罪分子和其他刑事罪犯，依法禁止和取缔卖淫、吸毒、赌博、传播淫秽录像和书刊等危害人民的违法犯罪行为。在我国的政治生活和社会生活中，所有的公民都要遵守宪法和法律，在法律面前人人平等，绝不允许有任何超越法律的特殊人物，这是一个不可动摇的准则。领导全国政权的中国共产党，也要在宪法和法律的范围内活动，共产党员要模范地遵守和执行党纪国法。国有国法，党有党规党法。党的章程是最根本的党规党法，执政的党，没有党规党法，国法就很难保障，所以对于违反党纪的人，不管是谁，都要执行纪律，这样才能功过分明，赏罚分明，伸张正气，打击邪气。在人民内部，充分实行宪法和法律规定的民主自由，但不容许公开反对宪法和法律规定的所谓民主自由。同时，要加强检察和司法机关，真正做到有法可依，有法必依，执法必严，违法必究。

3．坚持和完善全国人民代表大会制度。这个制度是中国共产党运用马克思主义国家学说在中国的土地上建立起来的。我们在民主政治建设中，重点是从制度上保证党和国家政治生活的民主化，经济管理的民主化，整个社会生活的民主化。这是一项长期的任务。而改革并完善党和国家的领导制度，是实现这个任务的关键。全国人民代表大会制度，是我国的基本制度，是一个好制度。但是，我们在坚持这个根本的政治制度的同时，要继续完善这个制度，要提高人大代表的素质，密切各级人大与群众的联系，健全人民的监督机制；要完善人大及其常委会的各项职能，加强宪法工作和法律监督；要加强人大特别是常委会的组织建设，健全常委会和专门委员会的议事规则和工作程序；要健全选举制度；要加强国家最高权力机关的民主决策；要建立对特别行政区的工作制度；要完善民族区域自治制度；进一步发展共产党领导的多党合作制度，等等。我们发展社会主义民主，主要的应在不断完善全国人民代表大会制度上体现出来。我们今后进一步建设社会主义民主政治的目标，都不能损坏这个基本制度。历史和现实的经验告诉我们，反动乱和反腐败应当是我国社会主义民主政治建设最迫切的也是最实际的重要内容。国家的稳定是完善这个制度的重要前提。因此，完善和发展全国人民代表大会制度，不能离开四项基本原则的轨道，不要共产党领导的民主不是社会主义民主。有人企图使全国人大摆脱共产党的领导，这是十分错误的。有人否定全国人大的尊严，胡说什么它往往是一个"橡皮图章"，这是违背中国民主政治建设的客观实际的，在理论上也是说不通的。

4．继续完善共产党领导的多党合作制。邓小平同志总结我国的经验，认为实行共产党领导的多党合作制，是我国政治制度的一个特点和优点。可以说，这是世界上国家政党制度的一种独创，它既区别于苏联社会主义国家的"一党制"，又区别于西方资本主义国家的"两党制"或"多党制"。它是在中国共产党领导中国革命和建设过程中逐步形成和发展起来的；它是同建国以来人民民主专政的国家体制相适应的。一句话，它是有中国特色的政党制度。因此，在建设社会主义民主政治中，我们在思想上应当明确：第一，中国民主革命胜利后，共产党成为领导全国政权的执政党，这是历史形成的。全国各族人民都公认共产党是领导他们获得解放的革命政党，是各族人民利益的忠实代表者。各民主党派在长期的斗争中也承认只有在中国共产党的领导下才取得了中国革命的胜利，各民主党派也才有可能作为独立的政党存在和发展，才有光明的前途。这是不以人们的意志为转移的。第二，当前我们应当努力完善和发展共产党领导的多党合作制。为此，在思想认识上和措施上应当注重解决以下的问题：

首先，要正确地认识共产党与各民主党派在国家中的地位。共产党是领导国家政权的执政党，各民主党派是共产党领导的参与执政的政党。有人说民主党派在国家政治生活中没有地位，在国家政权中没有份，这不符合事实。建国初期，我们的国家政权，是工人阶级领导（通过共产党）以工农联盟为基础的人民民主专政。它是4个民主阶级联合专政的统一战线性质的政权。社会主义制度在我国建立后，我国是工人阶级领导的人民民主专政的社会主义国家。由于民族资产阶级作为阶级在生产资料私有制的社会主义改造过程中被消灭了，因而人民民主专政的国家政权，便是工人阶级领导的全体社会主义劳动者和拥护社会主义的爱国者当家作主的政权。各民主党派在国家政治生活中仍然是参与执政的地位。这种地位表现在：参与国家最高权力机关，参加各级人民代表大会，其代表人物参加行使治理国家的权力，七届全国人大常委中民主党派成员占23％，无党派爱国人士占9％；参与管理国家事务，在各级人民政府中也有民主党派成员担负领导职务，在国务院部委中任职，人数虽然不很多，以后可以继续协商解决；参与对国家大政方针的协商和决策，现在比过去是大大加强了；参与对国家宪法和法律的制定、执行、监督和检查，从建国初的共同纲领到现在已经基本形成的以宪法为基础的法律体系，民主党派在同共产党合作中都做出了贡献。这些都表明民主党派是以独立的政党参与执政的。有的人认为现在各民主党派还不是"独立的政党"，还是没有参与执政的"在野党"，这种观点是不切实际的，而且是有害的，不利于完善共产党领导的多党合作，不利于继续发展社会主义民主政治。

其次，完善共产党领导的多党合作制应当进一步使之制度化和法律化，继续协商各党派在国家政治生活中的共同准则，进一步发挥民主党派的作用。

再次，要坚持"长期共存，互相监督"，"肝胆相照，荣辱与共"的方针，采取积极的措施，加强各民主党派自身的建设，健全政党机制，做好新老交替的工作，使各民主党派都能继续发展，后继有人，继续坚持和发展共产党领导的多党合作制。但不能搞什么"反对党"，否定共产党的领导。

最后，要继续充分发挥中国人民政协在贯彻共产党领导的多党合作上的职能作用。充分进行政治协商，发挥互相监督的作用，在国家的大政方针政策上、国家的建设事业上、地方的重大事务上和群众生活上，特别是在巩固和发展爱国统一战线和实现祖国的统一大业上，进一步发挥政治协商和多党合作的积极作用。

总之，我们要在四项基本原则的指导下，坚持党的基本路线，努力完成建设有中国特色的社会主义民主政治的历史使命。

关于民主问题的几点思考

《求是》杂志社　阎长贵　李明三　徐建一

在首都发生的这次由学潮到动乱再到反革命暴乱的过程中，"民主"是被使用得最多、最滥的一个词汇，"要民主"是叫得最响亮的一个口号。"民主万岁"的呼喊声震云霄。随着动乱的蔓延和暴乱被平息，善良的人们越来越清楚地认识到，由极少数人挑起的这场风波，其实质是否定社会主义，否定共产党的领导，妄图建立依附于西方的资产阶级共和国。然而，许多同志对极少数人宣扬的"民主"，思想上、理论上还有不少迷惑不清的地方。因此，有必要对他们的"民主"口号、纲领及其行动作一些剖析，得出正确的结论。

一、社会主义民主与资本主义民主的联系与区别

"民主"，这个概念在中国古书上是有的。但它与我们现在所说的"民主"无关，其含义甚至恰恰相反。《辞源》上讲："民主，民之主宰者。指旧帝王和官吏。《三国志·钟离牧传》有云：'仆以为民主，当以法率下'。"现代意

义上的民主，即我们现在所说的民主，是"舶来品"，是从外国输入的。在外国，民主（Democracy）这个词起源于希腊。其一般含义是"人民的权力"或"多数人的统治"的意思。后来，"民主"概念被资产阶级思想家、政治家所接受，其基本含义也是这样的。他们提出"主权在民"，是为了反对封建专制制度。就现在讲，我们应该懂得"民主"不仅是一个多含义、多层次的概念，而且是一个带有阶级性的概念。民主，有作为国家形态或国家制度的民主，还有经济、文化、社会生活等方面的民主。

在民主问题上，首先我们应该明确，无论是作为国家制度的民主，还是作为非国家形态的经济、文化和社会生活的民主，自它产生之日起，就是不同历史阶段的被统治阶级、阶层的人们所不断追求的。恩格斯在谈到资产阶级的平等时指出："从资产阶级由封建时代的市民等级破茧而出的时候起，从中世纪的等级转变为现代阶级的时候起，资产阶级就由它的影子，即无产阶级，经常地和不可避免地伴随着。同样地，资产阶级的平等要求，也有无产阶级的平等要求伴随着。"（《马克思恩格斯选集》第3卷第146页）平等是这样，民主也这样。因此，争取和促进民主，首先必须明确争取什么性质的民主，为哪个阶级争取民主，否则，其行动就会迷失方向，走上邪路。要知道，世界上并不存在抽象的民主，民主总是具体的，有阶级差别，各国的"民主"含义也不相同。在今天的世界上，民主大致不外乎两大类，即无产阶级民主与资产阶级民主，或曰社会主义民主与资本主义民主。这两者既有联系，又有本质区别。有人否认这个现实，宣扬人类发展到今日，各国人民所追求的理想已经无甚差别，其核心都是民主与和平，"民主具有世界共同性"。严家其说什么"民主无东西之分"。这就是想借社会主义民主与资本主义民主的联系来抹杀两者的差别，混淆性质，蒙蔽无知的人，以售其奸。

诚然，由于历史的继承性，内容与形式的辩证统一，国家政权镇压阶级反抗和执行公务两种职能的关系，社会主义民主与资本主义民主有着共同点和继承性。如它们都是封建制度的对立物并为之所不容，都废除了国家机关人员的终身制、世袭制，规定了国家主要领导人员的选举制和任职期限，以及公民的平等、自由权利，等等。但是，这些联系并没有也不可能抹杀两者本质的区别。（一）民主的主体不同：社会主义民主是社会中绝大多数人享有的民主，广大劳动人民当家作主行使管理国家和社会的权力，在历史上第一次成为民主的主体；资本主义民主是专供资产者少数人享有的民主，尽管它打着"人民主权"、"公民一律平等"的旗号，实际上是资产阶级一个阶级的民主，国家权力掌握在其代理人手中，无产阶级和劳动人民则被排斥在外。这就是说，社会主义民主指社会主义国家从国体到政体都是民主的，而资本主义民主只是就政体而言，不包括国体。列宁指出：苏维埃共和国"是无产阶级的民主，是对穷人的民主，而不是对富人的民主，任何的、甚至最完善的资产阶级民主，实际上都是对富人的民主。"（《列宁选集》第3卷第635页（二）阶级性质和专政的对象不同：作为国家制度的社会主义民主，既是无产阶级和劳动人民的民主制度，又是对极少数反社会主义敌对分子的专政制度；资本主义民主是在资产阶级内部实行民主，对无产阶级和广大劳动人民实行专政的制度。（三）民主产生的经济基础和服务目的不同：社会主义民主建立在公有制基础上，为巩固和发展社会主义经济服务，在当今即为社会主义现代化服务；资本主义民主建立在资本主义私有制经济基础上，为巩固和发展资本主义生产服务。（四）民主的内容与形式、原则与实践的关系不同：资本主义民主把重点放在宣扬各种自由、权利上，但又以"普遍民主"、"全民民主"来掩盖国家政权对广大劳动人民的专政，不让他们享受这种权利和自由，所以资本主义民主是虚伪的，内容与形式、原则与实践是相脱离的；社会主义民主具有广泛性的特点，不仅表现在民主主体的数量上，而且表现在享有行使管理国家和管理经济、文化、社会各项事业，以及监督国家机关及其工作人员这些最重要、最根本的民主权利上，所以内容与形式、原则与实践是一致的，是名副其实的民主。这些区别，从根本上为两种民主作了质的规定性。极少数人，包括自封为研究了多年政治学的人，并不是不懂得社会主义民主与资本主义民主性质上根本不同这个基本常识，但他们从来不谈两者的区别，总是笼统地、含糊地宣扬民主，蒙蔽、影响广大青年学生，指使一些人为之奋斗，其险恶用心，就是鱼目混珠，妄图用西方的资产阶级民主来取代中国的社会主义民主。

需要指出，在民主问题上必须避免一种偏颇，就是不讲民主，或不敢讲民主，仿佛民主和社会主义不相干。民主绝不是资产阶级的专利品，它是人类的共同财富，——当然在不同的时代，或在不同的人群（如阶级）中，其内容和形式不同。资产阶级仅仅把自己称作是民主的，或为民主奋斗的，这是对历史事实的歪曲。又认为马克思主义和社会主义同民主不相干，这是攻击。事实上，马克思主义肯定地认为，民主和社会主义的关系十分密切。列宁说过，"没有民主就没有社会主义。"邓小平同志也不止一次地这样讲。这是千真万确的事实和真理。我们搞新民主主义、社会主义革命，其政治内容就是争取劳动人民的民主，共产党的领导就是领导人民当家作主。因此，我们决不能把民主这面旗帜让给资产阶级，让给搞资产阶级自由化的人。我们应该理直气壮地讲民主，高举民主的旗帜。问题是，在当代极其复杂的政治形势下，决不要被民主问题的词句所迷惑。顺便说一句，不仅对民主问题是这样，对自由、人权问题也是这样。

二、如何估价我国民主的现状

极少数人用西方资产阶级民主取代社会主义民主的企图，从其对我国民主状况的估计和分析，可以看得更加清楚。任何一个国家要争取、促进民主，都有一个基本前提，即在什么基础上进行。在今天的中国谈争取、促进民主，自然对我国的民主现状要有一个基本估计、分析，从而确定是在建立了40年的人民民主专政制度和党的十一届三中全会以来民主有了很大发展的基础上进行，还是推倒重来，从1949年以前甚至从1919年的五四运动时期搞起。这是任何一个要民主的人都无法回避的。

被封为"民主斗士"的方励之1986年就认为：中国的社会主义制度"是现代式的封建主义"，"基本上都是独裁制、集权制"。1989年6月1日，他在向日本《产经新闻》记者谈起时又说：这次民主化运动"首先最基本的是实现思想、言论、出版和报道自由，以及实现集会、结社自由和游行自由"，实行"直接选举"和"多党制"，这是"大潮流和方向"。显然，他攻击新中国没有民主、自由，是专制、独裁，并以此作为争取民主的出发点。这完全是歪曲事实，是别有用心的。

谁都知道，我国1949年建立的是人民民主专政制度而不是专制独裁的封建制度。从1954年起，历届宪法明确规定："中华人民共和国的一切权力属于人民"，"人民依照法律规定，通过各种途径和形式，管理国家事务，管理经济文化事业，管理社会事务"，并具体规定了公民行使的各种民主、自由权利。当然，我们实际上是有缺点的。对此，党的十一届三中全会和六中全会都指出来了。十一届三中全会公报指出："民主集中制没有真正实行，离开民主讲集中，民主太少。"十一届六中全会决议指出："逐步建设高度民主的社会主义政治制度，是社会主义革命的根本任务之一。建国以来没有重视这一任务，成了'文化大革命'得以发生的一个重要条件，这是一个沉痛的教训。"十一届三中全会以来，随着实践的发展，我国的人民民主制度不断完善，民主范围不断扩大，人民民主生活不断活跃。

——大量平反冤假错案，果断地停止使用"以阶级斗争为纲"的口号，大大改善了民主制度和民主生活；

——经济体制的改革，改变了过分集中的管理体制，给予生产单位和劳动者个人以更多的自主权，推动了工厂企业和农村基层组织民主生活的发展；

——在新的历史条件下进一步发展壮大了爱国统一战线，完善了在共产党领导下的多党合作制，'长期共存，互相监督，肝胆相照，荣辱与共'，使各民主党派在国家的政治等各种生活中发挥着日益重要的作用；

——"双百"方针的进一步贯彻执行，使我国学术理论界和艺术界的繁荣有了长足的进步；

——民主的法制化、制度化不断发展和健全，为民主的进一步发展提供了可靠保证；

等等，等等。尽管我国政治、经济、文化和社会生活诸方面还存在不少不民主的现象，在有的地方、部门、人员身上存在的家长制、特权思想、官僚主义、以权谋私的封建残余影响和腐败现象还比较严重，但这没有也不可能改变我国已建立起人民民主制度和民主不断发展的客观事实，并且这种种现象都是进行社会主义民主建设所要不断清除的。因此，推进民主只能在维护人民民主专政制度的前提下，在已有民主成果的基础上进一步发展和完善，决不是要推倒重来。列宁指出："如果在管理工作中存在着官僚主义弊病，那末我们决不隐瞒这种祸害，而是要揭发它，同它作斗争。谁要是由于同新制度中的弊病作斗争而忘记了新制度的内容，忘记了工人阶级建立了并领导着苏维埃类型的国家，那他简直就是不会思索，信口胡说。"（《列宁选集》第4卷第558页）从列宁的教导中，我们看到，共产党人决不隐瞒新制度中的弊病，而是要揭发它，坚决同它作斗争，但是，决不能因为同弊病作斗争，就看不到新制度的优越性，就否定新制度；否则，不是无知，就是别有用心。方励之等极少数人闭着眼睛不看宪法的明确规定，不承认民主建设的基本事实，污蔑我国的人民民主专政制度是"独裁"、"专制"，提出以多党制和全盘西化来代替，就是从根本上否定社会主义民主。立场完全站到了社会主义民主的对立面，站到了党、政府、人民的对立面。

任何民主都有明确的价值取向，即为那些人谋利益，争取的民主是否对他们有利。我们所要促进的民主，是工人、农民 知识分子和其他劳动人民的民主，是社会主义的民主，是符合中国国情的民主，是有利于社会主义现代化建设和中华民族繁荣昌盛的民主。极少数人混淆社会主义民主与资本主义民主的区别，歪曲、污蔑中国人民的民主，其目的就是为他们少数野心家、阴谋家和一切反社会主义势力争取民主，这只能对国内外反动势力有利，而不可能对广大劳动人民有利。几十天的动乱和暴乱，给中国人民带来的是安定团结生活的中断，是全国人民的普遍焦虑不安，是对共和国卫士的残酷迫害，是社会主义现代化建设的停滞，是几十亿甚至上百亿元的惨重损失。对此，国内外、海内外的反动势力欣喜若狂，从各方面予以支持，捐钱捐物；当反革命暴乱被平息时，他们又如丧考妣，掀起一股反华反共的恶流，什么谴责，制裁，不一而足。这难道还不足以说明极少数人所谓民主的实质吗？一些人还在庄严神圣的天安门广场搞了个"女神"像，原来叫什么"自由女神"，后来又改做"民主之神"，这清楚地表明他们是以美国的自由民主为精神支柱和奋斗目标的。在这种情况下，那些怀有良好动机而要促进社会主义民主的人，实在应该有所清醒了，充分认识自己所促进的民主和极少数人所要的"民主"，是根本不同的两码事。

三、如何看待西方资产阶级的民主理论

在这次动乱和暴乱中，极少数人否定、取代和攻击社会主义民主的理论武器是西方资产阶级的民主理论。如何对待这种理论，它能不能照搬到中国，这是我们与极少数人在划清界限时所必须回答的问题。

对于西方近代和现代的民主理论，采取封闭的政策和全盘否定的态度是错误的。我们在发展社会主义民主的过程中，需要借鉴西方近代、现代的资产阶级民主理论，剔除其糟粕，吸取其精华，洋为中用，这是我们党一贯的正确主

张。但是近几年来，极少数坚持资产阶级自由化立场的人，利用他们手中掌握的各种舆论宣传工具，不加分析和批判地大肆贩卖和兜售西方资产阶级民主理论，毒害了相当一部分群众，特别是青年学生。当一位困惑不解的大学生询问这次"民主运动"的目标时，方励之的走卒王丹回答说："建立多党政体，实现精英政治。"——这正道出了现代西方所流行的两种最典型、最具代表性的"民主"理论。不过，在分析这两种理论之前，需要对现代资产阶级民主理论从总体上有一个基本的认识。

进入本世纪以来，由于资本主义向帝国主义演变，旧有的资产阶级民主理论也出现了危机。旧有的资产阶级民主理论也称古典民主理论，是指启蒙学者和功利学者的民主观。如前所说，这种民主观源自古希腊，其基本含义是"人民的统治"。什么"人民的统治"、"主权在民"，在资本主义社会只不过是骗人的鬼话。资产阶级民主理论本身和资本主义的现实情况根本对不上号。这一点，马克思主义经典作家再三再四地指出过。列宁说："在资产阶级民主下，资本家千方百计地（"纯粹的"民主愈发达，方法就愈巧妙，愈有效）排斥群众，使他们不能参加管理，不能享受集会、出版自由等等。"（《列宁选集》第3卷第633—634页）不仅如此，就是资产阶级思想家中的有识之士也不得不承认这个事实。一位名叫拉尔夫·密利本德的现代英国思想家、政治学家，在1982年出版的《英国资本主义民主制》一书的导言中说："如果民主制被解释为民众参与决策和控制国事的处理办法，英国的政体就远非民主；本书的主要命题之一，是论证这一政体始终尽可能致力于扼制而决非助长民众行使决策权和处理国事的权力。民主的要求和政治的现实并不真正相适应。"（商务印书馆1988年版第2页）他这话是说得很坦率，很真实的。旧有资产阶级民主理论的虚伪性和欺骗性日渐显露，使之难以支撑下去。鉴于此种形势，本世纪的一些资产阶级的文人墨客开始对旧有的资产阶级民主理论进行所谓"修正"。正是在这个背景下，冒出了许多形形色色的"新"资产阶级民主理论。而"精英民主论"和"多元民主论"就是其中比较突出的两种。这两种所谓新的民主理论，也是被我国顽固搞资产阶级自由化的人奉为至宝的。现在我们就对这两种民主理论加以介绍和分析。

这次动乱中极少数人提出的"精英政治"，实际上就是照搬西方的"精英民主"论。它的代表人物是美籍奥地利学者熊彼特。这一理论的基础是英雄创造历史的唯心史观。熊彼特公开宣称："人民是扶不起来的阿斗"，他们"一旦踏进政治领域，就会跌落到某种精神活动的低水平上去"（《资本主义、社会主义和民主主义》第328页），在国内和国外政策上无知和缺乏判断力。因此，他认为人民的统治是不可能的，只能由社会上的少数精英来统治。熊彼特虽然还承认要进行选举来产生精英政治，但又主张选举根本不必考虑人民的意志，或者说按人民的意志进行选举是不可能的。在他看来，"人民是被动的，根本无法清楚明白地表达自己的意志。"（《国外政治学》1988年第6期第13页）人民的意志是"创造出来的意志"，"在现实生活中，人民既未提出问题也未决定问题。正相反，决定他们命运的政治决策，在正常状态下是由别人为他们提出来并且为他们决定的。"（《资本主义、社会主义和民主主义》第331页）按照熊彼特的民主理论，政治过程只不过是竞争领导权的过程，"政治家们带着各种政纲和许诺来到政治市场，通过政党、竞选班子、大众媒介等工具，利用广告心理学、口号煽动以至欺诈阴谋等手段来争夺人们的选票和效忠。选民则带着选票来到政治市场以换取预期的利益或政治家的承诺。"（《政治学研究》1988年第1期第32—33页）这就是所谓"精英民主"或"精英政治"的基本含义。熊彼特的这一理论不禁使我们想起俄国民粹派的观点。他们把群众视为"群氓"、"惰性力量"，甚至形象地把群众比做"零"，认为群众再多也是"零"，只有英雄才是有效数字，才能赋予群众以意义。这种理论在现代的出现，不仅意味着资产阶级的观点和理论走向赤裸裸的历史唯心主义，而且也反映了西方民主从革命转向保守的趋势。难道在社会主义的中国还要照搬现代西方这种保守的、贬抑人民大众的"民主"理论吗？

极少数制造动乱和暴乱的人，的确是领会了"精英民主"论的真谛。有一份调查报告表明，"大学生崇拜西方民主是一个普遍的现象"，但在北京大学"约有半数学生确实不知道民主的正确含义是什么。口头上高喊民主，实际上不清楚民主为何物，并且以空洞的民主口号作为自己的追求目标"。（《政治学研究》1989年第1期第26—27页）在这方面，我们也问过一些青年学生，他们对民主也说不出个"子丑寅卯"。有人说，民主还不是"想说什么就说什么，想干什么就干什么"。实际上，这连民主的边都沾不着。当然，我们决不是说青年学生是"阿斗"，但他们确实对民主缺乏应有的知识，而这又主要是我们教育不够。搞资产阶级自由化的极少数人正是利用了青年学生的幼稚和盲目，以蛊惑性的口号和阴险的欺诈来愚弄民意，巧取人心，妄图在中国建立起他们这些自诩的"精英"们的统治。但是，民心终究是不可侮的。随着动乱的发展，不少大学生逐渐从被愚弄、利用的境况中清醒过来，唾弃了违背人民意志的种种说教。

王丹说，他们的"最低目标"是"承认'高自联'合法，给方励之同志平反，'民间办报'"；"最高目标"是："建立'多元政体'，实现'精英政治'。""精英政治"我们谈过了，现在谈谈所谓的"多元政体"。什么叫"多元政体"？就是多党制，各党派轮流坐庄。这是他们的发明创造吗？不，而是照搬美国学者罗伯特·Ａ·达尔的"多元民主"论。达尔说：社会主义国家是"独裁"，而当今世界上所有的民主国家都是多元的。（参见《多元主义民主的困境》求实出版社1989年版第30—31、43页）我们究竟应该怎样认识这"多元民主"或"多元政体"？"元"的词意是"基本"或"本原"的意思。从哲学意义上讲，马克思主义是主张一元论反对二元论的。"元"的概念被移植到社会政治领域，其含义是极不确定的。如果"元"是指社会政治的本质，那么在当今世界并不存在多元政体。因为在西方世界，无论其民主怎样五花八门，一党制也好，两党制或多党制也好，而在资产阶级、资本主义这个"元"的基础上是同一的。列宁指出："资产阶级国家虽然形式极其复杂，但本质是一个：所有这些国家，不管怎样，归根到底一定是资产阶级专政。"（《列宁选集》第3卷第200页）如果"元"的概念一般是指社会的不同阶层和不同党派，那么不仅西方各国的政治是多元的，东方各国的政治也并非一元。因此我们在讲西方民主多元化的时候，切不可忽视其资产阶级民主这个一元本质。如果讲社会主义的多元政治，是要否定共产党的领导和社会主义制度，也是绝对行不通的。西方的多元政体是以私有制和在此基础上形成的能平起平坐的两党或多党制为前提的。在中国，经济上以社会主义公有制为主体，政治上除了共产党之外，根本没有也形不成另外一个能同共产党平起平坐的大党。所以，中国根本不存在实施多元政体的社会基础和政治基础。邓小平同志曾经不止一次地批评资产阶级多党制，并阐明在我们国家不能实行否定共产党领导的多党制。他说："资本主义国家的多党制有什么好处？那种多党制是资产阶级互相倾轧的竞争状态所决定的，它们谁也不代表广大劳动人民的利益。在资本主义国家，人们没有也不可能有共同的理想，许多人就没有理想。这种状况是它们的弱点而不是强点，这使它们每个国家的力量不可能完全集中起来，很大一部分力量互相牵制和抵消。我们国家也是多党，但是，中国的其他党，是在承认共产党领导这个前提下面，服务于社会主义事业的。我们全国人民有共同的根本利益和崇高理想，即建设和发展社会主义，并在最后实现共产主义，所以我们能够在共产党的领导下团结一致。我们党同其他几个党长期共存，互相监督，这个方针要坚持下来。但是，中国共产党领导，中国的社会主义现代化建设事业由共产党领导，这个原则是不能动摇的；动摇了中国就要倒退到分裂和混乱，就不可能实现现代化。"（《邓小平文选》第231—232页）

制造动乱和暴乱的极少数人，口口声声要"推进民主"，但他们的行动原则却是和民主大相径庭的。他们公然宣称在天安门广场的绝食队伍中是99.9％服从0.1％。就是说，99％以上的人同意停止绝食，但只要有一个人不同意停止绝食，整个队伍也不能停止绝食。这叫什么原则？同民主相去何止十万八千里。应该指出，这个原则的提出既不新鲜，也不偶然。在现代西方，民主的最根本原则——多数决定原则（或叫少数服从多数原则）受到攻击。在一些人看来，似乎多数原则是"民主的旧观念”、“群体民主观念”,是应加以埋葬的“原始民主思想”。他们把民主中固有的少数原则加以扩大,褒称为“嵌新的民主观念”、“富有革命性的原则”。所谓少数原则,是指政治民主在要求少数服从多数的前提下,允许少数保留自己的意见,保护少数人的正当权益。决不能因为是少数,因为有不同意见而加以歧视,甚至加以压制。没有这一条,民主就是不完全的。多数原则和少数原则是民主互相联系的两个原则,不能割裂和对立。在民主实践中,既不能忽视少数原则,也不能过分夸大少数原则。我们应该清楚,多数原则是民主制的灵魂,离开了多数原则,民主就不成其为民主,就不可能有任何统一的行动,成就任何事情,这是常识;而孤立地宣扬少数原则,只会导致无政府主义。这次极少数人在北京制造动乱和暴乱,正因为他们的所作所为不能代表大多数学生和广大群众的根本利益,所以他们只能用现代西方资产阶级民主中的“少数原则”来胁迫群众,以达到他们不可告人的罪恶目的。

综上所述,十分明显,照搬西方的“民主”理论来指导或推进中国的民主,其结果只能是对社会主义民主的破坏和践踏。这是不是说我们要彻底否定西方民主呢?不是。对资产阶级民主我们要采取科学态度。(一)民主在资产阶级反对封建制度的革命斗争中,是强大的思想武器,具有不可磨灭的历史意义。(二)在资本主义国家中,资产阶级民主对劳动人民也是需要的。列宁指出:“如果认为资产阶级革命完全不代表无产阶级的利益,那就是十分荒谬的想法。”(《列宁选集》第1卷第540页)又说:“民主共和制和普选制同农奴制比较起来是一种巨大的进步,因为它们使无产阶级有可能达到现在这样的统一和团结,有可能组成步伐整齐纪律严明的队伍去同资本进行有系统的斗争。……人类走到了资本主义,而只有资本主义,凭借城市的文化,才使被压迫的无产阶级有可能认清自己的地位,掀起世界工人运动,造就在全世界组织成政党的千百万工人,建立自觉地领导群众斗争的社会主义政党。没有议会制度,没有选举制度,工人阶级就不会有这样的发展。"(《列宁选集》第 4 卷第55页)(三)对建设社会主义民主有一定的借鉴意义。理论和实践都告诉我们,在建设社会主义民主的过程中,从西方的民主理论和实践中吸取某些有益的思想和具体做法,是重要的一环。1948年刘少奇同志指出:"任何一个重要革命问题的解决,光有根据具体情况的具体分析还不行,还必须参照各国的革命经验、历史经验。例如人民代表会议制度,就是研究了资产阶级议会制度和苏维埃制度的经验而提出的。"(《刘少奇选集》上卷第415页)邓小平同志说:"斯大林严重破坏社会主义法制,毛泽东同志就说过,这样的事件在英、法、美这样的西方国家不可能发生。"(《邓小平文选》第293页)这都是很英明、很科学的指示,都是告诉我们对资产阶级民主不能全盘否定。我们在反对资产阶级自由化的过程中,千万不要走这样的极端,犯这样片面性的错误。这也是保证我们反对资产阶级自由化胜利的重要条件。

四、如何建设和发展社会主义民主

民主作为一个不断发展、不断完善的历史过程,一旦确定了一定历史阶段的目标,都要通过一定的形式,采取必要的手段来实现。我们要加强社会主义民主建设,达到高度民主的目标,一贯主张并坚持依靠人民的努力,在安定团结的条件下和在法制的轨道上进行。极少数人既然要照搬西方资产阶级民主，企图在中国建立资产阶级共和国，所以就反其道而行之。

首先，以破坏民主的方式要求民主，肆意践踏法律，破坏社会秩序。

法制是统治阶级意志的集中表现，是实现阶级统治、治理国家的基本制度和方法；民主是法律存在的前提和基础，它以法制的形式表现出来，并制约着法律完备的程度；所以民主与法制是互相包含、互相确认而密切联系在一起的，不要法制的民主根本不存在。但是，极少数人从一开始就无视、践踏宪法和法律。他们不顾宪法早已取消"四大"的规定，在校园里贴大小字报，进而散发、张贴反动传单于大街小巷，"南下北上"，"东走西行"，秘密地或公开地进行串联，攻击四项基本原则，否定社会主义制度，否定共产党的领导；他们置北京市人大常委会关于游行示威的十条规定于不顾，任意组织示威、游行乃至静坐、绝食，长期占据天安门广场，干扰重大的国务活动，冲击国务院、党中央机关、公安机关和地方党政机关；他们不经申请、登记、批准，成立"高自联"等非法组织，违反《北京市社会团体管理的若干规定》；他们为反对戒严，竟然在香港发表文章捏造宪法条文；他们号召推翻经过合法民主程序选举产生的中央人民政府，狂呼乱叫打倒国家主席和国务院总理。显然，他们所谓的"维护宪法"是骗人的，完全是为了蒙蔽无知者。

民主体现了公民享有的权利和自由，法制则对这些权利和自由给予保障；民主不仅意味着自己享有各种权利和自由，同时也意味着别人同样享有，不能干预和剥夺别人享有的权利和自由。对此，我国宪法中有明文规定。但是，极少数人自己不上课、不工作，还围阻工厂、教室，煽动罢工、罢课，不准工人上班、学生上课，辱骂主张复课者为"学贼"，对参加天安门广场绝食的学生甚至扬言"谁撤离就干掉谁"；他们卧轨拦车、阻断交通、盘查行人，擅自剥夺公安干警的指挥权和广大群众乘车、行路的自由，只准他们阻拦军车，辱骂、殴打、杀害解放军战士、武警官兵，不准别人救护；只准他们随意造谣污蔑，不准别人表示怀疑，即使在"高自联"内部，少数头头稍不如意，对下面也是张口就骂，挥拳就打。显然，他们的所谓"民主"、"自由"，对别人则是地地道道的专制。

马克思指出："没有无义务的权利，也没有无权利的义务。"（《马克思恩格斯全集》第16卷第16页）权利和义务相统一，是我国法律的一个基本原则，也是指导和约束公民行为的根本原则。民主不仅体现了权利和自由，也要求承担一定的义务和责任，并和一定的纪律、法律相联系。如公民在行使权利和自由时，不得损害国家的、社会的、集体的利益，以维护社会的安定和法律的实施。但是，极少数人蒙蔽学生和群众，阴谋策划动乱和反革命暴乱，破坏了正常的教学、科研、生产、工作、生活和整个社会秩序，使社会主义建设事业蒙受巨大损失。可见，他们所搞的民主，是践踏法律、破坏秩序的极端民主，是反民主的无政府主义。这在"文化大革命"十年内乱中人们已领教过了。用"大民主"的手段，不但不能促进民主，反而只会破坏民主。

其次，滥用"新闻自由"的权利，为动乱、暴乱制造舆论。

"报纸要讲真话"，"新闻要自由"，是某些人这一时期叫得很响的一个口号。一般地说，这并不错。讲真话，是我国社会主义新闻舆论工作的基本原则。新闻自由作为言论出版自由的一个组成部分，是公民的一项民主权利，早已列入我国宪法并受到保护。但是，什么是真话，要什么自由，抽象地谈是分不清是非的。一时期新闻舆论在某些人的指使和纵容下，滥用新闻自由的权利，进行了完全错误的舆论导向。我们认为，至少有这样三个问题。

一是有的报刊没有讲真话。所谓真话，不是事物的现象，更不是假象，而是事物的真象、本质——而这往往是被现象、假象掩盖着的。在这次学潮、动乱和暴乱过程中，现象、假象固然不少，但真象、本质也不是完全没有暴露，一向以敏锐、迅速著称的新闻舆论却视而不见，这是很奇怪的。如明明是资产阶级自由化思潮在某些人纵容、支持下泛滥成灾，有的报刊却要求否定反对资产阶级自由化的方针和要求为在反对资产阶级自由化中受到处理的人平反；动乱的事实大量存在，党中央对性质已经作出明确决定，一些报刊反而连篇累牍地刊登呼吁书、公开信，向党和政府施加压力，迫使党和政府承认极少数人操纵的具有明显政治性质的学潮是什么爱国民主运动；明明是动乱造成了交通阻塞甚至断绝，有的报纸却说这时的交通事故减少，粉饰混乱的社会秩序；明明是极少数人策动反革命暴乱，打、砸、抢、烧、杀，而有的新闻单位却以"北京这一夜"、"据某某说"混淆视听，甚至用国外新闻、版面语言和屏幕语言影射攻击党和政府平息暴乱的正确决策。事实表明，一些新闻并不客观，没讲真话，而是报导大量现象和假象迷惑人，自觉不自觉地对动乱和暴乱起了推波助澜的作用。

二是所要"新闻自由"不是宪法和法律范围之内的自由。在任何社会，新闻自由同其它一切自由权利一样都不是绝对的，总要受一定的限制而具有相对的意义，超时空、超阶级的新闻自由并不存在。资产阶级自由思想的奠基人和始祖洛克曾经说："哪里没有法律，哪里就没有自由"，自由"并非人人爱怎样就可怎样的那种自由"。（《政府论》下篇第36页）洛克还明确地反对绝对自由。他说："任何政治也不许可绝对自由；政治这个概念就是根据某些要求人遵奉的规则和法律建立社会，而绝对自由观念乃是任何人为所欲为。我能够象确信数学中任何命题的正确性一样确认这命题的正确性。"（转引自罗素《西方哲学史》下卷 第146页）1789年法国人权宣言规定："每个公民都有言论、著作和出版自由，但在法律所规定的情况下，应对滥用此项自由负担责任。"（第十一条）1948年联合国新闻自由会议的决议也提出："发表之自由亦有相对的义务与责任，如有违反，则须受法律上明白规定的惩罚，处分及限制。"可见，即使在资本主义国家和国际组织中，新闻自由也是有限制的。我国的新闻舆论，尽管各单位分工不同，反映的利益和要求也不一样，但维护已列入宪法的四项基本原则则是共同的。在这个前提下，新闻舆论有着它应有的自由。不以此为前提，就很难称之为社会主义的新闻舆论。但是一些新闻单位明明知道极少数人公开否定四项基本原则，叫嚣取消共产党的领导，妄图颠覆根据宪法产生的合法政府，却刊登严家其、包遵信等人的呼吁，要挟党和政府。事实说明，一些人的新闻自由早已超出了宪法和法律的规定。

三是违背人民的根本利益。制止动乱，维护安定团结的政治局面，是进行社会主义民主和现代化建设的起码保证。这既是人民的强烈愿望和根本利益所在，也是党和政府的职责。但有一些新闻单位和新闻工作者在一段时间内不但不反映人民强烈要求安定团结的愿望，不指出党和政府采取制止动乱的措施符合人民的根本利益，反而为动乱制造舆论，起了很不好的作用，从根本上违背了人民的利益。事实说明，新闻舆论单位的某些人违背了社会主义新闻工作者的职业道德，使他们控制的新闻舆论既没有党性也没有人民性。尽管有人一再把新闻舆论的党性与人民性割裂、对立起来，以强调人民性为名企图取消党性，但一些新闻单位的表现恰恰证明没有党性也就没有人民性，两者是统一的。这场风波中新闻舆论导向的错误，主要责任在党的上层领导，不过这个事实再次告诉我们，脱离党的领导，违背宪法、法律的自由程度越大，危害也就越严重。

再次，依赖海外、国外反动政治势力和国内社会渣滓来"促进民主"。

极少数人策动学潮本来就是有国际背景的。学潮一开始，国外、海外的各种敌视社会主义中国的政治势力纷纷出动，有的为动乱出谋划策，有的急忙赶回北京直接插手，有的指令潜伏特务或直接派遣特务现场煽动，有的出钱、出物支援，有的发表大量造谣、歪曲报道，混淆世界视听。国内极少数人同外部势力密切接触，将他们造谣污蔑的东西在国内外传播、散发，有的向海外记者发表谈话，呼吁支援，有的则直接在香港发表文章攻击党和国家领导人；与此同时，他们又把现行抢劫犯、放火犯、地痞、流氓团伙、未改造好的刑满释放分子、"四人帮"的残渣余孽及其他社会渣滓收买、组织起来。一时间，这些势力都麇集在"要民主"的旗帜下，遥相呼应，密切配合，制造动乱，破坏社会秩序。

民主，无论是什么性质的民主，也无论是哪个层次、范围的民主，在一个国家的实现及其达到的程度，都只能由本

162

国人民根据本国情况去努力奋斗，依靠外部势力从来是不现实的。靠外国的恩赐或外部势力的扶植，即使建立起所谓"民主制度"也不可能是独立自主的，只能是个附庸。这不仅为外国的历史所证明，也早为中国的历史所证明。北洋军阀政府也好，国民党南京政府也好，都没有建立起独立的民主制度。这除了中国自身的原因外，根本的还是这些政权依赖和投靠帝国主义势力，而无论哪一个帝国主义国家都不愿意也不允许有一个强大的、民主的中国与之竞争和抗衡。

中国社会主义民主制度的建立，是中国共产党领导各族人民经过长期流血牺牲斗争的结果，也是坚决反抗和排除外国势力干涉的结果。西方资本主义势力奴役中国之心并未泯灭，尽管改变了方式，但颠覆社会主义中国的战略仍在实施。这里，我们不妨介绍一点情况。在中华人民共和国成立前夕，1949年8月5日美国国务院发表了题为《美国与中国关系》的白皮书。这个白皮书一方面不得不承认美国对中国政策的失败和破产，但又妄图东山再起，卷土重来。当时的美国国务卿艾奇逊为发表上述白皮书而在致总统杜鲁门的信中写道："中国悠久文明和民主的个人主义终将再度胜利，中国终将推翻外来制度。我认为我们能够在中国鼓励现在或将来能促进上述目标的一切发展。"（《中美关系资料汇编》第1辑第41页）这就是在新中国成立前夕美国所制定的对新中国的政策。40年来，美国对中国的政策发生了许多变化，但有一点始终没有变，这就是：美国不论哪届政府上台，都没有放弃改变中国社会主义性质的企图，只不过方式、方法在不断变化。70年代美国同中国建交后，他们也没有放弃使我们国家改变性质的策略。

历史和现实都明明白白地告诉我们，我们推进民主建设，必须也只能依靠全国各族人民团结一致努力，在中国共产党的领导下进行。这不仅因为人民是国家的主人、推进民主的主体、反对外国势力干涉的主力，只有把民主建设变成人民的自觉行动，才能真正推动民主前进；而且因为，与民主建设同时进行的经济建设、文化建设，全民族科学文化素质的提高，物质和文化生活水平的提高，民主意识的增强，民主习惯的养成，等等，没有共产党的领导都是不可能实现的。靠国内外对共产党、社会主义不满分子、敌对分子推进民主，任何民主的设想都不能付诸实施，甚至连已经取得的民主成果也将丧失殆尽。这在这次动乱和暴乱中已充分证明了。如果我们不是制止了动乱和平息了暴乱，让极少数人的阴谋得逞，只能把中国重新推向被控制、被奴役的深渊。这决不是危言耸听。以充当"黑手"为骄傲和自豪的刘晓波不是叫嚷现在的中国还需要当帝国主义的300年殖民地吗？策划动乱、暴乱的"民主斗士"、"精英"方励之夫妇之流在暴乱失败后，立即叛逃到美国驻华使馆乞求保护，充当卖国贼，不是也做了最清楚不过的注脚吗？

我们必须坚持马克思主义的民主观，彻底清除长期坚持资产阶级自由化的人在民主问题上造成的污染，在共产党领导下，依靠人民群众，不断健全法制，维持稳定的社会政治秩序和国家的长治久安，才能把我国的社会主义民主建设不断地推向前进。"子规夜半犹啼血，不信东风唤不回。"不用说，这次动乱和暴乱使我们很多人的头脑变得清醒起来。在其他问题上是这样，在民主问题上也是这样。没有民主就没有社会主义，就没有社会主义的现代化，建设高度的社会主义民主是我们坚定的奋斗目标，让我们大家为共同实现这一崇高目标而贡献自己的智慧和力量吧！

科学对待中西传统文化
的方法论问题

中外文化书院　**刘春建**

近几年，对外开放所挟裹进来的落后腐朽的东西，再加上长期以来反对资产阶级自由化不够一贯，在一些青年中滋长了一种对外盲目崇拜、对己妄自菲薄的情绪。一度蔓延的这种情绪曾使得某些青年人把国家的前途和希望寄托在西方的资本主义制度上，而不是把祖国的命运和前途同中国共产党的领导、社会主义制度紧密联系在一起。这是很危险的。当今世界的任何一个发展中国家所面临的挑战，不单是来自新的技术革命，也有民族精神的挑战。一味地崇洋媚外，结果不仅只能仰人鼻息，而且削弱了我们的文化认同与历史根源，减轻了我们对我国古典优秀文化的传承力，使我们在现代化的整体架构上模糊了着力之点。中国的真正崛起并为世人所瞩目，应该建立在对传统文化的再发现与新认识的基础上，如果只信从西方的东西，觉得月亮也是人家的圆，而对自己传统文化的母体却认识不足，甚至要到西方现代思潮里寻找精神支柱，势必会泯灭民族精神的再殖力，民族的创造力将会枯萎。加强爱国主义教育，弘扬民族精神，社会主义中国才能发展成为一个名副其实的现代化强国。每一个有志于振兴中华的公民都应在这个问题上作出无愧于时代的抉择。

由此可见，如何科学认识和对待中西文化及其方法论问题，是摆在我们面前的一个亟待弄清的重要课题。

一、关于传统的内涵与外延

1．正视传统的惰性。

我国延续了几千年的封建社会，形成了一个强大的封建传统观念体系，特别是作为封建文化主体的儒家经学，在社会上有着深远的影响，形成了一种传统的巨大力量。历史表明，在观念变革中应该破除的封建传统主要有如下几方面：封闭自守的自然经济思想；"不患寡，患不均"的平均主义思想；"重本抑末"的轻商思想；轻视科学的蒙昧、迷信观念；集权主义的政治观念；"天人合一"的思想模式；泯灭个性唯上唯书的价值观；"清心寡欲"、"无为而治"的行为观；"中庸"、"明哲保身"的处世哲学；"为富不仁"的贫富观；"三从四德"的家庭道德观；"知足者常乐"、"不敢为天下先"的生活准则；"存天理，灭人欲"的僧侣主义；迷信权威、崇拜偶像、绝对求同的信仰观；"亲亲、尊尊"的人事观；"替圣人立言"、"信而好古，述而不作"的因循守旧观；"老子英雄儿好汉，老子王八儿混蛋"、"龙生龙，凤生凤，老鼠生崽会打洞"的血统观；论资排辈的等级观；重文史轻科技的文化观；"长官意志"的管理观等等。确实，传统不仅带给我们足可引为自豪的宏伟辉煌的历史成就，它也留给我们许多沉重的历史包袱，以致在前进中步履惟艰，在现实生活中到处都能看到封建残余思想的影响。经过30多年社会主义建设曲折坎坷道路的中华民族，正是备尝了古老而悠久的历史强迫自己背负的精神和心理上的"沉重的翅膀"所导致的强烈痛苦，才锐意改革和开拓创新，才有反省旧传统、迈向现代化的空前壮举和坚强意志。

应该看到，虽然我国现阶段的精神文明建设已经奠定了一个良好的基础，但封建思想的残余和小生产的习惯势力还留有很深的影响。因此，在反思传统的时候是不能忽视"继续肃清思想政治方面的封建主义残余影响的任务"。"肃清封建主义残余影响，对广大干部和群众说来，是一种自我教育和自我改造，是为了从封建主义遗毒中摆脱出来，解放思想，提高觉悟，适应现代化建设的需要，努力为人民作贡献，为社会作贡献，为人类作贡献"。不过，这种"在社会主义社会中解决思想问题和具体的组织制度、工作制度问题，同革命时期对反革命分子的打击和反动制度的破坏，本来是原则上根本不同的两回事。"（《邓小平文选》第295--296页）对待这项任务要有实事求是的科学态度和方法，不能采取粗暴的强制的方法。用简单的方式去武断处理，会事与愿违，有害无益。

在批判封建主义思想的态度和工作上，邓小平同志提出要划清三个界限：一是划清社会主义同封建主义的界限，既不允许借反封建主义之名来反社会主义，也不许用"四人帮"所宣扬的那套假社会主义来搞封建主义；二是划清文化遗产中民主性精华同封建性糟粕的界限，既不允许强调继承优秀文化遗产而对封建主义遗毒不加批判，也不允许强调批判封建主义遗毒而拒绝继承优秀文化遗产；三是划清封建主义遗毒同工作中缺乏经验而产生的不科学的办法、不健全的制度的界限，既不要不加分析地把什么都说成是封建主义，也不要对确实存在的封建主义视而不见。同时，还要力求避免过去在这一问题上失误的教训。（参见《邓小平文选》第296页）在这里，邓小平同志实际上阐明了科学对待传统文化的方法论原则问题。

2．把握传统的多重性。

所谓传统，即由历史沿传下来的思想、道德、风俗习惯、艺术、制度等。它是特定民族在漫长的历史实践活动中积累而成的稳定的社会因素，体现在劳动方式、交往方式、生活方式、思维方式和行为方式等社会生活的一切方面，涉及经济、政治、意识（包括哲学、科学、道德、艺术、教育、宗教等）相当广阔的领域，并通过社会心理结构（如长者自觉或不自觉的言传身教、人情习俗世故的耳濡目染等）及其它物化媒介（如名胜古迹、文献典籍等）得以世代相传。文化传统是一定的生产方式长期作用于意识形态的反映，可是一旦成为传统的东西，相对于生产方式又有一定的独立性，并在不同的时代条件下发挥程度不同、功能不一的社会效应，成为影响和调节社会生活的一种历史惯性机制。

传统不仅具有一定的稳定性，而且是多因素多层次的。传统观念大致有这样几种情况：其一、在长期革命实践中形成的优良传统，如理论联系实际、密切联系群众、批评与自我批评、艰苦奋斗、全心全意为人民服务等等，这些传统是以毛泽东为代表的老一辈无产阶级革命家长期把马克思主义运用于党的全部工作的产物，是与正确的世界观和方法论融为一体的，因而党的优良传统在今天的四化建设中无疑仍有着指导作用；其二、有些传统观念本来是科学的，除个别结论或预测与变化了的情况或社会主义现实不符外，基本原理现在和将来依然适用。如产生距现在已100多年的马克思主义，特别是作为马克思主义创始人马克思的科学思想；其三、在特定历史条件下形成的一些具体原则或习惯作法，在当时是完全必需的，但在现代化建设中就不一定必需了，如在以阶级斗争为我党工作重点的年代里提出的"千万不要忘记阶级斗争"、"依靠贫农，团结中农，打击地主富农"等口号。其四、有些传统观念本来正确，但被后人曲解了或凝固化了，如有的人把"说老实话、办老实事，做老实人"误解为与"现代人和现代意识"格格不入的口号，或把"艰苦朴素"、"勤俭节约"、"新三年，旧三年，缝缝补补又三年"等看作是时代精神的反动；其五、有些传统观念本来就错误，但由于种种历史原因得以沿袭下来，如家长制、一言堂、职务终身制、官僚主义、等级特权思想、任人唯亲、宗派宗法观念、恂情枉法、重德轻才、明哲保身、无功受禄等；其六、有些传统观念基本精神已经过时，但有些则是某些具体内容过时而基本精神仍然适用，如"尊师重道"、"爱贤"、"尚同"、"自强"、"尊老爱幼"、"推己及人"、"先天下之忧而忧，后天下之乐而乐"、"淡泊明志，宁静致远"等等；有些传统观念对少数人及少数情况来说已经过时，但对多数人及多数情况来说仍然适用，如"精打细算，勤俭持家"等（因为我国"万元户"毕竟是少数，广大农村家庭大多属于"温饱型"。那种所谓"高消费"的"时髦"观点不符合我国国情）；有些传统观念对于多数人、大多数情况来说已经过时，但对于某些人和某些特殊情况来说仍然适用等等。此外，还有一种所谓的"传统"，实际上是一种"恶习"，如"窝里斗"、整人等。由此可见，历史上流传下来的传统观念，有着相当复杂的情况，既有剥削阶级的没落腐朽的意识，又有劳动人民的纯真质朴的美德；既有马克思主义指导下形成的无产阶级优良传统，又有在"左"的思潮甚嚣尘上时膨胀起来的"左"的观念，还有一些在不适合我国国情的社会主义"模式"影响下的教条。也就是说，传统观念有腐朽和优良之分，也有落后与进步之别，因而我们对其必须要有辩证的、具体的、历史的思考，绝不能一锅煮、一刀切。

二、关于科学对待传统文化
的方法论原则

1. 正确对待传统文化，必须科学理解变革与继承的本质关系。

变革是指有所创新而言，意味着对旧状态的质的否定。马克思说过："任何领域的发展不可能不否定自己从前存在的形式。"这就是说，否定是一切发展或变革不可避免的一环。没有否定就没有发展，又否定又发展，是事物运动的普遍规律。但是这种否定不是形而上学的简单抛弃，而是辩证的扬弃，即否定那些应该否定的东西，保留那些值得保留的东西。马克思主义认为，意识形态的性质最终是由经济基础决定的，但它又不是随时随地地依经济转移而转移，它还有它本身发展的历史主动性，即有本身相对独立的发展规律。这种规律除表现在它对于经济基础所具有的反作用外，而且从它发展的思想线索来说，还表现自身历史发展的连续性和继承性。任何一个时代的任何一种新的意识形态，都不可能凭空出现，它必然要以历史上遗留下来的一切思想材料作为自己产生和发展的前提；而这些既定的思想材料本身又是

"从以前的各代人的思维中独立形成的,并且在这些世代相继的人们的头脑中经过了自己的独立的发展道路。"(《马克思恩格斯选集》第4卷第501页)列宁在论述无产阶级对人类历史遗产的关系时就曾明确指出:"无产阶级的文化应当是人类在资本主义社会、地主社会和官僚社会压迫下创造出来的全部知识合于规律的发展。""马克思主义这一革命无产阶级的思想体系赢得了世界历史性的意义,是因为它并没有抛弃资产阶级时代最宝贵的成就,相反地却吸收和改造了两千多年来人类思想和文化发展中一切有价值的东西。"(《列宁选集》第4卷第348、362页)意识形态,尤其是作为它的重要组成部分并最能体现民族精神的道德文明,它的创造是不能割断历史、违反精神生产规律的。因为,虽然"人们自己创造自己的历史,但是他们并不是随心所欲地创造,并不是在他们自己选定的条件下创造,而是在直接碰到的、既定的、从过去承继下来的条件下创造。"(《马克思恩格斯选集》第1卷第603页)每一历史时代的观念形态,都是人类整个思想发展链条上的一个环节,既是对前人的继承,又是对后人的开启。继承和发展犹如源与流的关系,无源则无流,但无流之源也只能是一潭死水。换句话说,发展与继承是同一个问题的正反两个方面,什么地方有发展,就会在什么地方有继承,承认发展,就得承认继承。拒绝肯定传统文化成果,主观随意地取消或抛弃先前的一切,新的观念便不可能形成和发展。当然,这种传统文化的历史继承性不是无条件地兼收并蓄,而是既克服又保留,肯定之中有否定。而在继承中发扬什么、扬弃什么,使之朝什么方向发展,归根结底取决于特定时代的物质生产和实际生活过程。因此,我们在变革传统文化时,应正确地把握继承与发展的关系,既要着眼于新的发展，"悟已往之不谏，知来者之可追，实迷途其未远，觉今是而昨非"；又要新故相资，注重继承人类历史的优秀文化遗产。有作为的人总是经常拿实践作标准，从社会实践向人们提出的新情况、新问题、新经验中不断有所"悟"和"觉"，通过不倦的追求，使认识日益更新和完善起来。力图推陈出新，也要考虑到变革与原有传统文化的内在联系。人类社会的本来的面貌就是一幅由种种联系和相互作用无穷无尽地交织起来的广阔的历史画面。

确实，封建时代的文化有反动的、落后的，但是更有进步的，我们绝不能在批判封建主义时，把封建时代的整个文化象倒掉洗澡盆里的水那样，也把孩子倒掉，我们反对"无产阶级文化派"和"四人帮"式的不分青红皂白的把一切旧书、旧文化一概抛弃、焚毁的粗暴野蛮且愚蠢的作法。众所周知，孔子的政治立场是保守的，世界观是唯心主义的，但他在教育上提倡"学而不厌，诲人不倦"、"知之为知之，不知为不知"以及不耻下问的态度、因材施教的教学方法等；为了缓和阶级矛盾，孔子还在理论上提出一些"轻税薄赋"、减轻对劳动人民的负担、反对随意伤害劳动者、反对酷刑和主张同情、爱护劳动人民的思想（如《礼记·檀弓下》载孔子之语："小子识之，苛政猛于虎也！"），这些都无疑含有真理性的颗粒和"人民性"、"民主性"的进步内容，其所以能在我国几千年的历史上产生巨大的影响，应该说与此不无一定的关系。因之我们没有理由因孔子的整个思想体系是唯心的保守的，便认为它就是绝对的坏，从而对其采取一概骂倒、概无继承的态度。或许有人说，曾经吞噬了千千万万个贾宝玉、林黛玉、祥林嫂的旧"礼教"，除了该咒骂外别无所齿。其实，这亦未免过于简单化。我们知道，礼发端于以血缘为纽带、以宗法为特征的古代家族奴隶制,旨在"定亲疏、别同异,明是非"(《礼记》)即维护尊卑贵贱的等级制度,它以"忠孝仁德"之类温情脉脉的面纱和"天之经、地之义、民之行"(《左传》)的说教掩盖了赤裸裸的阶级压迫实质。封建制度实质上只是"家长制"在全社会的放大,礼便发展为礼治,从"修身、治家、齐国、平天下","道之以德,齐之以礼"到"三纲五常",逐渐演变成一种宗教式的枷锁,谓之"礼教"。对这种浸透了封建意识和被压迫者血和泪的旧礼教,我们无疑应该而且必须予以深刻揭露和批判。但这并不意味着要把"礼"从辞典里、社会生活里彻底抹掉。我们中华民族素称"礼义之邦",历来为西方世界所仰慕。如今,"礼义之邦"的礼已经发生质的变革,被改造成"五讲四美"里的"讲礼貌",被演化为外交部礼宾司的"礼宾制度"等。经过"化腐朽为神奇",昔日"三纲五常"的传统礼教,早已被社会主义新型的人际关系所取代了。如果仍然象"文化大革命"时那样,说大破"四旧"则可,听到继承就谈虎色变,视为大逆不道和洪水猛兽,把变革当作绝对的"善",把继承当作绝对的"恶",将两者形而上学地截然对立起来,那还谈得上社会主义精神文明吗!还谈得上促进社会风气的根本好转吗!在我们这个"礼义之邦",要更加提倡文明礼貌的新风尚,将传统的"礼让"发扬光大,在待人接物处世以及一切公共场合"休得无礼"!正因为如此,毛泽东同志比任何时代的思想家和革命家都重视传统文化这份遗产,他说:"今天的中国是历史的中国的一个发展,我们是马克思主义的历史主义者,我们不应当割断历史,从孔夫子到孙中山,我们应当给以总结,承继这份珍贵的遗产。"(《毛泽东选集》第2卷第499

页）中国封建社会是发展得较充分的，它和西欧的"黑暗的"中世纪不同，创造了光辉灿烂的文化，而哲学思想就是它的精华。在中国哲学史上，一般地说是唯心主义和形而上学占统治地位，但是朴素唯物论和辩证法思想从未间断过，并在同唯心主义、形而上学相比较而存在，相斗争而发展中不断升华；它们又对立又统一，把中华民族的理论思维能力不断推向更高的水平。

美国哈佛大学中国历史和哲学教授、宗教研究委员会主席杜维明先生曾应邀在上海空军政治学院作过学术报告，谈到中国传统文化时说：传统中国文化在国内外有三种不同的形象，即五四以来国内不少人对传统文化的糟粕提及比较多，在现今国内年轻知识分子的心目中，传统文化是个消极的现象；而西方有些思想家对中国文化有一种猎奇的心理，想在中国文化中找到精神寄托，故传统中国文化在他们的心目中有很高的地位；海外的华裔学者有一种"宏扬国粹"的心理，特别强调中国传统文化的精华，而把糟粕掩饰到最低程度。这三种形象都应该突破。国内年轻的学者首先应对传统文化有个全面公正的了解，获得评价资格，达到批判继承的目的，同时希望海外华裔学者能突破片面、狭隘的现象，不做卫道士，扮演一种桥梁的角色；至于西方学者则应该突破"欧洲中心主义"的模式，放眼太平洋，在一个多元文化的配置下来研究传统中国文化。杜维明先生这段话是有见地的。确实，"欲求超胜，必先会通"。自有文字记载以后，人类发展的任何一个历史阶段的物质文明和精神文明，都是从前一历史阶段的基础上发展起来的。任何时代的物质文明和精神文明，一方面有它们的时代特征，特别是有那一时代统治阶级的印记；另一方面，反映了人类认识自然、征服自然、认识社会以及自然与社会关系所能达到的水平。今天，我们要剔除的不仅仅是阶级印记以及由此而来的消极面与局限性，而且要继承这些人类共同创造的物质文明和精神文明。鲁迅说得好："古人所创的事业中，即含有后来的新兴阶级皆可以择取的遗产。"那么怎样推行鲁迅所提倡的"拿来主义"呢？关键在于以实事求是的精神去别开生面。变革不是要突破旧传统开辟新天地吗？对旧传统的真正超越，就要批判地吸收其合理内核，把它推进到新高度。应该明确地认识到，只有确切地了解历史发展过程所创造的文化，只有对这种文化加以科学改造，才能建立社会主义精神文明，要发扬传统文化，就要站在中华民族的立场上，基于振兴中华的目的，凡是有利于社会进步、有益于启迪智慧、有助于提高精神素质和身心健康的东西，不论古今中外，都应加以借鉴和吸收，使之为繁荣社会主义新文化服务。

2．正确对待传统文化，必须从理论上弄清破旧与立新的关系。

我们知道，变革传统文化是一个包含不同层次的新陈代谢的过程，其中每一个层次的升华都是破旧与立新的辩证统一。所谓破与立，在这里是指主体在进行目的性活动中，从观念上对目标进行屏弃或预立。这两者是相辅相成、互为前提条件的。不过，"破"什么，"立"什么，何时强调"破字当头"，何时则强调"立字当头"，这都应有科学论证和综合分析，以作出正确判断，切忌"蔽于一曲而暗于大体"。破旧立新是由事物内部矛盾运动所引起的合乎规律的发展过程，在这一过程中，当新的因素积累到不冲决旧的罗网就不能壮大、健全起来的时候，"破旧"便成为首要前提了。在破与立的问题上，过去我们宣传不破不立、先破后立，就是因为当时不破坏旧政权，新中国便建立不起来，不可设想没有新民主主义革命的狂飙，存续了几千年的私有制社会会终止其巨大的历史惯性而自生自灭。历史发展到今天，在建设有中国特色的社会主义的各项工作中，我们完全有条件、有力量开创新局面，这时就不一定都是"破字当头"了。可是，由于"十年动乱"时期把"不破不立、破字当头立也就在其中"这一思想绝对化，只强调破，不强调立，而且不分青红皂白，不管对的还是错误的，统统以大破为快，这种"横扫一切"的作法，结果给我国社会主义建设事业带来了严重损害。总结历史极其沉痛的教训，邓小平同志明确地强调指出："不能认为破字当头，立就在其中了。"(《邓小平文选》第296页)他强调我们在改革中不能先破后立，要有破有立，立新导致破旧。邓小平同志这一思想，对于理解变革封建传统文化问题具有重要的方法论指导意义。因此，在观念变革的过程中，应该从实际出发，进行具体的辩证的科学分析，既不因循旧观念，又不把仍有积极意义的传统观念也破掉。屏弃旧传统，首先着眼于提出和确立新的思想方式、行为方式和生活新风尚，使人们潜移默化地接受，并逐渐放弃原来习以为常的某种不良方式。实践证明并将继续证明，只有把适应现代生产力发展和社会进步要求的新观念新风尚树立起来，建设好社会主义精神文明，才能真正地破除那些长期束缚着人们的旧的传统观念和"左"的思想，才能更深入地反对资产阶级自由化。

3．弘扬中华民族的优良道德传统，是建设社会主义精神文明不可忽视的一环。

我国是世界文明摇篮之一。中华民族在这块辽阔的土地上，世世代代劳动、生息、繁衍，形成了本民族优秀的文化传统，优秀的民族道德传统（民族道德意识、道德感情、道德心理和道德习惯）。这些传统美德称誉于世，足可引为自豪。正确认识、继承和发扬源远流长的道德传统中的精华，对于建设中国式的社会主义精神文明，无疑是十分重要的一环。

那么，在今天的历史条件下，根据社会主义精神文明建设的需要，根据广大人民群众的道德实践所承认的，有哪些优秀的道德传统是应当继承和发扬的呢？我们认为主要有如下几个方面：

第一，勤劳勇敢、艰苦奋斗、富于进取的传统美德。中华民族素来勤劳勇敢，与大自然进行着不屈不挠的斗争，在改造自然的进程中发明了火药、指南针、造纸术和活字印刷。按照英国哲学家弗兰西斯·培根的说法，古代中国的"四大发明"，曾改变了整个世界事物的面貌和状态。我们的祖先依靠艰苦奋斗和聪明才智，创造了万里长城这样的世界奇迹，创造了发达的农业、手工业及科学技术（直到16世纪，我国在农、医、天文、数学等许多自然科学领域，都远远超过其他国家和地区，保持了世界先进水平）；就是在人文科学的诸多方面，中华古国也曾有着令世人瞩目的辉煌成就，出现了许多杰出的政治家、思想家、科学家和文学艺术家，有浩如烟海的文化典籍，其中《孙子兵法》、《三国演义》、《红楼梦》等巨著至今仍被交口称颂、誉满宇内。中华民族用勤劳的双手创造古代灿烂文明的这种传统的进取精神，必将鼓舞我们创造更加伟大的现代文明。

第二，维护民族尊严和祖国统一的爱国主义道德情操。中华民族酷爱自由，富有强烈的民族自尊心、自信心和自豪感，热爱祖国的大好河山，誓死维护国家的统一和独立，奋起反抗外来的压迫，决不屈服于外敌。在中国数千年的历史上，出现了一大批至今仍为人们所景仰和传诵的民族精英，如屈原、岳飞、文天祥、郑成功、史可法、林则徐等等。特别是从鸦片战争以来，帝国主义列强总是妄图吞并、灭亡、分裂和瓜分中国，但在中国人民不屈不挠、前仆后继的浴血斗争下，帝国主义的侵略野心总是不能最终得逞。我们民族的这种自强、自立、自尊、自爱的集体英雄主义精神和大无畏的英勇气概，是值得今天千千万万"龙的传人"加以光大和升华的。

第三，重大义、识大体、忧国忧民、以天下为己任的奉献精神。在我国历史上涌现出许多志士仁人。他们"位卑未敢忘忧国"，关心国家、民族的兴亡安危，同情并体恤人民的苦难。他们为"治国、平天下"，国而忘家，公而忘私，克己奉公，正直廉洁，可歌可泣。如"鞠躬尽瘁，死而后已"的诸葛亮，范仲淹的"先天下之忧而忧，后天下之乐而乐"的崇高品德，王夫之的"六经责我开生面，七尺从天乞活埋"的历史责任感和使命感，孙中山先生"天下为公"的宽阔胸怀……历史上这些举不胜举的卓越人物的高尚情操，反映和代表了我们民族优良的道德素质和道德心理。

第四，为人正派、待人接物上礼让谦恭的传统美德。我们民族在处理人和人之间的日常关系上，推崇信实，"言必信，行必果"，说到做到、表里如一，反对讲假话大话放空炮，反对出尔反尔、阳奉阴违和当面一套背后一套；提倡推诚相见，刚正不阿，反对阿谀奉承、奴颜媚骨和同流合污等不正当行为；力主与人为善，"己所不欲，勿施于人"，"将心比心"，相互理解，自己不想做的事情，不要强迫别人去做，自己想做的事情，也要允许别人去做。这些传统美德，使得人际关系变得和谐、温暖，富于人情味。

第五，尊老爱幼、扶弱济贫及亲属和睦相处的传统美德。我们民族历来提倡敬老爱幼、赡养父母，反对"讨了老婆忘了娘"和虐待老人的不孝行为；提倡教育子女，"子不教，父母过"，反对对子女为非作歹的不负责任行为；提倡夫妻之间互敬互爱、相敬如宾、白头偕老，反对喜新厌旧、见异思迁和富贵忘妻的陈世美式的人物。这种家庭内部"天伦之乐"的维持，强化了社会心理的平衡和自我调节。

第六，重节操、讲修养和严以律己的传统美德。我们民族讲究为人要有"浩然之气"，立身处世要"威武不能屈，富贵不能淫，贫贱不能移"，"成仁取义"，反对那种见利忘义、没有民族气节、屈膝投降的背叛行径。我们民族历来重视道德的实践，重视道德的教育和道德的修养，始终把陶冶人的道德情操放在首位。我国古代的伦理哲学一般都强调在道德上身体力行，主张知行合一，注重民族和个人的节操。"吾日三省吾身"，"择善而从"，"闻过则喜"，"为人不做亏心事，半夜敲门心不惊"，"若要人不知，除非己莫为"，"害人之心不可有"和"人穷志不短"等等，都是极为有益的为人处世的格言。

我国传统美德的方面很多，内容十分丰富，上述所谓勤劳勇敢、质朴善良的优秀品质，反强暴、爱和平、主统一、重道义、尊师长、贵信实、讲操守、尚礼让、崇气节、倡和睦、喜正直、赞友情、颂团结、求真理等道德心理特性，只是择其要者而谈。由于"左"的思想影响，过去很长一段时间特别是十年动乱时期，我国的优良道德传统一概被视为封建毒素，予以全盘否定，致使我国思想道德领域亦遭到一场浩劫，整个社会的道德水准直往下降。这个深刻的教训从反面告诉我们，对民族的历史文化遗产采取一种全盘否定的虚无主义态度，在理论上是十分荒谬的，在实践上也是非常有害的。

应该指出，封建时代的传统道德并不等于封建性道德，其中有贵族道德和民间道德、进步道德和反动道德、优良道德和腐朽道德之分，情形错综复杂，善恶良莠往往纠缠在一起，不是一眼可以看得清的，需要我们认真地去研究和鉴别，不能盲目地"一锅煮"、"一刀切"。我国封建社会的历史曾经延续了几千年，一方面形成了十分完备并渗透到社会生活各个领域的封建伦理规范，留给我们许多沉重的历史包袱，对这种巨大的惰性力量当然不能掉以轻心；另一方面，华夏文明史所构筑的道德殿堂又是那样的光彩夺目、引人入胜。因此，我们不能一提道德传统只想到禁锢、特权、散漫、家长制、阿Q精神、"三纲五常"、男尊女卑，而不想到淑世、豁达、坚韧、抗争精神、艰苦朴素、勤劳勇敢、团结互助、爱国主义等。道德传统的这些正反方面是浑然一体的，优点掺和着缺点，糟粕牵连着精华。这些道德原则、规范既已成为道德传统（道德原则、规范，经过长期社会舆论、教育和人们的内心信念变得相对稳定和人们习以为常时就是道德传统），它固然带有蚀痕斑斑的时代烙印，但也饱含根深叶茂的时代精神，而且在其时代性和民族性的品格中又潜存着永久性的因素，还包含着人类性的成份。正因为道德传统的内容不是单一的，故要求我们必须对其作具体的历史的辩证的思考。

意识形态，尤其是作为它的重要组成部分并最能体现民族精神的道德文明，它的创造是不能割裂历史、违反精神生产规律的。因为，虽然"人们自己创造自己的历史，但是他们并不是随心所欲地创造，并不是在他们自己选定的条件下创造，而是在直接碰到的、既定的、从过去继承下来的条件下创造"（《马克思恩格斯选集》第1卷第603页）。马克思主义认为，任何道德都是一定社会经济状况的产物，但它并非随时随地地依经济基础转移而转移，它还有其本身发展的历史主动性，即有本身相对独立的发展规律。这种规律除表现在它对于经济基础所具有的反作用外，而且从它发展的线索来说，还表现出自身历史上升的联系性和继承性。任何时代的任何一种新的道德都不可能凭空出现，它必然要以历史上遗留下来的各种伦理体系，道德原则、规范、命题、范畴，以及表现于个人的道德思想、行为和品质等作为自己产生、发展的前提，而这些既定的道德遗产本身又是"从以前的各代人的思维中独立形成的，并且在这些世代相继的人们的头脑中经过了自己的独立的发展道路。"（《马克思恩格斯选集》第4卷第501页）无产阶级在建立自己的道德文明时，必须批判地继承历史上的道德遗产，并把自己的道德文明看作是人类优良道德传统的直接继续。列宁在论述无产阶级对人类历史遗产的关系时就曾明确指出：无产阶级的文化应当是人类在资本主义社会、地主社会和官僚社会压迫下创造出来的全部知识合乎规律的发展。"马克思主义这一革命无产阶级的思想体系赢得了世界历史性的意义，是因为它并没有抛弃资产阶级时代最宝贵的成就，相反地却吸收和改造了两千多年来人类思想和文化发展中一切有价值的东西。只有在这个基础上，按照这个方向，在无产阶级专政（这是无产阶级反对一切剥削的最后的斗争）的实际经验的鼓舞下继续进行工作，才能认为是发展真正无产阶级的文化。"（《列宁选集》第4卷第362页）斯大林也曾特别强调"从事这种科学的人"应"懂得科学中已有的传统的力量和意义，并善于为科学而利用这些传统"（《斯大林文选》上卷第174页）。在道德遗产的批判继承中，对无产阶级来说，既反对颂古非今、以糟粕为精华的复古主义、国粹主义，也反对否定一切、以精华为糟粕的历史虚无主义。正确的态度是正视其所具有的相对稳定性和正反双重性，批判地把握其功能，运用马克思主义的立场、观点和方法具体地区分出精华与糟粕，然后在此基础上借鉴某些合理因素，为现实的精神文明建设所用。我们今天应该批判地继承历史上优秀的道德遗产，其主要内容首先是历史上劳动人民的优秀道德（如前所述）。再者是在整个历史进程中不断形成和发展的公共生活的简单的基本规则，亦即"数百年来人们就知道的、数千年来在一切处世格言上反复谈到的、起码的公共生活规则"（《列宁选集》第3卷第247页）。公共生活规则是维持人类社会正常生活的基本保证之一。此外是历史上统治阶级道德遗产中某些有价值的东西。必须指出，对统治阶级的道德体系及基本原则，我们是绝对不能继承的。但是剥削阶级在他们发展初期，一些进步的思想家提出的一些道德理论、规范、概念和命题，以及在道德教育和道德修养方面提出的一些合理思想等，我们是可以而且必须予以批判继承的。优良的道德传统有助于健康的社会风气的形成，我们在建设社会主义精神文明时，应考虑到新型道德风尚与原有道德遗产的某种内在联系，力求化腐朽为神奇，而不能认为凡封建道德就是绝对的可恶，以致采取一概骂倒、概无继承的简单粗暴的态度。

在历史唯物主义看来，每一历史时代的道德，都是人类整个意识形态发展链条上的一个环节，既是对前代的继承，又是对后代的开启。发展和继承是同一个问题的两个方面，什么地方有发展创新，就会在什么地方有继承，承认开拓，就得承认继承；拒绝肯定道德传统中的精华，主观随意地抹熬先前的一切，新的道德文明便不可能形成和发展。当然，这种道德传统的历史继承性并不是无条件地兼收并蓄，而是既克服又保留，肯定之中有否定。今天我们不仅要剔除传统道德中的阶级印记以及由此而来的消极面与局限性，同时要继承这些人类共同创造的精神文明。要发扬优良的道德传统，就要站在马克思主义立场上，基于振兴中华的宏伟目标，凡是有利于社会进步、有益于启迪智慧、有助于提高精神素质和身心健康的东西，都应认真加以借鉴和吸收。我们既要在开放的社会环境中，不断地吐纳弃取，扬长避短，又要以现实条件为立足点，对中华民族道德传统来一番探幽发微，吸取封建道德传统的精华，以提高和升华全民族的道德素质。过去，由于我们往往用绝对对立的方法去考虑和处理问题，导致未能认清并正确处理好道德传统与建设社会主义精神文明的辩证关系。现在，我们若认真反思，似应悟出彻底屏弃道德传统的想法和做法，只能是不切实际的不科学的幻想和蛮干，不符合人民的利益和愿望。如果我们对历史上道德传统积淀一概否定、彻底排斥，势必产生片面性和简单化，局限我们的思想，影响社会主义精神文明建设的顺利进行。

现在，我们正处在新的重要历史时期，全党和全国人民的重要任务，是在建设物质文明的同时努力建设社会主义精神文明。而加强对传统道德批判总结的工作，对于保证社会主义现代化建设事业的顺利发展，具有重大的现实意义和长远意义。《中共中央关于社会主义精神文明建设指导方针的决议》指出："社会主义道德建设的基本要求，是爱祖国、爱人民、爱劳动、爱科学、爱社会主义。要使'五爱'在社会生活的各个方面体现出来，在全国各民族之间，工人农民知识分子之间，军民之间，干部群众之间，家庭内部和邻里之间，以至人民内部的一切相互关系上，建立和发展平等、团结、友爱、互助的社会主义新型关系。"这就要求我们在社会生活各方面克服诸如宗法观念、特权思想、专制作风、拉帮结伙、男尊女卑等封建腐朽思想道德的影响。更重要的是必须坚持四项基本原则，牢记历史的经验教训，正确处理推陈与出新的关系，努力创造出以马克思主义为指导的、批判继承历史传统而又充分体现时代精神的、改造吸收历史上思想文化的优秀成果而又足以抵制各种腐朽思想侵蚀的、立足本国而又面向世界的高度发达的社会主义精神文明来。

总之，马克思主义者并不断然拒绝传统文化遗产，其对待传统文化遗产的根本态度，是主张、提倡从劳动人民的根本利益出发，用历史唯物主义的方法给予批判的总结，经过一番"去粗取精，去伪存真"的加工制作，使之起本质的变化，从而扬善抑恶，把否定和肯定、绝承和创新结合起来，使之为社会主义事业服务。对传统文化的批判和创新、继承和变革这两方面都是我们在改造过程中不可偏废的，这是历史发展的需要，也是无产阶级伟大历史使命中一项不可缺少的任务，同时还是社会主义优越性的生动体现。人类文明就是继往开来的历史。特别是当历史处于重大转折关头。承前启后，开拓前进尤为突出。

三、科学对待西方文化：盲目崇拜或视若洪水猛兽都失之于偏颇

1. 打开国门，接触世界。

党的十一届三中全会以后，随着对外开放政策的实施，

我国和世界各国在思想文化方面的交流日益扩大，从而产生了中西文化互融的现象。这一因素，在精神领域里引起人们价值取向、伦理观念及社会心理等一系列变化。

应该肯定的是，中西文化交流有利于人们开阔视野，增长知识，活跃思想，并可以通过两种文化的比较提高鉴别真、善、美与假、恶、丑的能力，在比较中进一步认清社会主义制度的优越性，增强坚持四项基本原则的自觉性，同时，还可以通过交流学习和借鉴西方思想变革的历史经验，促进我国社会主义精神文明建设。两种文化的交融，可以迸发出奇光异彩。《中共中央关于社会主义精神文明建设指导方针的决议》指出："必须下大决心用大力气，把当代世界各国包括资本主义发达国家的先进的科学技术、具有普遍适用性的经济行政管理经验和其他有益文化学到手，并在实践中加以检验和发展。不这样做就是愚昧，就不能实现现代化。对外开放作为一项不可动摇的基本国策，不仅适用于物质文明建设，而且适用于精神文明建设。"这段论述十分精辟，具有重要的现实意义。精神文明作为人类历史发展的成果，无不打上时代的烙印。当今世界是一个开放的世界，各国之间的对话和交流已成为推动世界走向进步的重要力量。从世界发展的历史看，任何一个国家和民族精神文明的发展，都不能脱离对其他国家和民族文化成果的吸收和补充。

在坚持改革开放，反对闭关自守的同时，我们也要注意防止和纠正"全盘西化"的错误倾向。应该看到，外来思想文化的渗透和影响也有两重性，既有积极的一面，又有消极的一面。具体说来，外来的思想观念大致有5种情况：（1）有些是适用于我国的新观念；（2）有些在国外虽然是有积极意义的新观念，但不适合于我国的国情；（3）有些从根本性质上看属于旧观念，但其中包含着某些对于我们创立新观念有积极意义的东西；（4）有些在国外尚属社会科学界争论不休的问题，不适合于学习和借鉴；（5）还有一些是对我们有害无益的资产阶级腐朽思想。正由于外来的思想文化良莠不齐，情况错综复杂，所以，我们对外来的思想文化要有鉴别、有分析、有取舍，而不能来者不拒，兼收并蓄，并以此否定我们中华民族的传统文化，走所谓"全盘西化"的道路。

2．如何面对西方文化的冲击波。

近几年以来，随着改革开放的深入进行，我国青年强烈地感受到改革开放所带来的冲击波。简言之，青年面临的挑战主要有两个方面：一是社会主义商品经济的挑战，二是外来文化的挑战。

就经济基础和上层建筑的变革而言，人们现在已经看到了一些端倪。比如，在公有制基础上所有制结构的多样化，特别是允许个体经济、合资经济、股份经济的发展；政府不再直接干预企业，企业作为独立的商品生产者和经营者，有着越来越多的自主权；社会的经济行为不再是单纯依靠国家计划的指令性调节，而是与市场调节相结合，充分发挥价值规律的作用等等。而在这些变革中，更能引起人们注目的是政治体制的改革。邓小平同志说："没有政治体制的改革，经济体制改革也搞不通。"（邓小平：《建设有中国特色的社会主义》增订本第137页）同时，商品经济的充分发展也必然引起人们价值观念的变化。人们更加重视自我价值的实现，重视实际功效的得失，重视个人自我奋斗。

外来文化主要是西方文化的影响，现在也愈加明朗了。

外来文化的传播，主要通过两条渠道，一条是器物传播的渠道，在引进西方先进的管理方法和科学技术的同时，也引进了西方文化。因为很难设想，物质文明的成果不被打上精神文明印记；西方先进的管理方法和科学技术，本身就是西方文化的一种物质结晶。另一条渠道是，大众传播媒介。例如电影、电视、各种录音录像制品及书刊等等。西方文化通过这些媒介，直接地作用于我国人们的思想。特别是近年来，在我国的一些青年主要是青年知识分子中，有一股西方哲学思潮热，而这股热潮的出现，就源出于西方书籍在我国的翻译和出版。象《人论》、《理想的冲突》、《精神分析引论》等介绍西方哲学思潮的书籍，成为青年的抢手货，在书店里摆不住柜台。西方文化的引进，不可避免地要引起我国青年思想观、道德观乃至思想方式、行为方式，生活方式的变化。这种影响的双向性、变形性、发散性直接影响了对人生道路和现实生活中具体事物的看法，而且也影响了对四项基本原则的坚持。

曾有理论工作者就影响学生思想的各种因素做过问卷调查，诸因素中占第一位的是西方哲学社会思潮。近年来，随着我国开放政策的实施，在引进西方现代科学技术的同时，现代西方的各种社会思潮尤其是作为意识形态结晶的现代西方哲学，也伴随着形形色色的媒介物，越来越迅猛地倾注到我们的思想意识中，尤其是在高校的青年学生中流传的市场更大，而且随着时间的推移，不断形成一个个相对的哲学流派"热点"。

总的来看，学生涉猎的兴趣主要在于那些涉及人生观社会问题的哲学家（尼采86.3%、弗洛伊德84.5%）和哲学流派（实用主义86.4%、存在主义86.4%）。相对而言热衷于人本主义思想；而理科学生稍偏爱于科学哲学、分析哲学。现代西方哲学家的思想观点之所以大幅度地进入学生的视野，就在于传播的媒介和途径是多样化和多层次的。近年来介绍西方哲学思潮的系列丛书很多，而且甚至出现了不同出版社同时出版同一哲学家的同一著作的现象。有些小册子装璜精美、标题引人。这种影响是直接的著作影响，并且是适应青年人认识心理、精神欲求的同构影响。尤其是青年型杂志对某些流派的介绍和述评，某些出版社翻译出版的一些西方现代派作品，问题在于有的文章、译作意在批判地介绍，最终却导向逆向传播。有些同学还往往热衷于赶浪头，既要求自己多接触一些西方哲学著作，又喜欢向周围同学介绍这些内容。这些影响虽然表面上很不显眼，然而潜移默化却非常厉害。

从影响造成的既成结果看，虽然在一定程度上开阔了视野，解放了思想，活跃了问题的探讨，推动了观念的变革；但却存在着不论良莠与时俯仰，不分是非盲目吸收，不顾国情任意褒贬，不讲方向夸大自我以至造成对马克思主义缺乏热情，对待改革情绪偏激，对消极错误批判少改造更少。

造成上述情形的原因是多方面的，而下面所列举的因素不可忽视：（1）客观实践基础。随着国门逐步打开，西方社会的东西涌了进来，而我国的开放改革形势促使人们对现代西方哲学中涉及人生社会问题的那一部分内容比较容易接受。（2）主体认识基础。对历史的认识反思中形成了对社会主义、马克思主义的再认识。有些人消极地汲取"文革"中的教训，以致在这个再认识过程中把现代西方哲学视为"新大陆"加以注目。（3）社会心理因素。现代西方哲学之所以产生巨大影响，也与接受者的心理态势有关，一方面现代西方哲学在中国仍然处于初步的翻译引起阶段，批判地借鉴、改造的工作还刚刚开始。正面引导力量的薄弱，使许多人几乎自发地对待西方哲学。另一方面，教育研究工作中僵化的教条主义，诱发着逆反的心理定式，长期对待现代西方哲学全盘否定的虚无主义态度，促进了逆反心理定式。(4)宣传、舆论导向上的某种失误。近年来，各地出版社竞相"引进"西方有关论处世、社交、人际关系等方面修养类读物，这些书在西方国家曾是风靡一时的畅销书，翻译到中国来后，也受到相当部分读者的青睐。然而，由于这些书产生于资本主义社会，而在那里一切都商品化了，实用主义处世哲学渗透到各个领域，这些国外修养学类读物，由于是从资本主义的现实来探讨人际关系的，也免不了存在不少通病，如《人性的弱点》有这样一个例子：一位先生在引用"谋事在人，成事在天"时说这句话出自《圣经》，旁边一位先生明知道这句话出自莎士比亚的《哈姆雷特》，但为博得他好感而随声附和，不敢纠正那位先生的错误。这种做法在我们看来显然是不足取的，而作者戴尔·卡内基却非常赞同后一位先生的做法，说这是"保留他的面子"，使他"喜欢你"，并就此引伸出人们"应该永远避免跟人家正面冲突"、"避免争论"。象这类观点和例子就有很大片面性。书中的"尊重别人的意见，切勿指责对方"，"对别人的想法和希望表示同情"等观点，都把问题看得太绝对化了，追求的仅是狭隘的功利主义。由此可见，对翻译过来的国外修养读物，读者应拿出自己的眼光来鉴别一番，有的吸收，有的参考，有的舍弃，决不能一味照搬照用。

四、还我民族魂

1. "全盘西化论"的历史破产。

早在1987年初，邓小平同志就指出搞资产阶级自由化的人"就是要中国全盘西化，走资本主义道路。"不久前，北京发生的动乱和反革命暴乱，再一次印证了邓小平同志英明论断。因此，在反对资产阶级自由化的斗争中，"全盘西化"是一个关键性的问题。

提出"全盘西化"论的，虽然只是极少数人，但它却代表了一种社会思潮，而且事关重大，它要否定社会主义制度，实行资本主义制度，因此有必要对"全盘西化"论作一番剖析。

何谓全盘西化？全盘西化的含义从来就是照搬西方文化，其实质是资本主义道路，其论据很多，但首要一条是中国的一切都不如西方资本主义国家。在我国近代史上，全盘西化的思想早就有了，到了30年代，更以完整的形式出现。如胡适在1929年的《中国今日的文化冲突》中，就反对西洋文化"选择折衷"，而主张"全盘的西化"。（转引自《中国现代思想史资料简编》第3卷第198—199页）

历史行将跨过80年代、扣击20世纪90年代之际，"全盘西化"论又死灰复燃。当代全盘西化论者以"时代精英"自居，重弹50余年前的老调，在社会上产生了很坏的影响。

我们知道，在发达资本主义国家也是先进与落后、文明与野蛮并存。它既有巍峨壮丽的建筑，又有贫民窟和公开合法的娼妓制度；既有先进的科学技术，又有落后的宗教迷信。彻底实行全盘西化，岂不要导致连人家的渣滓、毛病也要吸

190

收吗？！再说，一个民族的文化只能植根于本民族的土壤，不同的民族有不同的文化传统。历史上还找不到一个重要民族靠全部照搬异族文化而发展的，何况中国是一个具有悠久历史的社会主义大国。

早在1986年底，方励之、王若望、刘宾雁等搞资产阶级自由化的头面人物，明确提出了反对共产党的领导、反对社会主义道路的口号，鼓吹什么："到底要不要所谓的全盘西化，还是部分的西化，是要坚持中学为体西学为用，还是要其他某种的坚持……不要先在没开放之前，就说你有哪个地方需要坚持，哪个地方是我们的忌讳，不能动的东西"。显然，他们是把全盘西化作为"四个坚持"的对立物提出来的，即为了实现全盘西化必须放弃对四项基本原则的坚持。这就清楚地表明了"全盘西化"论的实质。由于鼓动自由化思潮的是一些名人，在青年学生中具有很大的欺骗性和煽动性，党组织坚决把这几个头面人物开除出党。邓小平同志由此又一次郑重地告诫全党，在改革开放中要加强四项基本原则的教育，旗帜鲜明地反对资产阶级自由化。试想，如果让资产阶级意识形态向马克思主义进攻，而我们不与之斗争，让唯心主义、个人主义、拜金主义、性解放、黄色书刊、录像大量泛滥，马克思主义的影响、作用日益削弱，结果将会怎样？如果注重宣传"资本主义的生产方式"是中国的"紧迫的需要"，"社会主义体系失败"了，而我们不予以反驳，不与之斗争，那么人们特别是青年们的思想又将会怎样？显然，就会偏离社会主义方向，脱离党的领导，国无宁日，资本主义和平演变就会成为现实的危险。

不是吗？早在50年代美国国务卿杜勒斯就把和平演变的希望建立在中国党的第三代第四代身上；进入80年代以后，

国际资本主义的反动势力认为，利用社会主义国家的暂时困难和改革开放，是实行"不战而胜"、"和平演变"战略的最佳时机，因而加紧进行政治、思想上的浸透和从内部的颠覆。他们以"民主、自由、人权"为旗号，兜售资本主义的议会制和多党制；并利用国际共产主义运动出现的曲折，大肆宣传"共产主义已经死亡"，提出要鼓励"社会主义国家的自由化趋势"，支持"一切削弱共产党领导的工潮、学潮和民族纠纷"，对"持不同政见者"进行政治庇护，大力扶植"反对派"。他们利用我国扩大开放的时机，通过各种宣传媒介，宣扬资本主义的个人主义价值观念和腐朽没落的生活方式，以求在思想文化观念上实行"软着陆"，腐蚀共产主义的精神支柱。

领导中国人民翻身解放和创立改革开放大业的老一辈无产阶级革命家，对于人民共和国被颠覆的危险始终保持着高度的警惕。早在10年前，邓小平同志就提醒全党，决不能低估那些附庸于国际反动势力的国内自由化思潮，指出那些所谓"民主自由派"，那些无政府主义分子和极端个人主义分子等等，"尽管这几种人的性质不同，但是在一定的情况下，他们完全可以纠合在一起，成为一股破坏势力，可以造成不小的动乱和损失"。（《邓小平文选》第217页）近几年，他反复告诫全党，反对资产阶级自由化，不仅现在要讲，而且要长期讲，整个现代化过程都存在一个反对自由化的问题。对如何防止自由化思潮泛滥和由此产生的恶果，他反复强调领导要旗帜鲜明，群众才能擦亮眼睛。但是，若干年来，党内没有能够很好地始终如一地将这些重要的思想和方针加以贯彻。特别是一些领导人在这个问题上有重大失误，如赵紫阳同志担任总书记以后，没有把反对自由化的斗争始终如一地贯彻下去，消极地对待坚持四项基本原则，怂恿助长了自由化思潮的泛滥，以致酿成了极为严重的后果。这次发生在北京的动乱和暴乱不是偶然的，正是国际大气候和国内小气候所决定了的。极少数人早在去年年底就开始了酝酿和策划，他们通过所谓的"民主沙龙"、"自由论坛"以及各式各样的报告会、研讨会，高校内外的大小字报和演讲，港台报刊，大造思想舆论。其根本的口号是两个，即打倒共产党，推翻社会主义制度，并形成了反对四项基本原则的一套比较系统的理论观点，比如："要彻底否定毛泽东思想"、"改革的目标是走向如美国、西欧、日本这些公认的发达社会"；诸如此类赤裸裸的表白，说穿了，言下之意就是要建立一个完全西方附庸化的资产阶级共和国。

早在1940年，毛泽东同志在《新民主主义论》中就旗帜鲜明地指出（当时以胡适等为代表的"全盘西化"论正在风行一时的时候）："所谓'全盘西化'的主张，乃是一种错误的观点"，对"一切外国的东西"应采取"排泄其糟粕，吸收其精华"的态度，"决不能生吞活剥地毫无批判地吸收"。（《毛泽东选集》第667页）在历史已再次宣告"全盘西化"论的破产的今天，我们更深刻地认识到：在坚持经济建设为中心、加速改革开放的同时，不旗帜鲜明地坚持四项基本原则、反对资产阶级自由化，放松精神文明建设和思想政治工作，不仅社会生产力发展不起来，而且会导致党的凝聚力的削弱，造成社会动荡，这就难免犯历史性的错误，给国家和人民带来巨大的灾难。这种教训应当认真吸取。让我们思索过去告诉未来——只有"坚持一个中心两个基本点"，才是我们中华民族腾飞的唯一出路。

应该看到，坚持四项基本原则和反对"全盘西化"论的斗争是长期的，它关系到祖国的命运，我们不能也不应回避。当然，反对全盘西化决不是不要学习资本主义国家先进的科学技术、管理经验和有益的文化。列宁曾嘲笑拒绝学习西方资产阶级长处的态度，他提出一个重要论断："社会主义实现得如何，取决于我们苏维埃政权和苏维埃管理机构同资本主义最新的进步的东西结合的好坏。"（《列宁全集》第27卷第237页）这个论断对今天仍有重要指导意义。只要我们善于把坚持四项基本原则同学习资本主义国家最新的进步的东西，很好地结合起来，我们就一定能迎来社会主义现代化强国的明天。

2．批判《河殇》谬论，振奋民族精神。

新时期的十年来，我国社会所发生的变化，就其广度和深度而言，其意义超过了过去的一个世纪，最震憾人心的变化就是当代价值观念及其结构体系的突变。从思想解放运动到近几年的"文化热"，始终贯穿着怀疑、反思和批判精神。这对于纠正过"左"的偏颇以及建立改革开放的意识有着积极的历史作用。

但是，缺乏历史感又缺乏高度理性的当代一些青年人，没有能从复杂的怀疑、反思和批判的潮流中作出深刻而明智的精神抉择，他们在这激荡的时代中迷茫了。这种无所依归的失落感使他们在这种思想潮流中陷入盲目性，要么无所适从地徘徊，要么偏激地否定一切。"上帝死了"——尼采的这句名言倒是很能够用来为他们的某种心态作一个生动的写照。

我们曾听到有人抱怨说，现代化进程不快，是因为传统文化影响人们的思想观念，只有清除了传统文化，中国才能腾飞。这无疑是大大的误解。传统文化是形成思想的资料之一，它并不能左右人的一切，同样的传统文化却培养不出同样的人。同时，传统文化并不是一个凝固的封闭系统。文化作为一种历史现象，它往往以传统的面目出现在人们面前，企图影响生活，这是不容怀疑的。然而，文化始终处于融合、扩散、发展的过程中，既属于过去，也属于现在和将来；既具有独立性，又具有共时性。它总是以一种正在进行的方式，时时处处活跃与呈现在可感可触的现实情态中，不断与包括外来文化影响在内的现实生活磨擦、碰撞、融化，并由此渐进性地孕育着一切新的文化形态的诞生。所以，一切民族文化都是动态性的和整体性的存在，不可能千古不变，而往往是在沉积着深刻的历史内蕴的同时，又融进了生机勃勃的时代意识。众所周知，亚洲"四小龙"经济发展很快，就与吸收并弘扬我国古代儒家文化的某些内容分不开。谁又能否认我们的文化中没有时代的内容，没有人类创造的共同财富？由此可见，在创建中华民族现代文明的巨大工程中，我们需要进行各项改革，也需要对传统文化认真反思，弃恶扬善，创造为现代化鸣锣开道的现代文化。

这次从4月中旬的学潮到反革命暴乱基本平息，整个过程差不多经历了两个多月的时间。这惊心动魄的两个月，事态的发展起伏跌宕，许许多多的人经历了感性上的春夏秋冬和灵魂上血与火的洗礼。这场风波迟早要来，这是国际大气候和中国自己的小气候所决定了的，是不以人的意志为转移的。邓小平同志的这个论断，高瞻远瞩，精辟地阐明了这场斗争的必然性。

"中国自己的小气候"之一，就是某些自称为知识界"精英"的人曾大肆鼓吹历史虚无主义和民族虚无主义。如刘晓波在《选择的批判》一书中，就赤裸裸地宣告："在对中国传统文化的态度下……我全盘否定，看不到精华，只见糟粕。""我对传统文化的自我反思是走向极端的自我否定，传统文化给予我的只有绝望和幻灭。"（见该书第13页）刘晓波之所以热衷于参与制造动乱和暴乱，原因之一是与他上述极端偏执的文化观密切联系着的，正如他自己一语道破："在表层下是对不同文化、不同理论的选择，而在深层上则是对现实的不同抉择"（同上第121页）。方励之利用中国知识分子富有爱国主义精神、为人民民主而不懈努力奋斗的光荣传统这一点，以知识分子的"代表"自居，到处讲人权，谈民主，说自由，欺骗和蒙蔽一些善良的人们，特别是涉世未深的天真幼稚的青年学生。纵观一个时期以来方励之的言论，便不难发现，内中充斥了诸如"我每次从国外回来，都恨不得踢中国几脚"、"中国现在没有一样不落后"、"大陆的出路就是资本主义"、"没有必要保存中国特色或中国传统"、"推动中国社会进步，一定要依靠外力"之类的露骨叫嚷，其用心及危害是不言而喻的。

对传统文化的全盘否定论在电视片《河殇》中发挥得淋漓尽致。《河殇》去年两度播出后，在海内外名噪一时，疑之者有之，批评者有之，赞扬的更是不少。正是这部"大地出了风头"的电视片，把我们中华民族的历史、地理、经济、文化以及列祖列宗和现代儿女，都埋怨得无以复加、都骂得一无是处。曾经抚育了无数中华儿女、孕育了优秀的中国文化的黄河，被说成是地理位置不佳，"已经孕育不了新的文化"。片名《河殇》，殇短命夭亡也。作者断言，黄河文明是"失败的文明"，黄河文明即中华文化，已经夭亡了。关于中国的历史和人民，毛泽东同志早在1939年就写道："中华民族不但以刻苦耐劳著称于世，同时又是酷爱自由、富于革命传统的民族"，在中国历史上"有许多伟大的思想家、科学家、发明家、政治家、军事家、文学家和艺术家，有丰富的文化典籍。""中华民族又是一个有……优秀的历史遗产的民族"（《毛泽东选集》第585—586页）。可是，在《河殇》的作者看来，这片黄色的大陆和肆虐的黄河"不能教给我们什么是真正的科学精神和民主意识"；中国的全部历史，包括奴隶、农民革命起义以及反抗帝国主义侵略等，都不"具有什么革命意义"，相反，却表现了"惊人的破坏力和残酷性"；中国没有骄傲的历史可言，中国的民族性格只是"圆滑世故、听天由命，逆来顺受"以及愚昧、落后、麻木、保守、安贫等等，这些民族的劣根性一直延续到今。《河殇》的作者把我们亿万儿女生于斯、长于斯、育我养我教我的祖国母亲的古往今来描写得漆黑一团，把中华民族贬低成如此低劣、愚昧的民族，把中国人民的真正的爱国主义感情和民族自尊心剥夺得干干净净，这就必然要得出诸如方励之所谓中国应该"解散、解体"、刘晓波答香港记者问时所谓不妨"再当300年殖民地"的结论了。中国必须走"全盘西化"的道路，这就是《河殇》的要害和实质。不是吗？《河殇》用了大量的篇章和最美好的字句，礼赞资本主义国家的历史、地理、人种及其文化。它慨叹"欧洲民族那样生活在地中海周围"，"美国人那样住在两个大洋之间"，从而给他们带来了"蔚蓝色的海洋文明"。既然资本主义国家是这样的美妙，那么中国为什么不走这样的道路呢？"千年孤独之后的黄河，终于看到了，并且最终要汇入蔚蓝色的大海"——在这里，资本原始积累的血腥历史、资本主义在自由贸易的幌子下对本国、世界以及中国人民的剥削、压迫、侵略、掠夺和残杀，以及资本主义的现存危机，统统没有了。只有"蔚蓝色"即资本主义文明才能救中国，这就是《河殇》立论的宗旨和主题。《河殇》的这种崇洋媚外、数典忘祖、妄自菲薄的行径，引起了海内外炎黄子孙的反感，一位香港同胞就一针见血地指出："《河殇》经常重复'蔚蓝色的大海'，以此代表西方文明，并以浊黄不洁的黄河代表中国文明……抹煞了中国人民的奋斗历史"。《河殇》粗暴地否定华夏文明、无限深情地向往西方文明，必然被黄河母亲哺育长大的千千万万"龙的传人"所发指。

一个民族，是要有点民族精神的，更何况自立于世界民族之林的中华民族！作为我们民族主体意识的民族精神，主要是指体现了本民族特点的民族志气和高尚的民族气节。民族志气既表现为人格，又表现为国格，是民族自信心的体现，是一个民族自立、自强不息的力量根源。中华民族在人类历史发展的长河中对古代文明的贡献是无与伦比的，不畏任何困难险阻，敢于蔑视一切强敌，靠的就是自立于世界民族之林的志气。在近代，中华民族虽然暂时落伍了，但是靠了这股浩然之气，在中国共产党的领导下，中国人民进行了几十年的不屈不挠、艰苦卓绝的斗争，使我们民族重新屹立在世界的东方。而那些把自己民族一时的、某些方面的落后，说成是"全不行"的人；那些拿资本主义政治势力的钱来压中国、主张全盘西化的洋奴，缺的正是我们民族的浩然之气。

与我们民族志气紧密相连的是我们民族历来崇尚的高风亮节。鸦片战争以来的百多年中华民族灾难深重，但中华儿女前仆后继地顽强拼搏，硬是在满目疮痍的世代生息的土地上建立起新中国。建国后的三年经济恢复时期，面对美帝国主义的封锁，我们发扬自力更生、艰苦奋斗的精神，不怕困难，迎接挑战，硬是闯了过来。中国人民的确有"富贵不能淫，贫贱不能移，威武不能屈"的这么一种操守，之后几十年中从无到有、从小到大，虽然不无坎坷，但毕竟没有被人家踩在脚下。如果没有这种民族气节，外侮当前，面对敌人的威胁利诱，就会变节投敌、卖国求荣；就会以反对"狭隘的民族主义"、"狭隘的爱国主义"为名，嫌贫爱富或认贼作父，逃避自己应负的民族责任，抛弃生养自己的祖国和人民；就会在祖国的四化建设中胸无大志，蝇营狗苟，以自己的小富为安，丢弃国家富强的大志。二次大战后的日本和德国人民背着法西斯发动战争和战败的耻辱和民族灾难，都没有抛弃自己的祖国，而是奋斗几十年改变了民族面貌。我们注重民族气节的中国人，更不会学那些没有民族气节的可怜虫。

令我们遗憾的是，民族志气和民族气节在一些人身上已荡然无存。民族精神的失落，在一些卷入动乱中的青年人身上表现得极为突出。今年7月4日一位留澳（澳大利亚）访问学者在给《北京日报》编辑部的信中还感慨地说："很令人费解的是，我们有些留学生连一般性的政治头脑也不具备，完全成了国外新闻媒介的忠实听众和读者。最使人感到可悲的是，我们在国外的一些人（为数还不少）一丝民族自尊心也没有。本来是自己家里发生的事，他们却向外国人'诉苦'，好象要求得到人家的'同情'。有些留学生……干出了一桩桩令人难以想象的事情来：当着外国人的面放火烧掉了印有中华人民共和国国徽的护照；在国外电视上大骂中国政府，声明要做'坚决的斗争'；拉着外国人的手一同在街上游行，高呼贬斥自己国家和政府的口号等等"。"一位尼泊尔朋友不无感慨地对我说，谈到自己的国籍，那些美国人、日本人、英国人都会拍着自己的胸脯以示自豪。而你们中国是世界大国，不要说自豪，你们有些人都不会尊重自己，更谈不上维护自己的国家和民族尊严了！""为什么有些西方人总是瞧不起我们中国人呢？诚然，我们的经济还落后，人民的生活水平确实很低。然而，更重要的原因是我们有相当一部分人自己看不起自己，没有自我尊重的意识，更无维护民族尊严的修养"。

的确，加强爱国主义教育，弘扬民族精神，社会主义中国方能发展成为一个名副其实的现代化的世界强国。每一个有志于振兴中华的青年都应在这个问题上作出无愧时代、无愧祖先的抉择。追溯历史，我们的思想家孔子就提出过人格尊严和民族自立的见解。一个国家要是没有了自己的尊严，她的人民又不懂得维护这种尊严，这个国家怎能得到人家的尊重？她的人民又怎能在洋人面前不卑不亢？正如今天，我们如果不在中国共产党的领导下，依靠自己的独立意志去建设社会主义，而是象有些人所想象的那样去"学习"西方社会制度，搞什么多党制，寻求那种西方的"民主"，那么我们民族的尊严还会存在吗？我们中国人在洋人面前还会有什么自豪的东西吗？这是需要我们认真反省和深思的。

中共中央总书记江泽民同志最近在全国宣传部长会议上讲话指出，我们要使全国人民了解经济形势，既要鼓舞信心，又要看到困难，必须艰苦奋斗。尤其"要注意宣传中华民族的优良传统，例如民族气节、勤俭持家"。让我们以强烈的使命感和责任感，去弘扬中华民族的精神吧！

坚持四项基本原则、防止"和平演变"

中国职工思想政治工作研究会　**张蔚萍**

邓小平同志指出,这场风波是国际的大气候和中国自己的小气候所决定了的。这个"国际大气候"主要就是以美国为首的国际资产阶级始终没有放弃颠覆共产党领导的社会主义国家政权的战略。党的十三届四中全会提出要高度警惕"和平演变"的阴谋活动。1989年7月中央发出的通知指出:"必须旗帜鲜明地同这种'和平演变'的图谋和行动作长期的、坚决的斗争。"8月江泽民总书记在全国组织部长会议上再次强调:"分析党内状况时,不可低估国际敌对势力企图使社会主义国家和平演变对我们党造成的影响。"宋平同志在会上也指出:"国际资产阶级代表人物,企图利用我国改革开放的机会,实现其和平演变的目的。"这几年我们有些同志在对外交往中,只看到友好合作,只讲"友谊"、"干杯"、"让世界充满爱",对帝国主义的和平演变战略丧失警惕,甚至完全解除了思想武装。党中央的指示精神告诉我们,研究"和平演变"战略,对于正确认识这次动乱的性质和根源,对于加强党的建设和思想政治工作,对于正确进行改革开放,都有重大意义。

一、美国对华推行"和平演变"
的历史背景和历史概况

自从列宁创建第一个社会主义国家以来，帝国主义一直把社会主义国家看成是"自由世界"（即资本主义国家）的最大威胁。他们妄图推翻共产党领导的社会主义制度的阴谋活动，从来没有停止过。"和平演变"战略，就是美帝国主义妄图颠覆社会主义政权的阴谋手段之一。1949年中华人民共和国诞生后，美国等帝国主义经过多次军事较量失败后，提出要采取"和平演变"战略来颠覆社会主义中国。几十年来，他们始终不动摇地推行这一战略方针。

美国对中国推行"和平演变"的历史，大体经历了四个阶段：

第一阶段，从1949年夏到50年代初期，这是美国对中国实行"和平演变"政策的初步酝酿阶段。其代表人物是当时的美国国务卿艾奇逊。他是制定对华"和平演变"的始作俑者。1949年夏初，人民解放军占领南京，宣告国民党反动统治的灭亡。在这种情况下，艾奇逊于1949年7月20日在致杜鲁门总统的一封信中，建议要制定一种新的政策，即鼓励和支持社会主义国家的"民主个人主义者"推翻共产党，使中国和平地演变成资本主义国家。8月，美国国务院发表了《美国与中国的关系》白皮书，颠倒是非，混淆黑白，制造谣言，使我们国内某些人对美国的政策产生了幻想。当时，毛泽东同志连续为新华社写了五篇评论，揭露美国的反革命两手阴谋，教育人们"丢掉幻想，准备斗争"。由于在当时及其后的一段时间里，美国对华奉行的主要是侵略政策和战争政策，因而搞"和平演变"还不占主导地位，还是一种辅助性的政策。

第二阶段，从1953年到50年代末，这是美国把"和平演变"作为战略方针确立下来并积极推行的时期。代表人物是当时的美国国务卿杜勒斯。经过抗美援朝战场上的较量，美国政界有些人士认为，今后用武力对付共产党不是主要办法，而应采取"和平演变"的政策。1952—1953年间，杜勒斯在多次演讲中，提出要把"和平演变"作为美国的战略方针加以推行。他认为，这是比武装颠覆"更为有力或更为主动的政策"。到1956年，杜勒斯乘我国实行"百花齐放，百家争鸣"方针之机，在第一次国策声明中宣称：美国的政策是要促进苏联、中国等社会主义国家逐步实行"西方的自由化"，并把希望寄托在这些国家的第三代、第四代人身上。1958年他在一次演讲中再次强调应把"和平演变"作为西方"颠覆社会主义国家的主要手段"，并强调要经过长期努力，把西方的"自由和民主"，西方的"价值观念"，逐步输入到社会主义国家，以"缩短共产主义的预期寿命"。杜勒斯还强调，在共产主义世界中，"中国共产主义是一个致命的危险"，提出要"用和平方法使全中国得到自由"，并要采取措施使中国和苏联集团内部"加速演变"，这是美国应"全力以赴地执行的战略"。这个"和平演变"战略得到总统艾森豪威尔的支持，他称赞说这是一种"高尚的战略"，是不用武力"就能打败任何社会主义国家的战略"。

第三阶段，从60年代初到70年代中期，这是美国推行"和平演变"战略和"战争边缘政策"交替使用的时期。尽管这段时间他们主要执行的是"战争边缘政策"和"冷战"，但始终没有放弃"和平演变"战略。美国总统肯尼迪就是这个时期的主要代表人物。我提出既要"高谈'解放'和'和平演变'"，又要"制定计划"，"采取具体的措施"。"只有通过和平的转变"，才能使社会主义国家"出现裂缝"。由于当时我们党始终保持着高度的警惕性，所以他们的"和平演变"和武装颠覆都无法得逞。

第四阶段，从70年代末到80年代末，这十年是以美国为代表的西方敌对势力向社会主义国家积极推行"和平演变"战略的时期。在此期间，美国不论那届政府上台，都没有放弃改变中国社会主义性质的企图，他们总是千方百计地鼓励和支持中国内部发生的有利于他们的种种活动。尼克松写的《真正的战争》、《领导人》等书，提出要"鼓励"社会主义国家"本身内部的'和平演变'"，要积极运用"宣传战"，达到"不战而胜"，并说"西方的希望就在这个过程中"。"实现这样的解决办法，至少需要几代人的时间"。1984年在《真正的和平》一书中，他针对中国情况指出："随着一代人接替另一代人，我们将开始看到东方集团内部出现和平演变的过程，正如匈牙利和中国已经在很小的程度上出现和平演变"。他提出利用美国之音、自由欧洲电台等宣传工具开展"思想战场"；同时提醒"情报局系统的秘密活动也不应放弃"。里根和布什当政时期，更加积极推行"和平演变"并采取了更加有力的办法和措施。他们认为，要使共产主义世界加速演变，仅靠美国的力量不够，整个"西方自由世界"必须联合起来。他们定期召开西方主要工业国家的首脑会议，协调对社会主义国家实行"和平演变"的战略和策略。美国始终把苏联和中国作为"和平演变"的战略重点。最初他们把突破口选在波兰和匈牙利。美国国际战略专家认为，波、匈都是小国，在共产主义世界起不了决定性的作用。于是从80年代中期以后，就在一定程度上把注意力投向中国。他们认为，中国如果"和平演变"为自由世界的亲密伙伴，整个共产主义世界就可能瓦解。布什曾宣称，他要作共产主义最后灭亡的见证人。出于这种战略图谋，美、法、英等西方国家敌对势力，企图利用我国实行改革开放的时机，积极推行"和平演变"政策，并采取很多措施。当他们的阴谋受挫失败后，就公开宣布对我国实行所谓"制裁"措施，明目张胆地进行政治恐吓和经济威胁。1989年7月中旬，美、英、法、西德等七国首脑在巴黎举行会议，进一步协调对社会主义国家"和平演变"的策略行动，提出当前要把经济援助的重点放到欧洲，突破口是波兰、匈牙利。对中国一方面要实行"制裁"政策，另方面"和平演变"仍不能放弃，要总结经验教训，保护在这次"民主运动"中的骨干力量，使他们重新组织起来，在政治上继续发挥作用。这表明西方国家敌对势力是要长期推行"和平演变"战略方针的，我们必须保持高度警惕性。

从国际形势发展趋势看，和平与发展仍然是当今世界的两大主题。在和平发展的总形势下，资本主义和社会主义两种制度的斗争仍是尖锐复杂的。社会主义国家在这一斗争中面临的主要危险是"和平演变"。西方国家敌对势力在这一斗争中会不断使用两手，更会越来越重视"和平演变"这一手。这是因为：第一，推行"和平演变"比实行武装侵略花钱少，效果好，有利于资本主义国家经济的发展；第二，推行"和平演变"可以避免战争伤亡，在国内得人心，有利于政局的稳定；第三，推行"和平演变"不容易激起社会主义国家人民的反感情绪，可以使后几代人不知不觉、舒舒服服地"走向西方自由世界";第四,在社会主义国家经济和改革都面临较多困难的情况下,更有利于"和平演变"战略计划的推行。总之,今后无论我国同西方国家的关系是紧张还是缓和,西方统治集团妄图颠覆和消灭社会主义国家的决心是不会改变的,推行"和平演变"的战略方针也是不会放弃的。因此,渗透与反渗透,颠覆与反颠覆,"和平演变"与"反和平演变"的斗争是长期的,我们对此要有清醒的认识,必须保持高度的警惕。

二、美国在近十年间推行"和平演变"
战略的新途径和新策略

美国推行"和平演变"战略是随着形势的发展变化,而不断变换花招的。近十年来,以美国为代表的西方资本主义国家曾多次召开会议研究对社会主义国家实行"和平演变"的新途径和新策略。比如,1983年10月美国国务院根据总统里根的建议召开会议,研究和制定"和平演变"的具体办法和措施。以后又多次开会研究,制定"和平演变"新策略。概括来说主要有八点。

第一,加强国际广播,实行思想渗透。美国和西欧资本主义国家,特别重视对社会主义国家人民尤其是青年学生进行"攻心战"。他们以"民主、自由、人权"为旗号,鼓吹西方"自由世界"的社会观、政治观、人生观、道德观、价值观,以抵消马克思主义的影响。为此,美国政府曾拨款10亿美元,用来加强"美国之音"等新闻机构对社会主义国家的国际广播。"美国之音"的台长由总统直接任命,几乎所有重要部门都由外交官担任，经费由每年数千万美元增加到1.6亿美元（1986年统计），广播时间每周达1200小时，在亚、非、欧都设有转播站。前国务卿舒尔茨宣称："我国的电台广播成了共产党国家的替代性自由新闻"。美国一位政治家认为，"攻心战正在加速共产主义的崩溃和衰落"，社会主义国家的人民特别是青年学生和知识分子，"已经非常崇拜西方的民主和自由"，"意识形态的西方化已得到青年学生的普遍赞赏"。

第二，通过学术研讨会和文化交流，加强对知识界的思想政治影响。为此，美国政府和有关财团，拿出数亿美元资助一些学术团体、专家名流、文化部门。通过这些团体和人员进行思想渗透和政治影响。首先，通过召开各种学术研讨会议和有关国际性会议，力争给那些崇拜西方民主和自由的学者各种荣誉和奖金，使他们在国内外有名声有地位；其次，直接资助社会主义国家的社会科学研究机关，促使他们承担有利于传播西方民主、自由、人权的科研课题；再次，通过教学理论工作者互访、讲学和发表论文等形式，宣扬西方民主制度创始人的功绩和进步性，"抨击共产党领袖的专断和残暴"，达到丑化共产党领袖的目的。西方一些政治家认为，要搞乱"共产党国家"人们的思想，就要贬低他们所信奉的理论体系，这首先就要搞臭创立和坚持这些理论体系的那些领袖们，第一是毛泽东，第二是斯大林，第三是……为达此目的，他们不择手段，甚至造谣中伤，对领袖加以丑化。

第三，积极资助出版、报刊、新闻等部门，促使人们普遍关心和喜爱西方"自由世界"的书刊报纸。为此，他们通过资助、推荐等方式，使西方的政治哲学、社会学说大量地渗透到社会主义国家，以动摇人们对社会主义和共产主义的信仰。通过介绍一些技术革命知识，来散布他们的社会历史观，有些观点不但错误而且反动，带有很大的欺骗性和毒害性。这些社会学说认为未来社会是信息社会，而不是共产主义社会。说马克思的共产主义是在没有电灯的时代幻想出来的，而信息社会是用电子计算机算出来的。企图从根本上动摇人们对共产主义的信仰，从根本上否定共产党领导的必要性。这种釜底抽薪的做法，起了极坏作用。

第四，支持社会主义国家的"独立政治组织"，使"自由民主势力逐步形成和发展"。一是直接支持共产党内部崇拜西方民主政治和生活方式的代表人物，支持在政治上鼓吹自由化的人士，使他们成为社会主义国家实现西方民主和自由的骨干力量，如方励之、李淑娴之流。二是支持和鼓励主张自由化的著名人士以其广泛的社会联系和威望，影响更多的社会人士和青年学生，促进成立独立的政治组织、社会团体作为实现西方民主、自由的实体。如"高自联"、"工自联"等组织。三是鼓励西方国家的劳联、产联等民间组织，"积极援助共产党国家的工人自治组织为争取自由而进行和平斗争"。四是鼓励教会积极活动，扩大宗教信徒，争取在社会主义国家决策上发挥作用。五是用金钱收买自由化思想严重的文人，利用他们的文笔制造思想混乱，贬低和丑化共产党及其政工干部。严家其、苏绍智就是此类的头面人物。大家知道，1988年春的"蛇口风波"，攻击污蔑坚持四项基本原则的曲啸、李燕杰、彭清一等同志，丑化共产党政工干部，贬低思想政治工作。这个风波的制造者原《深圳青年报》副主编曹长青，就是一个被美国和香港用美元收买了的民族败类。后来他跑到美国参加了反动组织"中国民联"，公开进行反党反社会主义宣传。总之，美国政府把在社会主义国家"建立政治组织"和支持严家其、鲍彤等党内的所谓"民主势力"，作为实现"和平演变"的重点目标。

第五，利用社会主义国家实行改革开放来推进"民主化"，逐渐改变社会主义国家政权的性质。一是利用开放建立贸易关系，为这些国家"从事建立民主机构的力量提供教育、组织和技术等方面的援助。"二是利用经济、政治体制改革，使社会主义国家走"政治民主化、经济自由化、思想多元化"的道路，进而使社会主义国家政权逐渐改变性质。舒尔茨把社会主义国家的改革开放说成是"共产党政权对人民的情绪和经济方面的需要所作出的让步"，并且希望这种"让步"能"播下改变共产党政权的种子"。美国政府官员们还寄希望于社会主义国家的某些"内部势力"施加"充分的压力"，以实现其所谓"共产党国家民主化"。为了保证斗争胜利，美国政府决定不惜一切代价在物质上给以支援。在必要的情况下，"美国政府领导人将继续在言论和行动两个方面谴责共产党国家侵犯人权的行为"。这次北京暴乱被平息后，美国总统布什于6月5日公开干涉中国内政，宣布对中国采取五项"制裁"措施，就是例证。

第六，吸引和资助留美研究生，培养未来改变社会主义国家政权最可靠的力量。美国和西方一些政府官员认为，要使共产党的性质和政权性质从内部逐渐变化，最可靠的办法是大批吸引留学生，给以物质和道义的资助。认为这是在所有社会主义国家特别是"中国这个古老文明国家"实现西方"民主化"、"自由化"的主要依靠力量。美国曾拨款几十亿美元用于留美研究生。他们对中国研究生"特别关注"，下了很大功夫，认为这是在中国"实现西方民主化和自由化的希望"。美国政府委托有关学校、研究机关及专家教授，以各种形式给那些"有希望的人才"继续深造创造条件，使他们出成果，成名得利；使他们从思想观念、政治观念、思想情感、生活方式和生活习惯等方面都西方化，成为未来改变社会主义国家政权"最可靠最信赖的力量"。他们希望将来能有一部分人回到中国进入领导层特别是高级领导层，那么，"实现共产党社会向自由世界的演变，不仅是完全可能的，而且在下一个世纪会变成现实的。"中国将来"一定会成为美国和自由世界的亲密伙伴"。可见，他们把"和平演变"寄托在后几代高级知识分子身上了。

第七，把经济援助作为重要手段，诱迫社会主义国家向西方靠拢。他们认为，社会主义国家政治上的演变，需要经济上的实力作后盾。"如果没有经济上的前进，这些国家正在发生的政治变化将难以持续"。因此提出"要慷慨在经济上给以援助"，以"诱迫共产党国家在政治上、经济上和思想观念上逐步向西方靠拢"。近几年，美国和西方一些主要工业国曾用经济援助手段，取得了"一定的效果"。中国平息暴乱后，美国为首的七国首脑会议确定，今后一段时间要"以东欧为重点，以波兰、匈牙利为突破口"。布什要求西方各国要协调一致地"引导（波、匈的）民主改革的进程"，"以西方的援助来促进和奖赏共产党国家的政治多元化和自由市场经济的发展"。布什宣称："谁同我们站在一起，谁就会得到支持。"他访波时公开表示给波兰以经济援助，以促使波兰的"民主自由势力的进一步巩固和发展"。西德前总理施密特要求政府"给予波兰财政的支持要超过美国打算给予的支持"。美、英、法等国"制裁中国"只不过是推行"和平演变"的一种手段。

第八，充分运用台湾和香港的各种力量，作为对华"和平演变"的前沿阵地。为此，他们曾采取了以下几项重要途径和措施：一是依靠亲美、英的电台、报纸、刊物，对内地展开"宣传战"、"功心战"，包括制造谣言，分化瓦解和降低共产党的威信。二是利用经济合作、贸易关系、开办经营性公司等手段，腐蚀共产党干部及子女，使他们变成"和平演变"的重要力量，并经过长期努力使中国内地出现一个强大的"中产阶级"。三是积极宣扬西方自由世界的生活方式，逐步"使自由化进入每个家庭"。四是"为大陆进行改革的民主势力和独立政治组织提供物质和资金援助"。五是利用特务和情报机关建立特务组织，进行秘密活动，"提供有价值的情报"。六是建立新的民众团体，支援国内的民主运动。"香港市民支援爱国民主运动联合会"直接为搞动乱的分子和集团提供大量物质援助。当严家其、苏绍智、刘宾雁、万润南和吾尔开希等人于1989年7月20日在巴黎成立"民主中国阵线"这个反动组织以后，他们又拿出120万港元给以资助，作为活动经费。

上述八个方面表明以美国为首的西方国家对社会主义搞"和平演变"的战略和策略已形成初步的体系，并逐渐走向成熟，这是需要我们认真研究和对付的。

三、美国推行"和平演变"战略的主要特征
及我们应采取的对策

美国推行"和平演变"战略方针，主要特征有三点：
第一，推行"和平演变"战略方针始终坚定不移，而策

略手段却灵活多样。长期以来，美国以武装颠覆为主，自50年代后半期开始，便逐步以推行"和平演变"为主。最近几十年来，美国无论那一届政府都不放弃这一战略，并采取了一些策略手段。最近10年来，他们的策略手段特点是：武装颠覆与"和平演变"两手交替使用，以"和平演变"为主；打拉相结合，以拉为主；思想渗透与物质引诱相结合，以思想渗透为主；政治影响与经济援助相结合，以政治影响为主；合法活动与非法（特务）活动相结合，以合法活动为主。这几个"结合"今后也是不会变的，秘密的特务活动任何时候都不会放松的。

第二，推行"和平演变"既有严密的组织和雄厚的物资作保证，又有强大的军事力量作后盾。其组织系统有四大系列：一是新闻出版系统，以"美国之音"最庞大；二是国务院系统，由国务卿亲自挂帅；三是中央情报局系统，由局长亲自抓；四是文化教育系统，以政府官员和专家名流为骨干。经费开支几十亿甚至几百亿美元，主要由政府拨款，并争取各大财团资助。美国推行"和平演变"还以军事实力作后盾，每年军费达1000多亿美元。我们切不可忘记帝国主义的侵略本性，不能丧失警惕性。

第三，推行"和平演变"既有明确的政治目标和响亮的政治口号，又有资产阶级国际联盟相配合。改变社会主义国家政权的社会主义性质，使其成为西方"自由世界"的伙伴（附庸国），这是他们的政治目标。提出实现西方"民主化"、"自由化"和"保护人权"的口号，几十年来越叫越响，有极大的欺骗性。为此，他们结成国际资产阶级联盟，定期召开"七国首脑会议"，研究对社会主义国家的"和平演变"政策，统一认识，协调行动。

根据以上情况，我们要从战略高度研究对策，采取有效措施，使"和平演变"战略的图谋和行动永远不能得逞。为此，我们必须：

第一，坚定不移地坚持四项基本原则，旗帜鲜明地反对资产阶级自由化，认真处理好四个坚持与改革开放的关系，保证我国现代化建设的社会主义方向。"坚定不移"，一是指坚持四项基本原则要毫不动摇，不管遇到多大阻力和困难，都要立场坚定地坚持下去；二是指坚持四项基本原则的实践要始终如一，决不能坚持一阵子、放松一阵子，而要一贯到底地坚持下去；三是指在全国各地区、各部门、各行业都要普遍地坚持，不能借口自己工作部门特殊而不坚持；四是指既要在言论上坚持，又要在行动上坚持，既要开展舆论宣传工作，又要采取切实有效措施加以落实。为了做到坚定不移地坚持四项基本原则，还必须旗帜鲜明地反对资产阶级自由化，杜绝"和平演变"的思想政治根源。同时，还要处理好四个坚持和改革开放的关系。我们既要看到"和平演变"的严重性和危险性，始终保持清醒的头脑；又要坚定不移地执行改革开放政策，大胆而慎重地开展国际交往和经济、文化技术交流。实践证明，我们头脑越清醒，在国际交往中就会越大胆。

第二，要聚精会神地加强党的自身建设，提高党的威信和战斗力。首要问题是加强党的思想理论建设，提高全党的思想理论素质和无产阶级的党性观念；核心问题是加强干部队伍建设和领导班子建设，使各级领导权牢牢掌握在马克思主义者手中；关键问题是加强党风建设和廉政建设，使广大党员干部都能全心全意为人民谋利益。为此，就要从严治党，严明党纪，加强管理，对腐败分子坚决清除。只要党的建设搞好了，广大党员和干部以身作则，带头艰苦奋斗，处处为群众作榜样，使党在群众中有崇高的威望，我们的事业就能无往而不胜。这是防止"和平演变"最根本的措施。

第三，要重视和强化社会主义意识形态工作，切实加强和改进思想政治工作，提高人们"反腐防变"和鉴别是非的能力。强化意识形态工作，一是指加强马克思主义意识形态的研究工作，充分发挥它抵制西方资产阶级政治哲学和社会学说的能力；二是指加强马克思主义意识形态的教育工作，充分发挥它的超前导向作用，提高人们鉴别是非的能力；三是指整顿和加强新闻、出版、报刊、电台、电视、电影等舆论宣传阵地，坚决清除"精神毒品"，并使领导权掌握在坚定的马克思主义者手中；四是指加强各行各业的思想政治工作，使人们树立正确的理想观、道德观、政治观、价值观，增强"反腐防变"的能力。为此，就必须加强党的领导，确立基层党委的政治核心地位，稳定和充实政工队伍，建立在党委领导下的、专职兼职相结合的、党政工团齐心协力做思想政治工作的新格局。这是防止"和平演变"的重要组织保证。

第四，坚持物质文明建设和精神文明建设一起抓的战略方针，努力提高全民族的思想道德和科学文化素质，推动我国物质生产力和精神生产力的全面发展。实践证明，反对"和平演变"需要以强大的经济实力为基础。为此，要两个文明一起抓。精神文明建设的核心是培育"有理想、有道德、有文化、有纪律"的社会主义新人，提高全民族素质，这是物质文明建设的精神动力。只有这样，才能从根本上增强抵制"和平演变"的能力。首先，要加强思想道德建设，发展教育科学文化事业；其次，要建立完整的国民教育系统，把思想政治教育寓于幼儿教育、中小学教育、高等教育和成人教育的全过程之中。特别要抓好大学生和研究生的教育，提高他们抵制资本主义思想腐蚀的能力，使之健康成长为无产阶级革命事业的接班人。这是反对"和平演变"的最迫切的任务。

第五，进一步加强民主法制和国家政权建设，巩固以工人阶级领导的工农联盟为基础的人民民主专政，充分发挥人民解放军、武装警察、公安干警、政法部门和外交外贸部门在两个文明建设、民主法制建设中的巨大作用，反对"和平演变"，保卫社会主义制度。

第六，认真总结社会主义国家进行改革开放的经验教训，既要发挥改革开放在社会主义现代化建设中的积极作用，又要严防西方敌对势力利用改革开放搞"和平演变"的阴谋活动。从我国和其他社会主义国家进行改革开放的经验教训看，应特别注意以下三点：一要明确进行政治体制改革是为了加强和改善党的领导，而不是削弱和放弃执政党的地位；要坚持共产党领导下的多党合作制度，而不能搞多党轮流执政制度。二要明确进行经济体制改革是为了促进社会主义商品经济的发展，而不是实行经济"自由化"、"私有化"；要坚持计划经济与市场调节相统一的原则，而不能推行西方的"市场经济决定论"、"财政赤字无害论"和"高消费有益论"。三要注意在实行对外开放时，既要吸收外国文化中的一切优秀成果，又要反对全盘西化；既要学习当代世界各国进步生活方式的有益成分，又要防止资本主义腐朽生活方式的侵蚀。同时，在斗争策略上，还要学会以革命的"两手"对付敌对势力的"两手"，立场要坚定不移，策略要灵活多样。对"和平演变"要始终保持高度警惕。

社会主义必然代替资本主义，这是人类历史发展的客观规律。共产主义的实现是不以任何人的意志为转移的。尽管社会主义事业发展的途径和道路是曲折的，但最终一定要胜利，这是任何力量都无法改变的。只要我们坚定不移地坚持四项基本原则，旗帜鲜明地反对资产阶级自由化，就一定能挫败以美国为首的国际资产阶级推行"和平演变"战略的图谋和行动，使其在中国永远不能得逞。

贯彻基本路线，坚持改革、开放

中共中央党校　吴光辉

在党的十三届四中全会前后，邓小平同志发表了一系列重要讲话。小平同志讲话的一个核心内容就是向全党、全军和全国各族人民宣告，党的十一届三中全会制定的路线、方针、政策，十三大所提出的"一个中心，两个基本点"是正确的，要"照样地干下去，坚定不移地干下去"。这不仅是对我们国内讲的，也是向全世界的郑重宣告。我们国内在发生了这样一场严重的风波以后，国内国外对小平同志所讲的上述一些问题非常关注，特别是党的基本路线会不会变的问题和十一届三中全会以来有重大发展的关于改革开放的基本政策会不会变的问题。小平同志在他的报告中，就这一方面的问题明确地向国内外表示，政策是不变的，要坚定不移地干下去。在平息反革命暴乱以后，我们党和国家的领导同志以及一些有关部门，在接见外宾和港澳人士时，在这个问题上的态度是非常坚决的。还特别讲到了我们的改革、开放不是搞得过了头，而是搞得还不够。这一点对于我们稳定国内形势和搞好对外关系都是极其重要的。当然，小平同志也讲到："我们要认真地总结经验，对的要坚持下去，有失误的要纠正，不足的要加点劲，要总结过去，看到未来。"小平同志这一句话的基本精神，如果是用一句话概括，就是要全面地贯彻"一个中心，两个基本点。"通过坚持全面贯彻"一个中心，两个基本点"，把我们国家的社会主义建设事业搞得比过去更稳、更好，甚至更快。根据小平同志讲话的精神，现就"继续贯彻十一届三中全会以来的路线，必须坚持改革、开放"为题，讲以下几点：

一、要全面贯彻党的十一届三中全会的路线、方针、政策

党的十一届三中全会以来的路线、方针、政策是完整的体系，要全面贯彻，不能偏废。否则，就会把我国的社会主义现代化建设引入歧途。

我们党的路线、方针、政策的完整性，概括起来，集中地体现于"一个中心，两个基本点"的基本路线。如果说我们过去在贯彻党的路线、方针、政策方面有经验和教训可以吸取的话，那么在我们今后的工作中，就应该更加注意如何才能完整地、全面地贯彻"一个中心，两个基本点"的问题。这个问题有四点必须把握好。

1. 要坚定不移地实现四个现代化。

是不是坚定不移地进行四个现代化建设，是执行不执行党的基本路线的一个重要方面。早在1975年，邓小平同志主持中央工作的时候，就提出"全党讲大局，把国民经济搞上去。"当时小平同志所讲的大局，就是把我国建设成为具有现代工业、现代农业、现代国防和现代科学技术的社会主义现代化强国。小平同志还特别强调，进行四化建设，是要把

中国建设成为四个现代化的社会主义强国。由此可见，小平同志的这一思想在很早以前就提出来了。后来，我们党在粉碎"四人帮"以后，召开了十一届三中全会，就是根据小平同志的这一思想，实现了党在新时期工作重点的转移。这次会议确定了我们党的基本路线的一个重要方面，即要搞四个现代化建设，要把党的工作重点转移到经济建设上来。

党的工作重点的转移，是完全符合社会发展规律的。它体现了马克思主义的基本原理。同志们都读过《共产党宣言》，马克思、恩格斯就明确地指出，无产阶级在掌握政权以后，把资本家的资本转变为国家财产以后，要极大地提高社会生产力。对于我们这个在经济上比较落后的国家来说，根据上述思想，无产阶级掌握政权以后，就更应该把工作的注意力集中到发展社会生产力上来。列宁曾经讲过："在任何社会主义革命中，当无产阶级夺取政权的任务解决以后，随着剥夺剥夺者及镇压他们反抗的任务大体上和基本上解决，必然要把创造高于资本主义社会的社会经济制度的根本任务，提到首要地位；这个根本任务就是提高劳动生产率，因此，（并且为此）就要有更高形式的劳动组织。"（《列宁选集》第3卷509页）马克思列宁主义认为，除了剥夺剥夺者和镇压反动阶级反抗的任务以外，根本任务就是增加生产力总量，提高社会劳动生产率，这个任务对于经济落后的中国显得更加突出。我国过去由于"左"的错误的影响，没能自始至终地把这项任务当做重要任务来抓。粉碎"四人帮"以后，党中央作出明确决定，把工作重点转移到四个现代化建设上来，是完全符合社会发展规律的，也是完全符合马克思列宁主义的。能不能把我国建设成一个社会主义现代化强国，我国能不能跻身于世界强国行列的关键，就在于我们的经济建设搞得如何，即四个现代化建设得如何。小平同志的上述思想在他的文选中占了相当大的篇幅。小平同志一再讲要千方百计地、同心同德地、一心一意地搞四化，而且提出要当实现四化的促进派。这既是根据我们国家特殊条件提出的，又是根据当代经济发展的形势提出的。

从我国的特殊情况来看，我国进入社会主义初级阶段以后，阶级斗争依然存在，有时还很激烈。但是，人民日益增长的物质文化需求与落后的社会生产力之间的矛盾更为突出，已上升为主要矛盾。靠什么解决这个矛盾？就靠社会主义四个现代化建设。所以实现四个现代化是我国社会主义初级阶段的中心任务。这个中心任务符合马克思列宁主义，符合中国国情，是把马克思主义的普遍原理同中国的实际情况相结合所提出的重要任务。我国社会主义初级阶段的一切工作都要围绕这个中心，服从这个中心，不能干扰这个中心，也不能冲击这个中心。

2．要坚定不移地坚持四项基本原则。

我们搞四个现代化，是社会主义的四个现代化。只有实现社会主义的现代化建设，我们的国家才能强盛起来，也才能富裕起来。我国如果不改变经济落后的面貌，就会受人欺负，国家只能处于贫穷的地位。

要实现四个现代化，就有一个怎样实现四个现代化的问题。为了保证我们搞的是社会主义的四个现代化，就必须坚持四项基本原则。《人民日报》发表社论，说四项基本原则是立国之本的观点是完全正确的。它是创立社会主义中国之本，也是建设社会主义现代化中国之本。我们过去打江山，建立人民共和国靠的是四项基本原则；我们现在要维护共和国，建设强大的社会主义共和国，也要靠四项基本原则。

在北京由学潮到动乱到暴乱的过程中，有的人打着这样的旗号、那样的旗号，有的人甚至连美国的星条旗都打出来了，以此来搞他们的民主和自由。这确实是值得我们党的领导干部、党的理论工作者和党的新闻工作者深刻思考的一个问题。他们假如是爱国的，假如是搞社会主义的，为什么要把美国的星条旗打出来？他们还在广场上立了一个什么"自由女神像"，后来又改成了"民主之神"，这也是照搬美国的。我们确实应该深思一下，我国要搞工业现代化和农业现代化，如果不是搞社会主义的现代化建设，而是用其他什么主义去指导，那中国是没有希望的。这不是空泛的说教和政治宣传，而是的的确确的事实。假如我们过去曾经有过这样或那样的想法，那么经过这场大的动乱之后应该认真地反思一下，如果不坚持四项基本原则，不坚持中国共产党的领导，不坚持走社会主义道路，那么，中国的四个现代化建设就不知会被引到什么地方。假如我们不是坚定不移地实行四项基本原则，我们的四个现代化建设是没有希望的。

坚持四项基本原则的根本点，就是在党的领导下，在人民民主专政的保证下，把马克思主义的普遍原理同中国的实际结合起来，建设有中国特色的社会主义。这也是四项基本原则的内在联系。这句话虽然讲起来简单，但它的内在含义是十分丰富的。在我们要不要中国共产党的领导的问题上，当今的确有不同的看法。有人就曾提出，大家都是在搞社会主义，为什么非要共产党来领导，让别人来搞为什么不行？这种观点的实质就是要搞多元化的领导，即否定中国共产党在中国的领导地位。大家可以回想一下文化大革命期间，这一派、那一派，应该说是够多元化了，其结果怎样？大家都是看到了的。小平同志说过，如果没有共产党的领导，大家吵吵闹闹，那么中国是不得安宁的。在西方一些发达的资本主义国家鼓吹所谓议会民主，实际上也是相当乱的。以西德为例，议会开会时，各派互不相让，互相指责。而支持者们在台下又是鼓掌，又是拍桌子。其情形和我们在文化大革命时几派的选举也差不多。在动乱以前，曾有人提出在中国实行多党制，但如果真的把中国搞成这个局面，是很难收拾的。象西德搞那么多派别，在议会也相互攻击，可以想象，在我们这个有11亿人口的大国，如果搞议会政治是个什么情况。所以，议会政治也并不象有的人想象的那样完美无缺。还是以西德为例，平常召开议会的时候，议员们来得稀稀拉拉的，只有一个例外，就是通过国家预算的时候，所有党派的议员全部到场，为什么？就是为了争钱，为了争取更多的活动经费。中国是一个有11亿人口的大国，如果没有中国共产党的集中统一领导，而是这一派代表这一部分人，那一派代表那一部分人，在人民大会堂里吵吵闹闹，是不会有什么好结果的。联系这次在天安门广场的闹剧，就更不用说了，据说"高自联"头头在谁当"主席"的问题上就争得很厉害。所以现实的斗争是不以人们的意志为转移的，如果没有党的领导，社会主义是搞不起来的。虽然我们党有时会有这样或那样的缺点，群众对我们的党有这样或那样的意见，这些都可以在民主和法制的轨道上解决问题。但如果没有共产党这样一个坚强的领导，要把我国的社会主义建设事业推向前进是困难重重的。我们每一个党员都应该清醒地认识到这一点。

我国的社会主义四个现代化建设事业，需要人民民主专政为保障。假如我国没有人民民主专政的上层建筑，那么建设事业就失去了保障。假如我国没有强大的人民解放军，而只有几个人民警察，那么台湾就可以来攻打我们。所以必须要用人民民主专政来保证我们的社会主义现代化建设。要搞社会主义就必须要有思想指导，这个指导思想就是马克思主义。我们一向是实行将马克思主义的普遍原理同中国的实践相结合的原则，而不是教条主义。把马克思主义的普遍原理同中国实际相结合，就是要建设有中国特色的社会主义。不把马克思主义真理同中国实际相结合，历史证明是会一事无成的。我们建设社会主义现代化，就是要建设有中国特色的社会主义，照搬照抄哪一个国家的做法都不行。十一届三中全会以后，思想上的禁锢慢慢解除了。于是有人觉得南斯拉夫的社会主义搞得好，还成立了全国南斯拉夫研究会。后来又到匈牙利去搞调查，认为匈牙利的改革特别好，国内理论界还出现了这个匈牙利专家，那个匈牙利专家。没过多久，匈牙利的理论也不太灵了，而把注意力转到罗马尼亚。最后，相当一部分年轻人，认为东欧的模式都不行，要搞社会主义就必须进行彻底的改革，这所谓彻底的改革，就是要搞混合经济和市场经济。所以，不搞有中国特色的社会主义，实践证明是行不通的。我们照搬苏联的模式不行，照搬东欧某一个国家的也不行，照搬西方资本主义的更不行。只有自己总结经验，摸索出一条有中国特色的社会主义道路，才是我们唯一的出路。

上述是我们对坚持四项基本原则应有的立场和态度。大家应该好好反思一下，没有党的领导搞四个现代化建设行不行？没有人民民主专政，我们的国家能不能搞到现在这种情况？我们必须以马克思主义为理论指导，把马克思主义的普遍原理和中国的实际相结合建设有中国特色的社会主义。这就要求我们要坚定不移地坚持四项基本原则。

3．要坚定不移地坚持改革开放。

我们要实现四个现代化，需要坚持四项基本原则。同时，实现四个现代化，也必须实行改革和开放的政策。如果我们不对原有的社会主义经济体制进行改革，使经济体制适应社会主义四个现代化建设的需要，那么我们在建设四个现代化的过程中，会遇到相当大的困难。

我国的社会主义经济体制是在50年代末形成的。应该承认，这种体制在以往的社会主义经济建设中曾经发挥过积极的作用。我们不能把我们自己建立起来的体制彻底否定。但是，从现在来看，从发展的观点来看，从四个现代化建设的需要来看，原有的体制确实有着严重的弊端。所以对现有体制进行改革势在必行。正如邓小平同志所说，不改革，社会主义经济是没有出路的，根据十年来的经验可以看到，要搞四个现代化而不进行经济体制改革是会有很大困难的，这一点是被实践所证明了的。

同时，我们的社会主义中国是存在于世界经济体系之中的，也就是说，它不可能孤立地进行经济建设，这已被十年改革的经验所证实。在二次大战以后，当代国际经济结构有了很大的变化，科学技术也有了突飞猛进的发展。这实际上已把各国的科学技术和经济发展不同程度地联系起来。我国要想短期内在经济上和技术上赶上发达国家，就不能闭关自守，必须同这些国家发生交往，必须实行对外开放政策，利用世界上先进的科学技术和管理经验，利用国外的资金来发展本国经济。这有利于我国的四个现代化建设。所以从实现四个现代化这个角度来讲，我们必须实行对外开放。

四项基本原则是立国之本，也是我们发展经济的有力保证，改革开放是强国之路，是一条使国家的经济发展、技术进步之路。现在应该认识到，我们的改革开放不是搞得过了头，而是搞得还不够，要进一步地深化改革，推进开放。

4. 坚持四项基本原则同坚持改革开放是相辅相成,缺一不可的。

建设四个现代化如果不坚持四项基本原则,就不是社会主义的四个现代化。进一步地讲,不坚持四项基本原则,我们的改革、开放就没有方向,没有保障。然而不进行改革、开放,就不能迅速发展社会生产力,实现社会主义的四个现代化。所以,我们进行现代化建设;既要坚持四项基本原则,又要实行改革开放,这两个基本点都要掌握好,不能偏废一方。

正确处理四项基本原则与改革、开放的关系,是关系到能不能建设有中国特色的社会主义的重大课题。如何坚持四项基本原则,如何进行改革、开放,存在着许多理论问题和实践问题,需要我们进一步地探讨和研究。

总之,应该把十一届三中全会以来的路线、方针、政策以及十三大所归纳的"一个中心,两个基本点"看成一个完整的科学体系加以掌握。实现四个现代化是我们党的一项中心任务,坚持四项基本原则是实现四个现代化的重要保障,进行改革开放是为了更好地实现四个现代化。在社会主义现代化建设中,我们既要坚持四项基本原则,又要坚持改革开放,要处理好两者的关系。不能因为坚持四项基本原则而对改革、开放有任何动摇;也不能因为坚持改革、开放而削弱了对四项基本原则的坚持。

二、要用马克思主义的社会主义经济理论
来指导经济体制改革

1. 用什么理论来指导社会主义经济体制改革。

为了使我国的社会主义经济体制改革顺利地进行下去，取得根本胜利，要从理论上明确以下几点：

（1）明确经济体制改革与社会主义经济制度、经济规律的关系。

在我国进行的经济体制改革，是社会主义经济制度自我完善的过程，而不是改掉社会主义的经济制度。通俗地说，是为了社会主义经济制度更完善，而不是要改变社会主义经济制度的基本原则。中央一再强调，改革是在社会主义制度下的经济体制改革，即是社会主义经济的体制改革，是以坚持社会主义方向为前提的改革，而不是改变社会主义方向的改革。社会主义经济体制改革的最终目的是为了更好地坚持社会主义制度，更好地发展社会主义的优越性，而不是把社会主义制度改为资本主义制度。我们在经济体制改革中的每项措施，都必须符合社会主义经济制度的特点，符合社会主义经济发展规律的要求。改革必须有利于社会主义制度自身的完善，这是一个大的原则性问题。经济体制改革不是违背社会主义经济制度的特点和社会主义经济规律的要求，更不是破坏社会主义制度。这就是社会主义经济体制改革与社会主义制度和经济规律的关系。

如何认识社会主义经济制度这一概念，是一个大的原则问题，现在的理论界在这个问题上也有一些分歧。过去，列宁曾经讲过社会主义就是公有制加按劳分配，马克思对社会主义经济制度有过这样的论述，消灭了资本主义以后，建立起来的社会制度，生产资料归全体劳动者占有，劳动产品在做了扣除之后，按劳动者所提供的劳动进行分配，按通常理解，仍然是公有制加按劳分配。从苏联建立世界上第一个社会主义国家算起，社会主义制度建立以来的70多年的实践表明，以及所有社会主义国家的实践表明，社会主义还需要商品经济，这也是一个普遍的规律。把马克思列宁主义与当代社会主义实践结合起来看，社会主义经济制度应该是实行公有制，按劳分配，发展有计划的商品经济为基本形式的经济制度。至少现阶段的社会主义经济制度应该包括以上内容。我们的改革，应该使社会主义经济体制更能发挥公有制的特点和优越性，更能发挥按劳分配的作用，也更能发挥商品经济的作用。使社会主义经济体制更加完善。这是我们进行经济体制改革的指导思想。如果有人否定这个理论，认为社会主义制度不是这样，认为改革就是要进一步完善私有制，那么他就根本背离了社会主义经济制度。应该把马克思主义的基本原理同现代社会主义现实相结合，对社会主义经济制度有一个完整的认识。

在这里还顺便说明一下"社会主义"一词的来源。"社会主义"一词具体是什么时候开始使用的，包括马克思的著作中都没有一个明确的记载。"社会主义"一词是从希腊文到拉丁文转化来的。后来，人们用这个词来表示"区别于个人的"，共同的，合作的意思。而这个词的拉丁文原意是"同伴的，同辈的，同伙的"，是和个人的意思相对的。比较多的使用"社会主义"一词是到了19世纪的三四十年代。它开始出现在英国和法国空想社会主义者的文章里。空想社会主义者们使用"社会主义"一词来表现提高劳动群众活力和保障和平改造社会的思想。很显然，"社会主义"一词与个人私有的概念是格格不入的。在相当长时间里社会主义一词被随意滥用。1845年恩格斯就指出很多德国人的社会主义是不明确而且也无法明确的模模糊糊的幻想。在马克思的早期著作里出现了"共产主义"一词。"共产主义"一词是由拉丁文中"地方自治政府"这一词组演变而来的。"共产主义"一词具体什么时候开始使用，现在也很难考证。在《世界通史》、《社会主义思想史》以及各种空想主义者著作中都没有记载。总之，"社会主义"和"共产主义"都是相对于"个人的"一类词发展而来的。即便是圣西门、欧文、傅立叶等早期的空想社会主义思想家，也主张消灭私有制和进行社会合作。在马克思主义的思想和著作里，"社会主义"和"共产主义"两个词都有了很大发展。现在有人把马克思在《共产党宣言》里所说的在财产共同占有的基础上再建个人所有制歪曲地理解为要重建个人私有制，从而引证马克思并不是要消灭私有制，进而引伸为改革就是要搞私有制。用这样的理解来对待马克思主义，不是一个科学的态度。实际上在《反杜林论》中，马克思明确指出，无产阶级在取得政权以后，一定要代表社会占有资产阶级的财产，即财产公有。这些观点在《哥达纲领批判》、《国家与革命》中也有很明确的论述。由此可见，认为马克思主张搞私有制，这样的理解是不正确的。马克思曾经以当时的英国为背景，设想建立起来的未来制度是实行财产公有制，等量劳动换取等量消费品的制度。马克思也曾设想不要商品和商品经济。而社会主义发展的实践证明，现阶段还不能没有商品经济，社会主义还是要搞商品经济。我们不能把马克思主义停留在原地，而应对其加以发展。对于马克思主义理论中关于公有制、按劳分配，按计划组织经济等方面的观点应该坚持。现阶段社会主义还要实行商品经济，是对马克思主义的发展。

（2）经济体制改革与社会主义经济利益原则的关系。

经济利益原则是社会主义经济中的一个重要问题。经济体制改革就意味着人们经济利益的大调整，这种调整的每一个措施，都要有利于人们经济利益的实现。社会主义经济利益的一个重要特点就是劳动者之间，以及国家利益、集体利益、个人利益三者之间客观存在着联系和差别。这和资本主义社会的剥削阶级和被剥削阶级的联系和差别有本质的不同。它是劳动者内部的关系，不存在剥削和被剥削的关系。到了共产主义，实现按照人们的需要来进行分配，就不存在利益关系。我国在社会主义初级阶段经济体制改革的每一个措施都要使国家的利益得到保证，集体的利益也能维护，个人利益也要实现，使三者的利益得到协调和兼顾，这是经济体制改革最重要的目的之一。

(3) 经济体制改革与社会主义商品经济的关系。

这一关系的实质在于经济体制改革要有利于社会主义商品经济的发展。其关键又在于如何理解社会主义商品经济是公有制基础上的商品经济。在经济体制改革的过程中，理论界对于这个论断曾出现过这样或那样的偏差。曾有人认为，社会主义经济体制改革，只要按商品经济的规律去改就可以了。这种认识是不科学的，我们不光要按商品经济规律进行改革，还要按公有制基础上的计划经济进行改革。

(4) 经济体制改革必须同社会主义经济运行相一致，一定要实现市场调节与计划调节相结合的原则。

社会主义经济体制改革既要有利于社会计划的调节，又要有利于市场作用的发挥，而不是只听任市场调节而不要计划调节，也不是只搞计划调节而不发挥市场的作用。从总体上来说，社会主义应该实行市场调节与计划调节相结合的原则，经济体制选择的模式要能体现社会主义公有制的基础上有计划的商品经济这一特点。然而在实际工作中往往有这样的偏差：搞了计划经济就否定了市场调节；或是完全搞市场调节而否定了计划经济。两者都是不科学的。

(5) 经济体制改革与社会主义国家的关系。

在我国的社会主义初级阶段，整个社会经济仍需要国家的组织和领导，这是客观规律的要求。假如在社会主义初级阶段没有国家来组织和领导经济，结果是不堪设想的。所以，经济体制改革要求改进国家对社会经济的领导，而决不是要否定国家对社会经济的领导。

这几年，我们的改革曾经受到这样一种思想的支配，即改革主要是发挥市场经济的作用，靠市场进行调控，削弱了国家对宏观经济的宏观控制，因而造成了一些需要进行治理整顿的问题。

进行经济体制改革，要坚持以马克思主义的社会主义理论为指导，实际上就是要坚持四项基本原则。如果背离了这一原则，改革必然会偏离方向。

2. 怎样深化经济体制改革。

我国的经济体制改革是从农村开始的，然后逐步扩展到城市的"工商企业"。农业改革普遍实行了家庭联产承包责任制，这种制度迅速推动了农业生产的发展。城市的经济体制改革是从企业让利放权开始，后来又把"包"字引进了工商企业，在此基础上推进了企业的经营承包制，并且开始了股份制的试点。我国的经济体制改革从总体上说，取得了很大的成就，方向是正确的，必须坚持。但是也应该承认，在改革中有失误，有些措施不当，给社会经济生活带来了严峻的问题。这些问题主要表现在经济过热，通货膨胀和物价上涨，社会总供给和社会总需求严重失衡，社会分配严重不公，宏观调节失控等等。

面对这一事实，我们应该怎么办？总的说，要靠深化经济体制改革来克服。如何深化改革，当前理论工作者和经济工作者提出了许多可供选择的方案，当时占上风的意见有两种。

有一种主张，是要从价格入手，以此为突破口，创造完善的市场体系，同时进行配套改革。这种主张基本上是以市场为中心，发挥竞争的作用，用"看不见的手"来促进经济均衡化发展，协调总供给与总需求的矛盾。在这一主张下，有的人就是要把社会主义的经济体制完全改造成市场经济；也有的人要把资本主义那样的市场经济移植到中国的环境里。有不少人写文章认为中国没有一个完整的、完善的市场体系，中国的经济是搞不好的。他们认为目前的主要问题是还没有很好地发挥市场的调节作用。所谓价格领域的问题，分配不公的问题，按照这种理论，只要让市场直接发挥作用，这些问题就可迎刃而解。但实际上这种做法是不可行的。资产阶级在几百年的发展过程当中，得出一个经验，即完全依靠市场经济的摆布，就不能摆脱资本主义早期出现的矛盾。所以在一次世界大战以后，特别是二次大战以后，一些发达的资本主义国家都加强了国家对经济的宏观调控，这是经济发展本身的要求。一方面，市场的作用很大；另一方面，国家对市场的调控也大大加强。我们的经济体制改革应该根据我们社会主义经济制度的本性，吸取西方有益于我们经济发展的东西，而决不能照搬西方早期完全的市场调节。西方另一些有效的管理社会经济的东西，我们可以学习和借鉴。我们应该建立我们自己的体系，决不能把西方完全的市场调节组织社会经济平衡的作法，作为我们改革所选择的要达到的目标。要真是从价格改革入手，其后果大家都有了体会。1988年春天，要开放价格，闹了一阵"抢购风"，此后，仍然没有解决好这个问题，出现了几起几落的情况。在这种情况下，有的理论工作者仍把缓和危机的希望寄托于价格改革。

另一种主张认为，摆脱我们困境的根本出路，在于实行产权私有化。这种主张是极其危险的，中国决不能进行这样的改革。这种主张同时也是不现实的，假如要把中国的全民所有制企业的产权股份化，即把全民所有制企业的财产折股，卖给每一个职工，在中国的条件下，有几个人能买得起？这是一个现实问题，如果真的有人买了，生产资料全部归个人所有，那么我国的社会主义性质将彻底改变。也有人这样讲，产权明朗化，可以由国家，企业，以及各个部门买股票，这实质上是自己出钱来买自己，采取这个办法是不会使企业搞得更好的。

这两种主张看起来前者着眼于流通，后者从改变所有制入手，而本质都是从一般的商品经济原则出发，甚至是从发达的资本主义商品经济原则出发，来考虑我们经济体制改革的基本目标和基本步骤。前者以为在有了真正的，完善的市场体系之后，企业就会以商品生产者的面貌出现在市场上，按照"看不见的手"的指挥棒活动，经济就可以发展，效益也就能提高。他们也清楚，当前我们的财政相当困难，而进行价格改革需要财政有很大的承受能力。但这些人却极力主张不怕任何风险，冲破任何阻力，全力进行价格改革，这显然是不符合实际情况的。当前，我国现有的价格体系很不完善，价格改革势在必行，不改革会给经济生活带来许多混乱现象。但真正要搞价格改革，是一个复杂的问题，它牵涉到每一个人，每一个家庭的利益，必须慎重，必须和经济承受能力结合起来考虑。所以，完全照搬西方市场调节的模式来做为我们经济体制改革的目标是行不通的。后者主张从所有制入手，改革企业所有制，使产权明朗化，这根本上否定了全民所有制，即国家所有制。坚持这种观点的人，提出要实行股份制，使企业真正成为产权所有人，参与市场竞争，促进经济的发展，协调总供给和总需求的失衡。改革所有制，实行股份化的主张，其实质就是要使中国经济私有化，这种主张是非常错误的。这两种主张表面上不一样，但本质上都是着眼于西方发达的资本主义国家的经济方法。如果按这两种方法发展下去，那么中国的社会主义性质就会被彻底改变。

经济体制改革，仍然要坚持社会主义公有制，也只有在此前提下，才能探讨如何进一步深化改革。我们既不能走西方市场经济的道路，更不能走产权私有化的道路。在经济体制改革中，允许一部分私营经济的发展，引进一部分外资，是为了繁荣市场，活跃经济，而决不是要使经济体制全盘私有化。私人搞生产性经营而盈利，对国家、社会、个人都是有益的。值得注意的是，当前在流通领域出现了一些很不正常的现象，有的人不费很大力气，甚至于一分钱不花，就可以在一夜间成为百万富翁。我们目前所进行的治理整顿，主要应该整顿流通领域的秩序。我们要充分发挥市场的调节作用，是为了搞活社会主义经济，但这必须和计划调节的指导作用结合起来。在当前的经济体制改革中，应当在坚持社会主义公有制的前提下，总结行之有效的经济承包制的经验，克服弊病，使其进一步完善。同时，可以对一些企业进行股份制的试点，但决不是股份化，在完善承包制的同时，我们还要考虑价格改革和工资改革，还要联系财政制度和税收制度的改革，制定配套的改革方案，避免大的社会动荡。

三、要坚持对外开放中的
社会主义原则

1．我国实行对外开放政策，是由社会化大生产和国际经济分工状况决定的。

我国是生活在国际经济环境中，不可能完全闭关自守。在这个方面，恩格斯早就有过论述，"摆脱了资本主义生产的框框的社会可以在这方面更大大地向前迈进"（《马克思恩格斯选集》第3卷335页）。恩格斯还讲到，由于资本主义开拓了世界市场，使一切国家的生产消费都成为世界性的。过去那种地方的、民族的、自给自足的和闭关自守的状态，被各民族的、各方面的相互来往和相互依赖所代替。由此可见，无产阶级掌握政权以后，不可能闭关自守，应当同各国发生经济联系，应当对外开放。列宁也曾讲过这样的话，社会主义的共和国如果不同世界发生联系，是不能生存下去的。在目前的情况下，就应该把自己的生存同资本主义联系起来。纵观恩格斯、列宁的思想，指的是整个世界的经济发展到了广泛联系的程度，一些国家在建立社会主义制度以后，不可能闭关自守。在有条件、有可能时，只有实行对外开放政策，才能使自己更快地发展起来，生存下去，这是由国际经济分工的状况所决定的。我们实行对外开放，目标就是要加速社会主义现代化建设，这是一项战略措施，也是一项基本国策，必须坚定不移地贯彻到底。

2．实行对外开放，必须坚持社会主义原则，确定正确的方针。

（1）坚持独立自主、自力更生的方针。

我国的经济发展决不能建立在依赖外国的基础上。总结我国对外开放的经验和教训，如何才能独立自主、自力更生地进行改革开放是一个极其重要的问题。目前不论是引进技术，还是引进外资都出现了这个问题。例如我国一些高档耐用消费品的生产，就没有能坚持独立自主、自力更生的原则。实际上彩电、电冰箱的组装线都依赖进口，甚至连原件也要进口。

（2）坚持平等互利、互通有无的方针。

我们在对外开放中，坚持平等互利，互通有无的方针是十分重要的。如果第一个方针发生了问题，必然会影响到第二个方针。目前对外贸易中暴露出了一些问题，给国家造成了很大损失。

（3）坚持统一计划、统一政策、统一对外的方针。

这几年来，我们对外开放中的三个方针，有的方面坚持得很好，有的方面坚持得不够好，有的地方还很乱。要在今后的工作中把对外开放搞得更好，就必须坚持社会主义原则，坚持正确的方针。

3．对外开放，要利用一切可以利用的形式。

对外开放的形式包括：进出口贸易、引进外资、引进技术、引进人才、以及兴办更多的各种经济特区等等。引进人才需要有较强的经济实力，而由于客观条件所限，我国对人才可能还没有太大的吸引力。但把"引进人才"做为一项方针，要提到很高的地位加以考虑，不但要吸引外来人才，还要把我国一些出去的人才吸引回来。

4．认真总结对外开放的经验，吸取教训，使我国的经济更开放一些。

在总结对外开放的经验时，应该认识到这样一点，不能使我国的经济依赖于外国，我们不是要"中为西化"，把中国的经济西方化，而是要"洋为中用"，即吸取西方有益于我们的东西，吸取西方先进的科学技术和管理经验，为建设我国的四个现代化服务。这里就有一个在对外开放过程中，某些政策怎样才能更好地符合社会主义建设的要求问题。我们这么大的一个国家，决不可能把进口和出口都建立在外国的基础上。我们的进出口要考虑到国际市场的情况，但也不能把这两方面的主动权落在别人手里。

四、坚持治理经济环境，

整顿经济秩序

在目前的情况下，贯彻四中全会的精神，全面地贯彻和执行"一个中心，两个基本点"，使我们今后的工作做得更好，就必须集中精力，治理经济环境，整顿经济秩序。中央明确地讲过，治理整顿决不是建设和改革的后退，而是为了更好地建设，更好地改革开放，治理整顿本身也是一种改革。在前一段时期的改革中，宏观控制削弱了，中央政府的权威削弱了。实践证明，这样进行改革是不行的，现在需要加强宏观方面的控制，充分发挥一些调控经济机构的作用，这本身也是一种改革。我们经过一段时间的治理整顿，取得了一些成效，宏观控制方面比过去有所加强，某些不合理的现象有所克服。但也必须看到，治理整顿离我们的预期目标还有很大距离。我们的现代化建设能不能较快地发展，经济改革能不能深化，都和当前所进行的治理整顿工作有密切的关系。

1. 治理整顿所要达到的目标。

（1）要消除经济过热现象，把经济增长速度降到一个合理的水平上来。这是我们当前面临的一个突出的问题。我们不应认为经济增长速度越快越好。这几年来，经济过热，增长速度越来越快，是造成目前经济生活领域中一些不正常现象的重要原因。所以消除经济过热现象，把经济增长速度降到一个合理的水平上来，是当前治理整顿的一个重要目标。

（2）遏制通货膨胀现象，使今年的物价上涨幅度明显地低于去年，并且在此基础上进一步降低。我们前几年经济增长的速度，实际上是靠了通货膨胀的政策来支撑的。当时，赵紫阳同志有一个理论：社会主义建设可以搞一点通货膨胀，用通货膨胀来发展经济。实践证明，以通货膨胀来刺激经济发展，支撑经济的高速度增长是危险的。所以要想遏制通货膨胀必须把经济增长速度降到合理水平。

（3）坚决压缩固定资产的投资规模，使其与国力相适应，坚决控制消费基金的增长势头，使其与国民收入的增长相适应。如果固定资产的投资规模不加以控制和压缩，通货膨胀就无法节制。我们的经济增长速度的相当一部分，是依靠扩大固定资产的投资，扩大生产规模来获得的。要想获得较高的增长速度，就必须不断地加入新的投资，在财政紧张的情况下，新的投资只有用发行货币来补充，结果必然引起通货膨胀。所以，要遏制通货膨胀还必须压缩投资规模，控制消费基金。

（4）要采取实际有效的措施，缓解社会总供给与社会总需求的矛盾，逐步实现财政、信贷、物资和外汇的基本平衡。其中最主要是提高经济效益，创造新的价值，来缓和财政收支的不平衡状态。目前，我国财政的不平衡是相当严重的，赤字很大。我国的信贷与外汇也不平衡，特别是外汇还有很大的缺口。现在还有一个实际问题摆在我们面前，就是1990年，1991年之后，我们就要开始偿还外债，债务包括本金和利率，二者加起来就要扣除我们财政收入的相当一部分。要想缓解总供给与总需求的矛盾，就要调整经济结构，推进整个社会经济结构的合理化发展。要想使社会经济结构合理，最紧迫的是要缓解能源、交通和原材料供给的紧张状况。在这方面进行合理的投资。同时，我们还要建立和健全必要的法律和法规，加强宏观调控和监督关系，逐步建立起社会主义经济新秩序。

以上是我们进行经济调整和治理整顿应达到的目标。从目前的情况来看，要实现这个目标，任务还相当艰巨。但只要我们从治理整顿入手，切实做好各项工作，目标是一定能够达到的。总之，即要使微观搞活，又要有强有力的宏观调控，实现社会经济在大的方面管得住，小的方面放得开，要管而不死，活而不乱。

2．在治理整顿过程中，必须注意以下几个问题：

（1）一定要把治理整顿工作进行到底，不能半途而废。刚刚召开的四中全会，坚定了我们把治理整顿工作进行到底的决心。

（2）治理整顿工作一定要有集中统一的领导，即要服从中央的统一指挥。

（3）要强调局部服从整体，确立全局观念。

（4）要有过紧日子的思想准备，提倡艰苦奋斗的精神。

（5）要把治理通货膨胀，作为治理整顿工作重点的重点。

在治理整顿过程中，为了更好地进行改革开放，应该认真地总结一下十年改革的经验。其中重要的一点是要充分研究改革开放的理论，我们过去在这个方面做了不少工作，但也有一些薄弱点。我们应该重新论证一下在以往的改革开放中发生过作用的理论，哪些是正确的，哪些是有偏差的，这项工作十分艰巨。十三届四中全会之后，李瑞环同志在宣传工作会议上提到，理论工作的任务还很艰巨，要对一些不正确的思想"正本清源"。现在我们要在改革中摆脱资本主义市场经济的模式；也要摆脱赵紫阳同志的错误影响，要从根本上加以纠正。在十三届四中全会上，中央明确地指出，我们中国不能搞西方化的资本主义经济，不能完全靠"看不见的手"的指挥。我们还是要坚持计划调节与市场调节相结合的原则，坚持有计划的商品经济。根据中央公布的一些材料来看，赵紫阳同志的"智囊团"——经济体制改革研究所的相当一批年轻人，把西方60年代、70年代的观点搬到中国来。例如产权所有、法人所有、股份制和股份化的问题，都是这样进来的。

有的同志提出，我们提出让一部分人先富起来的口号对不对。在社会主义初级阶段，这种提法是正确的。这是因为社会主义实行按劳分配制度，富裕程度就会有差别，加上我们的社会主义处于初级阶段，允许个体经营和私营经济的存在和发展，作为社会主义的补充，这是正常的。因此，出现一部分人比另一部分人富裕得快一些，也是可以理解的。我们现在应该做的是要加强立法，用法律和政策来调控我们生活中一些严重的分配不公的现象。而我们过去在这个方面是一个薄弱环节，法制不健全，税收制度也不健全。在这次治理整顿过程中，就应该把实际工作中发生的问题加以整理，然后从理论的角度探讨一下，怎样使政策更加完善，制定一些新的法规，来合理地调节人民之间的利益分配，合理地处理当前经济生活里一些不公平的现象。

掌握现实政治斗争的强大思想武器

——学习《邓小平同志关于坚持四项
基本原则反对资产阶级自由化的论述 》

中央文献研究室　潘荣庭

1989年春夏之交在北京发生的由学潮到动乱竟至反革命暴乱，确实是一场惊心动魄的政治斗争，是一场你死我活的阶级斗争。现在，这场反革命暴乱虽然平息了，取得了决定性的胜利，但是，我们要痛定思痛，认真总结用鲜血和生命换来的教训，并把斗争继续进行到底。

平暴以后，中央文献研究室编辑了《邓小平同志关于坚持四项基本原则反对资产阶级自由化的论述》一书。现在介绍一下这本书的主要内容以及个人的学习体会。

一、编辑出版邓小平同志的这本书
是当前斗争的迫切需要

坚持四项基本原则还是搞资产阶级自由化的问题，是当前政治斗争的焦点。斗争需要思想武器，《邓小平同志关于坚持四项基本原则反对资产阶级自由化的论述》是最有力的思想武器。

这本书是在平息反革命暴乱的前夕，在斗争最紧张、最需要的情况下进行编辑的，因此要求编得很精炼，而且争取时间出版。这时正是邓小平同志发表"6.9讲话"，这本书恰好配合了"6.9讲话"的学习。邓小平同志的这个讲话，是他多年来关于坚持四项基本原则反对资产阶级自由化一系列论述中最新、最重要的论述，是纲领性的文件，对解决人们的思想认识问题、指导当前斗争起到决定性的作用。

这本书编好以后，中央领导同志看了，认为很好，很有针对性，有很强的现实意义，为反对资产阶级自由化做了一件好事。这本书之所以得到好评，是因为邓小平同志思想的正确，大家认为对当前的学习有指导意义，而且是当前斗争的迫切需要。这样，编辑这本书，也可以说达到了预期的目的。

二、坚持四项基本原则反对资产阶级
自由化是邓小平同志一贯的思想

邓小平同志在"6.9讲话"中指出："我最近总在想这个问题。我们没有错，四个坚持本身没有错，如果说有错误的话，就是坚持四项基本原则还不够一贯，没有把它作为基本思想来教育人民，教育学生，教育全体共产党员。这次事件的性质，就是资产阶级自由化和四个坚持的对立。四个坚持、思想政治工作、反对资产阶级自由化、反对精神污染，我们不是没有讲，而是缺乏一贯性，没有行动，甚至讲得都很少。不是错在四个坚持本身，而是错在坚持得不够一贯，教育和思想政治工作太差。"这是一段十分重要的讲话，我认为它既是对这次事件性质的集中概括，又是对十年来思想政治领域斗争中经验教训的深刻总结。这段话明确地告诉我们，这次所以出现问题，就是因为我们对四项基本原则没有一贯地讲，没有一贯地坚持，没有一贯地进行这方面的教育，而对资产阶级自由化则没有一贯地反对。所以，这个教训非常深刻。

我们从编辑研究邓小平同志著作中，深感邓小平同志是一贯坚持四项基本原则反对资产阶级自由化的。他对没有坚持这样做、反对这样做的人，进行过许多教育、批评甚至斗争。这从一系列的著作中可以得到证明。我们简要回顾一下历史，看一看坚持四项基本原则反对资产阶级自由化的这一指导思想，是怎样提出来的，是怎样进行这方面的斗争的。

1978年12月，我们党召开了具有伟大转折意义的十一届三中全会，制定了一整套正确的路线、方针、政策，把我们的国家引入了一个新的历史时期。在这样的紧要关头，以邓小平同志为核心的党的正确领导起了决定性的作用。三中全会的重大决策是实现工作重点转移，由过去的以阶级斗争为纲转移到社会主义现代化建设上来，同时确定了实行改革开放的重要方针。当时的重点是纠正"左"的错误，批判"两个凡是"的错误，坚持实事求是的思想路线。这种纠"左"和克服思想僵化的工作在三中全会以后一直没有放松过，而且是相当一段时间的重点。但是，就在这个时候，社会上已经出现了一股资产阶级自由化思潮，确实有些人在那里鼓吹资产阶级国家的所谓民主、自由和人权。在我们党内，有的同志在批判"左"的错误的时候，没有能够正确总结经验教训，又产生了右的思想。针对这些情况，邓小平同志在1979年3月党的理论工作务虚会上，发表了著名的《坚持四项基本原则》的讲话。四项基本原则，即：坚持社会主义道路，坚持无产阶级专政（后称人民民主专政），坚持共产党的领导，坚持马列主义、毛泽东思想。这四个坚持是这次会议上第一次提出来的。大家知道，这四项基本原则，我们党过去都讲过。邓小平同志说，这不是新东西。但是，在新的历史时期，针对新出现的问题，集中提出四个坚持，作为实现四个现代化的根本前提，有新的意义。这是邓小平同志的贡献。历史已经证明坚持四项基本原则对我们立国建国有多么重要的意义。如果我们放弃四项基本原则，听任资产阶级自由化思潮泛滥，就会犯大错误，就会断送社会主义现代化建设事业的前程。这是提出四个坚持的背景。

邓小平同志从1979年3月首次提出四个坚持之后，十年来年年都要多次讲这个问题。从这本书中也可以简要地看到这种情况。为什么邓小平同志十年来要反复地讲？就是因为资产阶级自由化同四个坚持的对立是客观存在，是回避不了的，而且十年来这种对立的斗争不断发展，时起时伏，愈演愈烈。我们有必要逐年进行一些回顾。

1979年，北京发生了"西单墙"的问题，一些人在那里贴大字报，发表讲演，散布资产阶级自由化思潮，破坏安定团结。邓小平同志指出，对于这种社会思潮，需要认真注意，如果掉以轻心，也会出乱子。由于采取果断措施，使这种现象及时得到禁止。

1980年底，有些地方发现一小撮噬恐天下不乱的人正在用"文化大革命"中的办法进行煽动和闹事。邓小平同志指出，这些现象说明，阶级斗争虽然已经不是我们社会中的主要矛盾，但是它确实仍然存在，如果不坚决处理，听任其蔓延起来，就会对安定团结的局面造成很大危害。因此，必须加强人民民主专政的国家机器，同各种破坏安定团结的势力进行斗争。当时邓小平同志已经考虑，对有些闹事严重的地方，可以按照一定的法律程序宣布戒严。

1981年3月，邓小平同志同总政领导同志谈话时指出，对电影文学剧本《苦恋》要批判，认为这是有关坚持四项基本原则的问题。同年7月，邓小平同志同中央宣传部门领导同志谈话时指出，最近看了一些材料，感到很吃惊，有许多话大大超过了1957年的一些反社会主义言论的错误程度。当前的主要问题是对这些现象处置无力。

1982年4月，邓小平同志在政治局会议上说，自从实行对外开放和对内搞活经济以来，不过一两年时间，就有相当多的干部被腐蚀了。如果不刹住这股风，我们的党和国家确实要发生会不会"改变面貌"的问题。为此，邓小平同志提出了坚持社会主义道路的四个保证。即：体制改革，建设社会主义精神文明，打击经济犯罪活动，整顿党的组织和作风。

1983年10月，邓小平同志在党的十二届二中全会上讲话，指出思想战线存在精神污染的现象。它的实质是散布资产阶级和其他剥削阶级腐朽没落的思想，散布对于社会主义、共产主义事业和对于共产党领导的不信任情绪。前年批评了某些资产阶级自由化倾向，有的有所克服，有的没有克服，有的发展得更严重了。

1984年，邓小平同志多次谈到，用"一国两制"解决台湾、香港问题。指出蒋经国要用三民主义统一中国，是不现实的。使中国人站起来的，是社会主义和共产党。中国的主体、10亿人口的地区坚定不移地实行社会主义。

1985年3月，邓小平同志指出，现在有一些值得注意的现象，如一切向钱看，这是没有理想的表现。同年6月，邓小平同志说，我们依法处理过几个人，他们的问题实际上是搞自由化并且触犯了刑律。

1986年9月，在党的十二届六中全会讨论关于精神文明的决议时，有的同志不主张在文件中写上"反对资产阶级自由化"。邓小平同志当场进行批评，坚持要写上。他说："反对资产阶级自由化，我讲得最多，而且我最坚持。为什么？第一，现在在群众中，在年轻人中，有一种思潮，这种思潮就是自由化。第二，还有在那里敲边鼓的，如一些香港的议论，台湾的议论，都是反对我们的四项基本原则，主张我们把资本主义一套制度都拿过来，似乎这样才算真正搞现代化了。这种自由化实际上是一种什么东西？实际上就是要把我们中国现行的政策引导到走资本主义道路。"

1986年底，发生学生闹事。邓小平同志批评说，凡是闹得起来的地方，都是因为那里的领导，反对资产阶级自由化思潮旗帜不鲜明，态度不坚决。他点名批评了方励之、刘宾雁、王若望，指出方励之的讲话根本不象一个共产党员讲的，这样的人留在党内干什么？一定要处理。这次事件导致了党的总书记胡耀邦同志的辞职。

1987年2月，邓小平同志对外宾说，大学生闹事，主要责任不在学生，而是少数别有用心的人煽动，其中主要是少数党内高级知识分子。我们严肃处理了这件事。但是，反对资产阶级自由化的斗争还没有结束。邓小平同志这个思想，在1987年以来讲过多次。但是，身为新任总书记的赵紫阳同志，反对资产阶级自由化只搞了几个月就草率收兵。他根本不从胡耀邦同志的失误中吸取教训，相反，在他担任总书记的两年多时间内，坚持错误方针，听不进老同志的意见，自以为是，一意孤行，以至最终在这次由学潮发展到动乱的过程中，犯了支持动乱、分裂党的严重错误。党的十三届四中全会撤销了赵紫阳同志的总书记等职务。

从以上回顾可以得出这样几点认识：第一，坚持四项基本原则反对资产阶级自由化，是邓小平同志首先提出、十年来一以贯之的指导思想，实践充分证明坚持这一思想的重大意义。第二，有些领导人对坚持四项基本原则反对资产阶级自由化旗帜不鲜明，态度不坚决，只讲不做，甚至讲得都很少，这就必然要出现资产阶级自由化思潮的泛滥。第三，要从这次动乱和反革命暴乱中吸取深刻的教训，认真学习邓小平同志一贯的指导思想和立场，公开批评和揭露赵紫阳同志的错误，把反对资产阶级自由化的斗争进行到底。

三、邓小平同志关于坚持四项基本原则反对资产阶级自由化的论述的主要内容

我们学习邓小平同志的著作，会发现他有一个重要的思想原则，就是一贯按照马克思主义的基本原理，从中国的实际出发提出问题，根据具体情况采取解决办法。所以他的思想具有鲜明的现实针对性。我们学习这本书，要着重领会他指导现实斗争的主要思想和理论。下面主要讲五个方面的内容。

（一）四个坚持是立国的根本，四化建设的前提，改革

开放的方向。

十年来的历史说明，邓小平同志一贯坚持四项基本原则，并且把它作为党的基本指导思想，作为立国之本。早在1979年3月，邓小平同志就指出，在思想政治上坚持四项基本原则，"是实现四个现代化的根本前提"。他在1983年党的十二届二中全会上说，"四项基本原则的核心，就是社会主义制度和党的领导，这是我们立国和团结全国人民奋斗的根本"。1985年8月，他在会见外宾时讲道，"在改革中坚持社会主义方向，这是一个很重要的问题"。邓小平同志的这些讲话，是对四个坚持的重大意义的最基本的论述。

中国共产党是一个有理想、讲原则的党，是一个有斗争经验、有创造性的党。以毛泽东同志为核心的我们党的领导集体，把马克思列宁主义同中国革命的实际相结合，领导全党取得了革命和建设的伟大胜利。从十一届三中全会以来，以邓小平同志为核心的党的领导集体，继往开来，纠正"文化大革命"的错误，把重点转移到经济建设上来，提出坚持四项基本原则和改革开放的方针，在党的十二大又提出建设有中国特色的社会主义，十三大继续沿着这条道路前进。全党按照正确的路线、方针和政策去进行奋斗，取得了一个又一个的胜利。

本来，我们的事业十年来进行得很成功，很有成绩，但是，思想政治领域的斗争是不以人们的意志为转移的。资产阶级自由化思潮一开始出现，就同四个坚持相对立。它的根本目的，就是要否定四项基本原则，动摇立国的根基，扭转建设和改革的方向，使我们党领导的社会主义事业改变颜色。多年来资产阶级自由化思潮形成动乱的事实足以说明这一点。但是，他们的企图是不能得逞的。

搞资产阶级自由化的代表人物否定四项基本原则，也就否定了"一个中心、两个基本点"的党的基本路线。这里，很重要的是要弄清四个坚持同经济建设、改革开放之间的关系。只有这样，才能真正地、正确地坚持四项基本原则，坚持改革开放的方针。

党的十三大概括的"一个中心、两个基本点"，是邓小平同志一贯的思想和主张。在"6.9讲话"中，他又明确肯定"一个中心、两个基本点"没错。过去，由于宣传、教育做得不够，使得一些同志在这方面存在模糊认识。例如有人认为：既然我们是以经济建设为中心，那就只要把经济搞上去就行了；现代化是一切社会的共同目标，没有什么资本主义的现代化或社会主义的现代化；搞改革开放就不能坚持四项基本原则。这完全是对四个坚持和经济建设、改革开放的曲解，是把它们互相割裂和对立起来。有的人是思想认识问题，有的人则是受了资产阶级自由化思潮的影响而产生的错误倾向。赵紫阳同志就是以抓改革开放为名丢掉四项基本原则。看看他十三大以来的言论就很清楚，他很少讲坚持四项基本原则，只宣传一个基本点。这是违背十三大路线的。

摆正"两个基本点"的关系十分重要。四个坚持和经济建设、改革开放是完全能够结合起来、统一起来的。邓小平同志多次讲：我们要在坚持四项基本原则的基础上发展生产力。为了发展生产力，必须对我国的经济体制进行改革，实行对外开放的政策。我们吸收资本主义国家的资金、技术，为的是发展社会主义的生产力。我们要实现工业、农业、国防和科技现代化，但在四个现代化前面有"社会主义"四个字，叫"社会主义四个现代化"。我们现在讲的对内搞活经济、对外开放是在坚持社会主义原则下开展的。社会主义本身有两个非常重要的方面。第一，要坚持以公有制为主体的经济。第二，决不能导致贫富两极分化。总的一句话，就是坚持社会主义。邓小平同志的这些论述，把四个坚持同经济建设、改革开放的关系讲得非常清楚。有些同志犯错误，就是在这样的大是大非问题上迷失方向。所以，我们学习邓小平同志的思想，一定要以坚持四项基本原则为政治方向，来实行改革开放，来搞好经济建设。四项基本原则这个立国之本不能动摇，改革开放这个强国之路也不能动摇。弄清、摆正两个基本点的关系，就能全面把握和正确贯彻执行党的基本路线。

（二）资产阶级自由化思潮泛滥是动乱的根源。

邓小平同志说，中国在粉碎"四人帮"以后出现一种思潮，叫资产阶级自由化；所谓资产阶级自由化，就是要中国全盘西化，走资本主义道路。自由化思潮的泛滥必然要破坏我们的安定团结。在"6.9讲话"中，他一针见血地指出："他们的根本口号主要是两个，一是要打倒共产党，一是要推翻社会主义制度。他们的目的是要建立一个完全西方附庸化的资产阶级共和国。"事实证明，资产阶级自由化思潮泛滥确实是发生动乱的根本原因。我们要坚持四项基本原则就必须反对资产阶级自由化。

邓小平同志是中国改革开放的创导者和总设计师，他一贯地坚持改革开放的方针，一再重申改革开放的方针是决不会改变的。但是，他在完全肯定改革开放方针的正确性和为改革开放取得的巨大成就而高兴的时候，没有忘记观察和思考在改革开放条件下带来的新问题。他清醒地指出，外国资产阶级学者大都要我们搞自由化，加上开放必然进来许多乌七八糟的东西，如果一结合起来，是一种不可忽视的、对我们社会主义四个现代化的冲击。

邓小平同志早就提醒人们，对资产阶级自由化思潮不可掉以轻心，不要以为这样搞就不会出乱子。他在1980年第一次使用"动乱"这个词，并且指出少数人可以破坏我们的大事业。那时，有些地方已经发现，一小撮唯恐天下不乱的人正在用"文化大革命"中的办法进行煽动和闹事；极少数坏头头操纵非法组织、非法刊物积极串联，公开发表反党反社会主义言论，散发反动传单，传播政治谣言，杀人放火，制造爆炸等等；而有些人则从内部破坏，泄露和出卖国家机密。现在看来，那时的这些闹事现象，在一定程度上已经类似今天的动乱。那时邓小平同志就说，这是一场政治斗争，要看到这种危险的信号，要采取坚决的措施加以制止，要学会运用法律的武器进行斗争。回想当时，一些闹事就是这样制止的。解决1986年底的学生闹事就是证明。这次的动乱和反革命暴乱后果很严重，但是如果能够按照邓小平同志的指导思想，在学潮或动乱刚开始时就采取切实有效的措施，不是完全不能制止的，至少不致发展到如此危急的地步。我们应当记取这个教训。

我们有些同志对资产阶级自由化缺乏警惕，采取了错误的指导方针。赵紫阳同志在这次动乱中作了充分的表演。在胡耀邦同志犯错误的时候，他批评自由化是积极的，但是当他接任总书记后，很快就停止了反对自由化的斗争。1987年5月他作出了"资产阶级自由化思潮泛滥的情况已经扭转"的错误估计，把一场尖锐的政治斗争淡化为"正面教育"。我们再看看方励之1988年5月对美国记者的谈话，他说："中国的政治气候，近一个时期有了改善"。方励之的话很能从反面说明问题。赵紫阳同志对反对资产阶级自由化完全持消极态度，最后竟发展到支持动乱和分裂党，这种情况在我们党内是少有的，是十分严重的问题。

要真正消除动乱的根源，就要对资产阶级自由化思潮进行深入的批判。我们主张学习借鉴外国一切对我们有用的东西，但我们决不能把西方资本主义的思想体系和整个政治制度都搬过来。我们尤其要着重批判被资产阶级奉为神圣的所谓民主、自由、人权，所谓多党制、三权鼎立制、普选制等虚伪的货色，以及资产阶级腐朽的思想和生活方式。

在思想认识上有些问题也要划清界限。我们要纠正对解放思想的曲解。十一届三中全会提出解放思想的正确方针，目的是为了克服思想僵化，冲破"左"的教条主义的束缚。有的人认为，解放思想就可以一切不管了，爱怎么说就怎么说。这是很错误的。解放思想是以坚持四项基本原则为前提的，如果离开四项基本原则去解放思想，必然会走到邪路上去。我们对反对资产阶级自由化也要有正确的理解，不能把反对自由化与思想僵化混为一谈，也不能把反对自由化与反对改革开放混为一谈。

邓小平同志说，反对资产阶级自由化是一个长期教育的问题，同四个现代化建设将是平行的，整个四个现代化的过程都存在一个反对资产阶级自由化的问题。四个现代化，我们要搞50年到70年，在此期间都存在一个反对资产阶级自由化的问题。邓小平同志的这一论断为我们指明了反对资产阶级自由化的任务的艰巨性。我们要把反对资产阶级自由化作为长期的战略任务，作好打持久战的思想准备，不仅本世纪内要坚持进行，而且下个世纪还要进行下去。在当前，则要把反对资产阶级自由化的斗争作为一项重大政治任务来抓。

（三）要让社会主义思想占领意识形态领域的各个阵地。

从这次动乱和反革命暴乱中，暴露出思想理论战线的问题非常突出。邓小平同志在1980年就指出，宣传、教育、理论、文艺部门的工作搞好了，可以在维护安定团结方面起非常大的作用，但是如果出了大的偏差，也可以助长不安定因素的发展。他要求报刊、广播、电视大力宣传社会主义的优越性，宣传马克思列宁主义、毛泽东思想的正确性，宣传党的领导、党和人民群众团结一致的威力，宣传社会主义中国的巨大成就和无限前途，使党的报刊成为全国安定团结的思想上的中心。这次动乱说明，邓小平同志的这一指导思想没有得到认真的贯彻，相反，不愿看到的偏差却真的出现了。在一段时间内，在意识形态领域里，资产阶级自由化思潮泛滥，对动乱起了推波助澜的作用。有的同志讲，新闻界、理论界、文艺界、出版界这次成了"重灾区"。许多地方思想乱了，队伍散了，阵地丢了。这种严重情况是过去从来没有发生过的，是同赵紫阳同志的错误分不开的。

思想混乱关键在理论上的混乱。邓小平同志从提出四个坚持以后，就要求进行这方面的教育，在1979年3月和1981年3月两次提出，希望理论工作者写些文章，宣传四项基本原则。但是由于领导不力，没有收到明显的效果。有些同志觉得讲四项基本原则有点理不直气不壮，讲马列主义好象犯忌讳。有些人热衷于鼓吹西方的所谓时髦理论，尽说新名词，尽出花点子，制造一些奇谈怪论，什么社会主义经济与商品经济不可调和论，赤字无害论，高消费、超前消费论，腐败不可避免论等等，一时间造成很大混乱。当然，有些理论问题确实需要进一步探讨和探索，不能说理论方面的问题都弄清楚了，可是有些人不是根据中国的实际情况去认真研究问题，而是盲目崇拜西方那一套东西，这就必然要造成思想上的混乱。

邓小平同志总结最近十年的发展时指出，最大的失误在教育方面。这主要是讲思想政治教育，泛指对人民的教育，包括学生、干部和共产党员在内。这个认识是非常深刻的。现在看起来，需要有一系列的思想政治教育。比如：革命历史、革命传统的教育，社会主义、爱国主义的教育，独立自主、自力更生、艰苦奋斗、勤俭建国的教育，为人民服务的教育，遵纪守法的教育等等。这些都是我们党一贯提倡的最基本的思想政治教育，如果搞好了，是会长期起作用的。但是多年来这些方面的教育讲得很少，甚至不讲了，这不能不说是我们的失误。我们一定要在新的历史条件下，把过去这个优良传统恢复发扬起来。

意识形态领域阵地，无产阶级不去占领，资产阶级必去占领，这是千真万确的真理。从这次严重的动乱和反革命暴乱来看，我们党必须牢牢掌握意识形态领域的领导权。

（四）阶级斗争有时会激化，人民民主专政不能削弱。

邓小平同志主持起草的《关于建国以来党的若干历史问题的决议》中，专门有一段总结阶级斗争的经验，指出："在剥削阶级作为阶级消灭以后，阶级斗争已经不是主要矛盾。由于国内的因素和国际的影响，阶级斗争还将在一定范围内长期存在，在某种条件下还有可能激化。既要反对把阶级斗争扩大化的观点，又要反对认为阶级斗争已经熄灭的观点。对敌视社会主义的分子在政治上、经济上、思想文化上、社会生活上进行的各种破坏活动，必须保持高度警惕和进行有效的斗争。"这是对阶级斗争理论最准确的论述，完全符合当前政治的现实。

这次动乱所以闹得这么大，反映了阶级矛盾的尖锐化，反映了国际大气候与国内小气候的合流。国际大气候是，西方一些坚持反共的资产阶级代表人物，多年来在搞和平演变和渗透。美国一些人继承了50年代杜勒斯的和平演变的衣钵，妄图使社会主义国家内部分化，向资本主义变化。国内小气候是，极少数长期顽固坚持资产阶级自由化立场、搞政治阴谋的人，同海外、国外敌对势力相勾结的人，向非法组织提供党和国家核心机密的人，以及一些没有改造好的刑满释放分子，一些政治性流氓团伙，"四人帮"的残渣余孽和其他社会渣滓，他们蓄意制造动乱和反革命暴乱，妄图推翻中国共产党的领导，推翻社会主义制度，建立一个依附于西方的资产阶级共和国。这就是说，从国际到国内，一个是渗透利用，一个是迎合投靠，形成动乱气候，构成了整个事件的复杂背景。

邓小平同志对阶级斗争的现实始终保持清醒的认识，不希望中国再出现"文化大革命"那样的动乱，不希望把中国搞成乱的社会，如果那样，就无法进行建设。他在1987年6月同美国前总统卡特的谈话，1989年2月同美国总统布什的谈话，都突出强调了这个意思，指出中国的问题，压倒一切的是需要稳定。但是，这场风波终究未能避免，造成了长达50多天的相当规模的乱子。美国的资产阶级代表人物当看到美国的价值观念、美国的制度在中国得到相当一部分人支持的时候，曾经非常得意，好象他们的目的就要实现了。当暴乱一旦平息，幻想破灭，他们又恼羞成怒，叫嚷要制裁中国。这没有什么了不起，我们是不会怕的。我们将继续沿着社会主义的道路坚定地走下去。

从党和人民内部来说，总结经验教训很重要。这些年来，确实阶级斗争的观念淡薄了，人民民主专政的观念也淡薄了。我们不能搞阶级斗争扩大化，但也不能搞阶级斗争熄灭论。事实上，从建国开始就一直存在妄图推翻共产党、推翻人民民主专政的敌对势力。这次反革命暴乱证明，人民民主专政必须加强，不能削弱。邓小平同志讲，四项基本原则是写入党章、宪法的。所以，我们要依法办事。我们还要根据宪法进一步建立和健全有关的法律法令，例如游行法、戒严法等等。加强法制建设能够保障我们的一切工作更加有秩序地进行。我们一定要通过这次平息反革命暴乱，提高阶级斗争观念，不忘坚持人民民主专政。

（五）在改革开放条件下搞好党的建设。

我们党是执政党，是要领导建设和改革的党，能不能把党建设好，关系重大。这次动乱证明，问题的关键在我们党内。不把党搞好，整个国家也搞不好。邓小平同志在1985年说，党的十一届三中全会决定实行开放政策，同时也要求刹住自由化的风，自由化的思想不仅社会上有，我们共产党内也有。1987年，邓小平同志针对有些人煽动学生闹事明确指出，这些煽动者都是成名的人，这些人恰恰就在共产党里，其中主要是少数党内高级知识分子。这次闹事，情况又有了发展，在党内出现了一些更加接近领导核心而且掌握了一部分权力的所谓智囊人物，因而搞起自由化来危险性更大。我们总结党的建设的经验，就是首先要从党内做起，消除内部隐患，坚持四项基本原则，反对资产阶级自由化。

现实告诉我们，在改革开放条件下，必须加强党风建设，克服腐败现象。邓小平同志说，经济建设这一手我们搞得相当有成绩，但风气如果坏下去，**经济搞成功又有什么意义？**会在另一方面变质，反过来影响整个经济变质，发展下去会变成贪污、盗窃、贿赂横行的世界。这段话充分说明了党风问题的重要性。我们如果不把党风整顿好，特别是不去克服党内的腐败现象，党的事业确实有失败的危险。

我们的党总的来说是一个好的党。在这次反对资产阶级自由化，制止动乱、平息暴乱的斗争中，广大党员经受住了严峻的考验。特别是党内许多老同志，在关键时刻起了决定性的作用。邓小平同志讲，没有党内的老同志，甚至连这次问题的性质都定不下来。但是确实也有相当数量的党员，包括担负一定领导工作的干部，在动乱中犯了政治错误。广大干部在党风问题上也是经得起检验的，但是确实也有不少党员干部，在资产阶级思想影响和资本主义物质引诱下，腐败变质，违法犯罪。鉴于这种严重情况，所以邓小平同志说，要聚精会神地抓党的建设，这个党该抓了，不抓不行了。

抓党的建设最重要的是对干部和党员进行教育，加强思想政治工作，提高他们的觉悟。要提倡学习马列主义、毛泽东思想，特别是学哲学。要在马克思主义基本理论指导下，研究当代重大的问题。对于党内的阴暗面，需要从思想上、组织上、作风上认真进行整顿。党还要接受党内外的监督。通过认真的教育、整顿、监督，恢复党在群众中的崇高威信，提高党的战斗力，发挥党组织的战斗堡垒作用和党员的先锋模范作用，带领广大群众去实现自己的历史任务。我们相信，经过坚持不懈的努力，我们的党是能够建设好的。我们应该有这个信心。

四、学习邓小平同志关于坚持四项基本原则反对资产阶级自由化的论述的重大意义

（一）邓小平同志关于坚持四项基本原则反对资产阶级自由化的论述，是马克思主义同中国新时期建设实践相结合的理论，是两个基本点思想的重要组成部分。经过十年来从提出到发展，已经成为一个完整的理论。学习这一理论，可以加强我们工作中的原则性、系统性、预见性和创造性。

（二）邓小平同志的论述，对当前的政治斗争有极大的指导意义。过去十年的这些论述就象是针对当前讲的。多年来，国内外敌对势力集中反对的就是四个坚持。四个坚持和反对资产阶级自由化的理论，是这次极少数阴谋家进行夺权的最大障碍。在今后反对资产阶级自由化的长期斗争中，它仍然是我们最强大的思想武器。

（三）从邓小平同志的论述中，我们可以学到他观察问题、处理问题的立场、观点和方法。他以马克思主义的坚定信念，以无产阶级革命家的宏伟气魄，高瞻远瞩，全局在握，关键时刻，果断决策，发挥了掌舵作用。从这次分析国内外形势，制止动乱、平息反革命暴乱中，就充分体现出邓小平同志的这种作用。他是我们党的卓越的政治家、战略家，他的思想、理论、战略、策略，都值得我们认真学习。

加强党的马克思主义理论建设

《求是》杂志社　张启华

在资产阶级自由化思潮泛滥的这几年里，人们听到的对马克思主义的攻击是相当多的，什么马克思主义过时了，只能解决革命时期的问题，不能解决建设时期的问题，不能成为社会主义现代化建设的指导思想；马克思主义僵死了，坚持马克思主义就是僵化、保守，要发展马克思主义就必须重新改造它，突破和打碎它的基本原理；马克思主义没用了，搞业务工作的同志学习专业知识足矣，学习马克思主义是白费功夫，等等。思想领域里这种反对、非难马克思主义的资产阶级自由化思潮，在很深的程度上把人们的思想搞乱了。近几年来，我们的许多党员同志，包括一些领导同志，学习马克思主义没有劲头，没有兴趣，不要说认真系统的学习相当缺乏，就是能偶尔翻一下马克思主义原著的人，都不是很多的。有的人，甚至对马克思主义抱有某种反感的情绪。对待马克思主义的这种观点和态度，发生在我们共产党内，是极为反常，极为令人忧虑的。1989年春夏之交在首都北京发生的动乱和反革命暴乱中，有许多人被卷了进去，其中不少就是共产党员。至于对这次事件认识模糊、思想混乱者，那就更多了。这说明什么呢？一方面，反映出这些党员的思想素质比较差，马克思主义的理论功底太薄弱，所以缺乏识别真伪、判断是非的能力；另一方面，也充分说明许多党组织思想教育工作软弱无力，放松了对广大党员的马克思主义理论教育，放松了党的思想建设。这两个方面反映的是一个问题，那就是，这几年，在资产阶级自由化思潮的冲击下，各级党组织的马克思主义理论建设，实在是太弱了。这种情况，同中国共产党的性质是极不协调的，同党目前所担负的领导全国人民进行社会主义现代化建设的重任是极不相称的。

这种状况，连西方资产阶级政党的人士都觉察出来并感到吃惊了。当1984年12月7日《人民日报》评论员文章提出，"不能要求马克思、列宁当时的著作解决我们当前的问题"，第二天又"补正"为"不能要求马克思、列宁当时的著作解决我们当前所有的问题"这个论断时，世界各大报纸都轰动了。他们纷纷报道并加以评论。比如，美联社当天就评论："中国共产党的报纸今天说，正统的马克思主义理论过时了，因而不能解决中国的问题。"这"是一个最新的迹象，表明了外国观察家们所说的一种缓慢地、巧妙地抛弃曾经在过去30年中指导过这个世界上人口最多的国家的那些共产主义基本原则的做法。"合众国际社也在当天说："中国今天宣布说它不能完全依靠马克思主义来建设一个现代的国家，从而给了一度是确定无疑的共产党理论一次致命的打击。""这是中国第一次发表这样明确的、直截了当的贬低马克思主义思想的言论。"从西方这些报纸的评论可以看出，说"马克思主义不能解决中国当前所有问题"这样一个论断，确实引起了西方世界的惊奇，甚至于幸灾乐祸，他们敏感地意识到，这种论调同共产党的性质和使命是格格不入的，所以才称这种论调"给了共产党理论一次致命的打击"。我们还清楚地记得,在五六十年代时,帝国主义分子就狂妄地叫嚣过,要我们的第三代、第四代改变颜色。30多年来,西方世界的这个战略目标没有变。80年代,我们自己喊出了种种贬低马克思主义、说马克思主义过时了的口号,怎么能不使这些西方的资产阶级分子欣喜若狂呢?这种连西方都感到震惊的事情,我们共产党员怎么能泰然自若呢?

联系到当今的国际大气候,从这次的反革命暴乱事件的前前后后,我们确实看到西方垄断资产阶级亡我之心不死。但是他们"亡我"的手段已经不同了。他们在武力干涉失败以后,从1986年开始,进行战略转移,从"摧毁"战略,转为"融化"战略,企图从内部瓦解社会主义。用他们的话讲,叫作"要打好一场没有硝烟的新的世界大战","用二三十年时间,融化掉社会主义"。那末,这种"融化"战略的特点是什么呢?特点之一,就是加强意识形态方面的攻势。武力解决不了问题,经济封锁、经济制裁解决不了问题,就要用意识形态来解决。用他们的话来讲,即所谓"文火烤鱼","攻心为上"。意识形态领域的斗争将比过去更加尖锐。我们要打好意识形态领域这一仗,最根本的一条,是用马克思主义的理论武装全党的思想。只要我们党搞好了这方面的建设,那末,我们在与西方资本主义世界的这场意识形态领域的较量中,就会永远立于不败之地。

邓小平同志在《建设一个成熟的有战斗力的党》一文中明确说明了这样一个道理:一个成熟的有战斗力的党,首先要保证政治上的正确坚定,不仅有正确的方向,而且有正确的政策和策略,要做到这一条,就必须把马克思列宁主义的普遍真理同本国的革命实践相结合。这就清楚地说明了马克思主义理论建设在整个党的建设中的重要地位。它不是一个局部、一个方面的问题，而是一个统帅全局的问题，统帅我们党的整个事业的问题。江泽民总书记在庆祝中华人民共和国成立40周年大会上的讲话中也指出："党在理论上的提高，是党的领导的正确性、科学性的根本保证。"这也说明了马克思主义理论建设在整个党的建设中的统帅地位。革命和建设的实践已经证明，每当我们的党能够把马克思主义的普遍原理同中国的实际正确结合的时候，党的指导思想就是正确的，党领导的革命和建设事业就前进，就发展；反之，就遭受挫折。正是在这个意义上，我们说，是否坚持马克思列宁主义、毛泽东思想的问题，决不单纯是个理论问题，而是关系到我们国家、我们党的前途和命运，甚至可以说是生死存亡的大问题。也正由于如此，我们的敌人最仇视它，始终把它作为污蔑和攻击的目标。回顾近几年来，几次资产阶级自由化思潮攻击和污蔑的目标是它，西方一些执意梦想在中国搞"和平演变"的人攻击和污蔑的目标也是它。赵紫阳同志主持中央工作以来，所犯的重大错误之一，就是严重忽视党的思想建设，特别是党的马克思主义理论建设。他公然提出，今后四个坚持主要是坚持党的领导，其他三项可以不提或少提。他的这一错误，严重削弱了党的领导，助长了资产阶级自由化思潮的泛滥，给我们党带来了严重后果。教训是极为深刻的。邓小平同志在平息反革命暴乱之后指出，要"很冷静地考虑一下过去，也考虑一下未来"。总结经验，吸取教训，所有的事实都教育我们，只有坚持马列主义、毛泽东思想，才能保持我们党的无产阶级先锋队性质。毛泽东同志说过一句很好的话，现在很少说了，我觉得这句话还应该大讲特讲，那就是："领导我们事业的核心力量是中国共产党，指导我们思想的理论基础是马克思列宁主义。"所以，在我们聚精会神抓党的建设的时候，首先要聚精会神抓党的马克思主义理论建设，并且坚持不懈地一直抓下去。

加强党的马克思主义理论建设，有许多问题要解决。今天，特别要解决在这方面被搞乱了的一些东西，正本清源，澄清是非。

一、党领导社会主义现代化建设，
必须以马克思主义为指导。

否定马克思主义在社会主义现代化建设中的指导作用的论点，主要有三个：学派论、过时论、失败论。

1. 学派论。

这几年，一直有人在花很大的力气证明马克思主义只是一个学派，只是许许多多社会学说中的一种学说、"一个分支"，"只能与其他社会科学具有同等地位"。他们这样做的目的，就是要否定马克思主义对我们事业的指导作用，否定它是放之四海而皆准的真理。

但是，这是否定不了的。马克思主义究竟只是一种学派，还是指导我们思想的理论基础，它是否是放之四海而皆准的真理，这都不是哪些人主张或哪些人封给它的，而是由马克思主义自身的性质决定的，并且是为历史反复证明了的。所以我们要先看一看历史事实。

第一，是马克思主义自身命运的历史，包括它对整个世界的影响的历史。马克思主义刚刚诞生的时候，确实只不过是一个学派。列宁说过，一开始，"马克思学说决不是占统治地位的。它不过是无数社会主义派别或思潮之一而已"。(《列宁选集》第2卷第437页) 当时的社会主义派别多得很，马克思主义对这些社会主义派别采取批判的态度。随着时间的推移，结果是，这些五花八门的社会主义流派大多昙花一现，即被实践否定，成为历史的陈迹，被人遗忘了。唯独马克思主义，却能够与时俱进，经久不衰，永葆美妙之青春。100多年以来的历史事实是，马克思主义深刻地改变了和继续改变着世界的面貌，历史正是按照它所指出的方向发展的。有这样的历史事实，怎么能说马克思主义只是一个"学派"，不是放之四海而皆准的真理呢？

第二，是社会主义运动的历史。历史反复说明，马克思主义的指导是社会主义事业的根本。在这方面有许多事例。比如，19世纪后期，无论是工业发展的程度还是工人阶级的数量都相对落后的德国，其社会主义运动却走在英、法、美的前面，站在世界社会主义运动的前列。这是因为，德国的工人阶级接受的马克思主义比那几个国家要多，因而能够比较自觉地以马克思主义为指导。这说明有马克思主义指导和没有马克思主义指导，其结果是大不一样的。又比如，20世纪初的俄国，其工业的发展和工人阶级的数量，都大大低于西欧、北美几个国家的水平。但是，由于列宁和他领导的布尔什维克党极其坚定地坚持以马克思主义为指导，高度重视并大力进行马克思主义的理论建设，写出了一系列指导无产阶级革命的马克思主义的重要论著，从而使俄国的社会主义运动走到了世界的最前列，最后夺取了十月社会主义革命的伟大胜利。这同样是马克思主义指导的结果。

用我们中国自己的历史来说明这个问题，对我们来说是更加熟悉，更加感到亲切。马克思主义传入中国也有70多年的历史了。自从1840年鸦片战争时起，无数进步的中国人就开始寻找救国救民的真理。从洪秀全，到康有为，到孙中山，多少有识之士，从西方资产阶级革命时代的理论库藏中翻寻出各式各样的思想武器，什么天赋人权论，什么资产阶级民主主义，什么实用主义，改良主义（包括实业救国、教育救国、科学救国等）、基尔特社会主义①、国家社会主义、无政府主义，等等，把这些作为指导思想的理论基础，来组织政党，举行革命，满以为这样就可以外御列强，内建民国了。但是，这些方案在中国一个都行不通，通通宣告破产了。虽然其中有些主义对我国社会也有过这样那样的影响，有的甚至起过积极作用，但最终是行不通的，只好朝生夕灭，昙花一现。为什么呢？因为不合中国国情。中国有中国自己的历史，有由这种历史造成的特殊的经济、政治条件和文化传统。这些历史条件决定了中国不能走资本主义道路。所以，西方资产阶级革命的理论，不能给我们中国的革命提出正确的反帝反封建的革命纲领，那当然就不能引导民主革命走向胜利。从鸦片战争到五四运动（1840—1919年）的近80年时间里，中国人民虽然英勇奋斗，流血牺牲，前仆后继，顽强不屈，但是，却屡屡失败。根本的原因，就在于缺乏正确的、强大的思想理论武器，没有一个以此为行动指南的先进的政党领导。十月革命一声炮响，给我们送来了马克思主义。从此，革命人民手里有了一个可靠的前进的指南。现在有人说，十月革命一声炮响，给我们送来的是封建的马克思主义。这是对马克思主义的诬蔑，也是对我国近代

---

① 即行会社会主义，20世纪初英国工人运动中的资产阶级改良主义思潮，否认国家的阶级性，散布有可能不经过阶级斗争而摆脱剥削的思想。

历史的歪曲。历史是这样的：马克思主义传入中国，才产生了中国共产党。从此，中国人民在中国共产党的领导下，沿着马克思主义指引的道路前进。中国共产党人用马克思主义来观察中国的命运，科学地分析中国社会的性质和发展趋势，分析中国和世界的关系，从而确定正确的反帝反封建的革命纲领，找到了中国革命的道路，引导中国民主革命走向胜利，并且将它转变到社会主义革命的轨道，到50年代中期把中国历史推进到社会主义社会，在此后的社会主义建设中，在政治、经济、文化等方面都取得了前所未有的成就。这证明马克思主义是我们最好的行动指南，是指导我们思想的理论基础。

上面所有这些历史事实证明：如果马克思主义仅仅是一个"学派"的话，如果它不是放之四海而皆准的真理的话，它能够这样经久不息地、强有力地影响世界、改造世界，使世界发生如此翻天覆地的变化吗？那是不能的。所以，马克思主义决不是一个什么"学派"。没有任何一个学派，能够有如此坚强的生命力和如此巨大的威力。

那末，马克思主义为什么会具有如此坚强的生命力和震撼世界的巨大威力呢？原因不是别的，就因为它是一个完整的科学的真理体系。马克思主义是马克思和恩格斯在19世纪40年代到90年代，在人类文明，特别是欧洲近代文明的背景下，在工人阶级的社会主义运动的推动下，创立的工人阶级的科学世界观。因为它发现了唯物史观，创立了剩余价值理论，使社会主义从空想变为科学；它是反映自然、社会和思维规律的普遍真理。我们知道，马克思主义的创立，一是依据了工人运动的实践，总结了国际工人运动的经验；二是依据了人类创造的文明，吸收和改造了人类思想和文化发展中一切有价值的成果，特别是18和19世纪哲学社会科学和自然科学的优秀成果，深刻分析了资本主义社会的本质，揭示了客观世界发展的规律。这就使它具有真理性、科学性的特点，使它真正成为一个建立在坚实科学基础之上的理论体系。在这里，我们着重介绍一下马克思主义所据以建立的坚实的科学基础。

我们知道，在人类历史上，各个时代都出现过自己的许多杰出的思想家、政治家、哲学家、科学家。他们为人类的进步，为探求自然界和社会发展的奥秘，都作出过艰苦的努力，取得过非凡的成就，为人类的文明积累了丰富的成果。恩格斯曾经谦逊地说："如果不是先有德国哲学，特别是黑格尔哲学，那末德国科学社会主义，即过去从来没有过的唯一的科学社会主义，就决不可能创立。"（《马克思恩格斯选集》第2卷第300页）就是马克思主义创立以后出现的各门科学的最新成果，也都成为马克思主义不断丰富、发展自己的养料。这就说明，马克思主义不是离开人类文明大道而孤立于一旁的学说，而是人类创造的全部优秀文化成果的继承和发展，是人类文明发展的最高结晶；它扎根于广阔的深厚的科学知识基础之上，所以不但科学地总结了以往的知识成果，而且为此后进步的人们认识世界和改造世界提供了强大的思想武器。由此我们说，马克思主义是完整的、科学的思想体系，是无产阶级的世界观，它的基本原理和基本方法是放之四海而皆准的真理；而决不是像有些人攻击的那样，只是许多学派中的一个学派、一个分支而已。前面讲的那许多近百年来出现的昙花一现便成为历史遗迹的各种社会学说、流派，有哪一个可以和它相提并论的呢？

正因为马克思主义是完整、科学的思想体系，决定了它对其他学科有指导作用，它不是一般的学派：第一，马克思主义揭示了自然、社会和思维发展的最一般的规律，所以它能指导任何一门学科，因为这里面有个一般与个别的关系，当然这个一般，是在一个最高的层次上，是一个大原则；第二，马克思主义发现了历史唯物主义，所以它能指导历史科学和所有的社会科学；第三，马克思主义揭示了资本主义转变为社会主义和社会主义发展的规律，所以它可以指导一切这方面的学说，包括社会主义建设。比如，坚持四项基本原则，马列主义、毛泽东思想是四项基本原则之一，又是其他三项原则的理论基础和指导思想；中国共产党是用马列主义、毛泽东思想武装起来的；人民民主专政的理论依据，是马列主义的国家学说；具有中国特色的社会主义，是马列主义所阐明的科学社会主义。

总之，历史事实和马克思主义理论本身的性质，都深刻地表明了这样一个道理：马克思主义的基本理论，具有普遍的和永久的意义，它毫无疑问是放之四海而皆准的真理；那种直到现在还认为马克思主义只是许多学派中的一个学派，把马克思主义同其他社会科学派别相提并论、等量齐观，从而否定它是指导我们思想的理论基础的观点，是对马克思主义的性质的无知，也是对100多年来世界历史、中国历史的否定，在理论上和实践上都是不正确的。

正由于这个缘故，所以，以马克思列宁主义、毛泽东思想为指导，明确地载入了我国的宪法，使马列主义、毛泽东思想，不但具有指导作用，而且事实上处于指导地位。指导作用和指导地位还不是一回事。指导作用是指的客观性质，而指导地位则是宪法所明文规定的。也就是说，指导作用尽管客观存在，但如果没有宪法的规定，它的指导地位就没有事实上的法律保证。在我们这样一个社会主义性质的国家里，是必须也必然要有这个规定的，因为社会主义制度就是依据马克思主义理论建立起来的，所以各项工作都必须以马克思主义为指导，马克思主义的指导地位是不能动摇的。由此可知，把马克思主义当作一个学派，不但在理论上、实践上是错误的，而且应该说，是一种违背我国宪法的言论。

2. 过时论。

近几年，宣传马克思主义"过时"的人不少。几年前，资产阶级自由化的鼓吹者方励之就说："马克思主义作为一种科学已经完成了历史使命。"1987年7月27日，他在与联邦德国《明镜》周刊驻意大利记者邓天诺谈话时明确说，他的"下一步攻击目标"是"马克思主义"。他说："马克思主义是一种过去的东西。它有利于理解上一个世纪的问题，但不是今天的问题。……马克思主义属于一个已经过去的一定文化时期。它象一件穿旧的衣服一样，必须把它脱下。"许多报刊，如前面已经介绍过的，就宣传马克思主义不能解决当前的问题；还有把马克思主义说成是"古典马克思主义"、"革命时期的马克思主义"的，以示它不是现代的，不能解决今天建设中的问题。"过时论"这股思潮之所以在后来愈演愈烈，同赵紫阳同志的支持和他本人的主张也有着密切的联系。他曾经说："马克思的政治经济学不能解决社会主义经济的所有问题。"由于他的地位和影响与一般学者不同，这种话起了极坏的作用，搞乱了许多人的思想。总之，认为马克思主义已经"过时"，因而不能指导社会主义现代化建设的思想，是比较普遍地存在着的。

这种思想的存在，一般来说，反映出许多人对"马克思主义究竟是什么"这个问题还没有搞清楚。当然，资产阶级自由化的代表人物除外，他们不是什么认识糊涂。

的确，马克思和恩格斯都是人而不是神，他们不可能在自己所生活的时代里就对社会主义社会的种种具体问题都作出明确而具体的结论，而只能从总体上作出一些原则性的设想。然而，这能不能成为马克思主义过时了，它不能解决社会主义社会问题的理由呢？不能。这就牵涉到"马克思主义是什么，它的整体理论功能是什么"的问题了。

作出马克思主义只能解决过去的革命时期的问题，而不能解决当前的建设时期的问题这样一个结论，包含着的前提和逻辑推理的过程就是，把马克思主义当成了一个装满锦囊妙计的大口袋，仿佛随时都可以伸手从中掏取解决具体问题的好办法；只可惜这个大口袋是100多年以前制作的，是解决革命的问题，还没来得及解决建设问题，所以，里面只有解决革命问题的良策，而没有解决建设问题的妙方。结论自然是，到了社会主义建设时期，它就没用了，过时了，只能弃之一旁。

马克思主义不是直接提供解决具体问题的妙方的锦囊，它是无产阶级的世界观和方法论。为我们提供了立场、观点和方法。作为无产阶级认识世界和改造世界的思想武器，它虽然不直接提供解决问题的具体答案，却能指导我们找到解决具体问题的正确答案。这就是我们经常说的"指南"的作用。

把马克思主义当作指南，是同把马克思主义当作教条相对立的。实际上，说马克思主义只能解决革命问题，不能解决建设问题的观点，就是企图把马克思主义当作教条来使用。找不到这样的教条，才宣布马克思主义没用了，过时了。对待马克思主义的这种态度，实际上是教条主义在新形势下的一种特殊的表现。

　　只要我们真正作到不是教条主义地对待马克思主义，而是正确地把它当作无产阶级的世界观和方法论，把它的基本原理同中国的实际紧密地结合起来，指导革命和建设的一切行动，那末，就根本谈不上什么马克思主义不能解决今天的社会主义建设事业中的问题了。回顾新中国成立以来我们所犯过的错误，"阶级斗争扩大化"也好，"一大二公"也好，"穷过渡"也好，"文化大革命"也好，哪一条是马克思主义经典著作中直接批评过的呢？没有。然而，每一条都是违背了马克思主义的基本原理，都是由于离开马克思主义指导的结果。党的十一届三中全会以来，我们党恢复了马克思主义的指导地位，因而才取得了改革和建设的很大成功。但是想一想，我们党在这个时期提出的各项方针政策，又有哪一项是从马克思主义经典著作中直接找来的呢？也没有。然而，这些正确的方针政策，都是依据马克思主义的基本原理，运用马克思主义的立场、观点和方法，结合中国今天的实际情况制定出来的。这些方针政策之所以能够有力地推动社会主义现代化建设事业的进程，就是因为它们没有脱离马克思主义的指导。

　　有人把我们的错误，归罪于马克思主义的指导。这也是一种误解。诚然，我们犯的许多错误，都以为是在搞马克思主义。例如，搞阶级斗争扩大化，是用马克思主义阶级斗争的学说；搞"一大二公"，是用马克思主义关于社会主义要实行公有制的理论；搞"穷过渡"，是在向共产主义过渡的口号下进行的；等等。其实，正是由于我们马克思主义的理论水平不高，把马克思主义简单化，作了错误的理解，这才犯了错误。结论只能是，我们犯错误，并不是马克思主义理论错了，而恰恰是我们自己没有正确理解、运用马克思主义这个指南的结果。

　　事实教育我们，在今后的社会主义建设中，我们要想尽量地少犯或不犯错误，唯一的办法，就是更加认真地学习马克思主义，提高自己的马克思主义理论水平，提高运用马克思主义指导中国实际的能力。我们应该格外警惕的是，不要再用一种简单化的错误来反对另一种简单化的错误。例如，我们在批评"一大二公"的错误时，不要又走到反对公有制的错误上去；在批判"阶级斗争扩大化"的错误时，不要又走到否定阶级斗争在一定范围内存在的错误上去；在批判闭关自守时，不要又走到盲目崇外的错误上去；等等。我们要想在纠正以前的错误时不再犯新的错误，不再重蹈以往那一次又一次的从一个极端跳到另一个极端的覆辙，就一定要更加自觉地把马克思主义作为我们一切行动的指南。

　　总之，长期的革命和建设的实践，一次又一次地教育了我们，使我们越来越深刻地认识到，马克思主义无论过去、现在和将来，都是我们指导思想的理论基础和行动指南。过去，它为我们批判旧世界指明了方向；今天，它同样为我们创造新世界指明了方向。说马克思主义"过时"了，不能解决建设中的问题了，是对马克思主义整体理论功能的曲解。只要我们正确地把马克思主义看作为我们提供立场、观点和方法的无产阶级世界观，那末，我们就不能否认，它今天仍然是我们的指导思想；不能否认，马列主义、毛泽东思想的指导是社会主义现代化建设事业的根本。正如邓小平同志所总结的："把马克思主义的普遍真理同我国的具体实际结合起来，走自己的路，建设有中国特色的社会主义，这是我们总结长期历史经验得出的基本结论。"（《邓小平文选》，第

3. 失败论。

认为社会主义在中国失败了的论调，也是说马克思主义不能指导社会主义建设，不能解决中国现在的问题，即马克思主义失败了的主要论据之一。那末就让我们来看一看，马克思主义指导下的社会主义在中国到底是失败了还是成功了？

这个问题的关键是要看40年来的事实。人们常讲，事实胜于雄辩。但事实摆在那里还不能胜于雄辩，因为人们有时看不见它。所以，对事实有一个怎样看的问题。比如，有人一讲起40年，就是反右扩大化，就是三年困难，就是"文化大革命"，好像除此之外没有别的。这就犯了片面性的毛病，不能全面看问题，不能根据全部历史、全部事实来讲话。而我们要评价40年的历史，是必须根据全部事实，而不能根据某一阶段的事实、片断的事实来讲话的。

首先，失误不是我们的全部历史，而只是40年历史中的一小部分。我们经历的大的曲折，主要是两个时期，一次是50年代末至60年代初，由于工作指导的失误和自然灾害、苏联背信弃义等客观原因，造成了三年暂时经济困难；另一次是"文化大革命"十年动乱，加上林彪、"四人帮"的破坏，国民经济一度濒于崩溃边缘。而就在这两个时期中，挫折和失误也不是历史的全部。从社会主义改造完成以后，到"文化大革命"的十年中间，我们虽然犯过错误，但这毕竟是开始全面建设社会主义的十年，十年中的成绩是伟大的，是历史的主流。《关于建国以来党的若干历史问题的决议》中，对这十年有一段评价："我们现在赖以进行现代化建设的物质技术基础，很大一部分是这个期间建设起来的；全国经济文化建设等方面的骨干力量和他们的工作经验，大部分也是在这个期间培养和积累起来的。这是这个期间党的工作的主导方面。""文革"期间，我们确实遭到了极为严重的损失。但也应当看到，党的许多革命前辈和广大人民群众对林彪、"四人帮"及其路线的坚决斗争，使"文革"的破坏作用受到了一定程度的限制，使国民经济在重重阻力中仍然有所发展。这正证明了马克思主义指导下的社会主义制度的伟大生命力。党的十一届三中全会以后，我们国家在各个方面出现的好形势就更是有目共睹的了。

我们不妨看一些数字：从1957年到1986年，正好是30年，几项产量的增长数字是：工农业总产值增长11.1倍，钢产量增长8.7倍，煤产量增长5.6倍，原油产量增长88.7倍；粮食产量增长1倍，棉花产量增长1.2倍，油料产量增长2.5倍，基本解决了10亿人口的吃饭、穿衣问题。1983年，工业总产值就比1949年增长56倍。从固定资产看，仅全民所有制工业企业，就相当于旧中国近百年积累起来的工业固定资产的43倍。

这些数字，全世界都认为是很不简单的。这些使全世界都为之赞叹的事实，难道我们自己都不感到自豪，不放在眼里吗？这些数字还不能证明马克思主义指导下的社会主义建设在中国取得的成功吗？

所以，我们要从历史的全局着眼，看一看这40年中党和人民取得的主要成绩，那末，我们就能够看清历史的全貌和它的主导方面，就不会把自己的历史看作漆黑一团。

其次，我国的社会主义建设在马克思主义指导下所获得的成就，不仅表现在经济上，还表现在政治、文化和社会生活的各个领域。我们消灭了剥削制度，使绝大多数人享有民主、自由的权利，成为国家的主人。党的十一届三中全会以后，社会主义的民主、法制建设有很大进步，随着政治体制改革的开展，我国的社会主义政治制度也会不断完善和发展。我国的科学、技术、教育、文化、卫生、体育等方面的进步和发展也是巨大的，一些尖端科技项目达到了世界先进水平。这些方面的成就也是不应忽视的。

总之，只要我们不存偏见，全面地看待历史，抓住历史的全部事实，而不是片面地只盯在过去的失误上，我们就可以得出这样的结论：虽然我们有过许多失误，虽然由于历史的原因我们的生产力水平还不高，社会主义优越性没能充分发挥出来，但是，40年的事实仍然证明，我国的社会主义建设，在马克思主义的指导下，取得了基本的成功。把中国社会主义40年归结为失败，并以此证明马克思主义不能指导社会主义建设、进而证明马克思主义失败了的说法是违背历史事实的。

二、党领导社会主义现代化建设，必须坚持马克思主义并与中国的实际相结合，把马克思主义推向前进。

我们说马克思主义不但过去，而且现在、将来，永远是指导我们思想的理论基础，这是否意味着马克思主义不再向前发展了，是一种僵化的、封闭的体系呢？几年来确实一直有这种说法。1986年10月一家报纸载文说："我们的'马克思主义'，长期以来是一种封闭的思想体系。"某大学学生1986年底闹事时也叫嚷："现在中国推行的是僵化的马列主

275

义。"同时也就有不少人借口"发展"马克思主义而把马克思主义的基本原理一个一个地"突破"了。几年来，在"发展马克思主义"的名义下，搞反对马克思主义，反对四项基本原则一套的作法，人们已经看得很多了。不管怎样的奇谈怪论，只要冠之以"发展马克思主义"，便不许别人批驳，甚至商榷也不行，不然，便扣你一个反对发展马克思主义、僵化、保守、"左"的帽子。在一些舆论阵地被搞自由化的人控制的情况下，种种资产阶级自由化的思想，便借着"发展"之名畅通无阻。这是近年来资产阶级自由化的鼓吹者们使用的手法之一。明眼人一望而知，这根本不是在发展马克思主义，而是在背离直至否定马克思主义。这种"发展"，搞乱了许多问题，许多理论是非因此变得模糊不清了。所以，搞清楚究竟什么是真正的发展马克思主义，怎样才能真正发展马克思主义，是非常必要的。

1．发展马克思主义的前提和基础，是坚持马克思主义。

有些人特别反对提"坚持马克思主义"，把"坚持"当作"僵化"、"保守"、"封闭"的同义语，认为强调"坚持"就是反对"发展"。这种观点是完全站不住脚的。

作为无产阶级革命的科学，马克思主义从来没有把自己看成是终极的真理，相反地，它本身就为自己的发展开辟了广阔的道路。这是马克思主义与其他思想学说不同的特点之一，也是它历经一个半世纪而仍然保持旺盛的生命力的根源之所在。因此，任何把马克思主义理论当作凝固僵死的教条的观点和作法，历来都遭到真正的马克思主义者的反对；马克思主义应该而且必须在实践中不断地丰富和发展。

发展马克思主义历来有两种不同的态度。早在1900年，列宁就详细分析过当时存在于俄国马克思主义者中间的这种情况："一派是想继续做彻底的马克思主义者，根据条件的改变和各国当地的特点来发展马克思主义的基本原理，进一步研究马克思的辩证唯物主义和政治经济学学说；另一派是想推翻马克思学说中的若干相当重要的方面"。这两种意见分歧的实质在于："两者是想在不同的方向上创造和发展马克思主义"（《列宁全集》第3卷第579页）。这两种不同的方向，简单地说，一种是坚持马克思主义，以马克思主义为指南，沿着马克思主义的道路继续前进；另一种则是丢掉马克思主义这个指南，借用别的旗帜另起炉灶，走向背离马克思主义的道路。近90年过去了，在"发展马克思主义"口号下的这两种截然不同的态度，依然存在。一些人提出马克思主义过时了，不能解决今天建设中的新问题，因而要"突破"其基本原理，另行构思改造世界的新理论、新方案，甚至把来自西方资产阶级的名目繁多的种种"新观点"吸取过来"改造"马克思主义，不正是列宁批评过的那种名曰"发展"，实则"推翻"马克思主义的手法的重演吗？

这两种发展方向哪一种是对的呢？这就要看哪一种符合马克思主义的发展的本性。只要我们了解马克思主义发展的原因是什么，就可以知道这种发展是一种什么性质的发展——如果它是一种根本否定自身基本原则的发展，则它不能作为指南；然而，如果它是一种在坚持自身基本原则基础上的发展，则它的指南作用便是无法否定的。

稍具马克思主义常识的人都知道，马克思主义必须发展的原因，就在于它的活的灵魂是唯物辩证法。唯物辩证法，是马克思主义必须发展的深刻的内在根据。唯物辩证法认为，世界上没有一成不变的事物，一切都处在生成和灭亡的不断变化之中。"在这种变化中，前进的发展，不管一切表面的偶然性，也不管一切暂时的倒退，终究会给自己开辟出道路。"恩格斯称这是"一个伟大的基本思想"（《马克思恩格斯选集》第4卷第239—240页）。正是从这个伟大的基本思想出发，马克思从来不认为世界上存在着什么永恒的、最后的、终极的真理，从来不会有那种到了"它再也不能前进一步，除了袖手一旁惊愕地望着这个已经获得的绝对真理出神，就再也无事可做了"的所谓"绝对真理"（同上，第212页）。马克思主义的这一基本观点，决定了它自身也是不断发展的，永远不会停留在一个水平上。黑格尔虽然是最早提出辩证法思想的人，但是，由于他的唯心主义的哲学体系，他却不能把这样的辩证法思想贯彻到底，应用于自己的学说。他把自己的学说当作他自己所揭示的辩证法规律的例外，将其宣布为包罗万象的、不可逾越的、万能的绝对真理，这使他最终陷入形而上学的泥潭。所以，黑格尔的学说是不能发展的。马克思和恩格斯则不同，他们把自己的学说置于唯物辩证法的规律之中，并且把唯物辩证法当作自己学说的活的灵魂。所以，恩格斯这样表明自己的理论："我们的理论是发展的理论，而不是必须背得烂熟并机械地加以重复的教条。"（《马克思恩格斯全集》第36卷第584页）正是马克思主义的这种特性，决定了它不可能是停滞不前的，它必然要不断地发展，并且，这种发展是自身特性所自觉要求的，而不是外力所强加的，因此，它是不能被推翻的。这样的发展是一种什么性质的发展呢？这是一种自我更新、自我修正、自我充实、自我完善的发展，是在坚持自身基本原则基础上的而不是根本否定自身基本原则的发展。

　　现在，我们常常听到说马克思主义面临着挑战：自然科学新发展的挑战、西方各种社会思潮的挑战、资本主义经济政治形势的挑战、我国社会主义建设实践中提出的新问题的挑战，等等。于是，有人因此而产生了对马克思主义的危机感，觉得马克思主义不中用了，要被否定掉了。这就是由于不懂得马克思主义之所以必须也必然发展的内在根据的缘故。如果我们了解了上述这一内在的根据，就不会担心马克思主义发生危机，甚至盲目地轻率地否定马克思主义了，就能够正确地认识到，随着社会和科学的进步，经常总结新的实践（包括我国社会主义建设事业、现代资本主义和不断发展着的科学技术的新成果），从而不断丰富和发展自身，这是马克思主义的题中应有之意。那些被说成"挑战"的东西，其实恰恰是马克思主义丰富自己的养料，是马克思主义能够发展的必不可少的条件，都可以为马克思主义所容纳，从而不断地修正、充实、完善它，但不可能推翻它。

说到这里，坚持与发展的关系应该明确了，即不是对立的，而是一致的、同一的。只要我们真正做到不是教条主义地对待马克思主义，而是正确地把它当作无产阶级的世界观和方法论，运用马克思主义去不断地研究建设中出现的新情况，解决新问题，创造性地提出新观点，马克思主义就一定能在这样的坚持中得到不断的丰富和发展。由此可见，坚持和发展实质上是一回事，它们之间的辩证关系可以概括成：坚持是发展的前提和基础，发展是坚持的过程和结果；坚持马克思主义必须也必然推动马克思主义的发展，而发展马克思主义又必须也必然包括在坚持马克思主义之中。如果把马克思主义抛在一边而去另辟蹊径，那发展将会走向何方呢？那样的"发展"还说得上是对马克思主义的发展吗？只能是背离马克思主义。

2. 坚持和发展马克思主义的最重要条件，是与实际相结合。

我们说坚持马克思主义和发展马克思主义，二者是一致的、同一的，实质上是一回事。那末，坚持和发展统一在什么地方呢？党的十二届六中全会通过的《中共中央关于社会主义精神文明建设指导方针的决议》非常正确地指出：坚持马克思主义，发展马克思主义，"两者统一在革命和建设的实践之中"。这就是说：第一，无论是坚持还是发展，都离不开革命和建设的实践；第二，只要是真正在革命和建设的实践中坚持和发展，二者就必定是同一个过程。换句话讲就是，只要是在实践中坚持，在实践中发展，坚持和发展就是一回事。

离开革命和建设实践的"坚持"，不是我们所说的坚持马克思主义。真正的坚持马克思主义，首先指的是在进行的革命与建设的实践中，坚持以马克思主义的基本理论和基本方法为指导，反对那种离开马克思主义另寻出路，把人引入迷途的做法。为此，就要认真学习和掌握马克思主义，这是第一步；然后，运用马克思主义去不断地研究新情况，解决新问题，创造性地提出新观点。这样的坚持马克思主义，就能真正起到指导革命和建设事业不断前进的作用，马克思主义才能真正坚持下去，并在实践中得到发展。由此可知，只要不是采取教条主义的态度，不是在口头上，而是真正在革命和建设的实践中坚持马克思主义，那末，这种坚持本身就包含着发展，这种坚持必然会丰富和发展马克思主义。

在实践中坚持和发展马克思主义的过程，就是把马克思主义同中国实际相结合，把马克思主义不断推向前进的过程。这是符合马克思主义的本性的。马克思主义是无产阶级革命运动的理论表现，具有鲜明的阶级性和实践性。马克思主义的发展，只能在千百万人民群众的社会实践中才能实现。

今天，世界和中国都面临巨大而深刻的新变化。我国的社会主义现代化建设和改革开放，迫切需要理论的指导。正如没有革命的理论就没有革命的胜利一样，没有改革的理论就没有改革的成功，没有现代化建设的理论就没有现代化建设的发展。我们应该继续发扬马克思主义的开拓创新精神，在马克思主义的指导下，研究改革和建设中的新问题，对社会主义社会的本质特征和发展规律作出深刻的理论阐明，在马克思主义的基础上创造出指导时代前进的新理论。我们对社会主义建设发展规律的认识还远未达到自由王国，马克思主义理论研究也远未达到应有的广度、深度和高度，建设有中国特色的社会主义的完整理论尚处于形成过程中。为此，我们必须付出百倍的努力，运用马克思主义的理论和方法，在党的十一届三中全会以来已经取得的理论成果的基础上，继续大胆研究，艰苦探索，以期建立起一个完整、系统的建设有中国特色的社会主义的理论体系和具体行动纲领，用来指导中国的社会主义现代化建设。我们坚信，与社会主义实践相结合的马克思主义一定能够得到发展。

3. 坚持和发展马克思主义的先决条件，是认真学习、深入研究马克思主义。

要在实践中正确地坚持、运用和发展马克思主义，首先要认真学习、深入研究它，否则，坚持和发展就无从谈起。现在，世界上称为马克思主义的思潮很多。如果思想上缺乏马克思主义的武装，面对纷繁复杂的社会现象，就无法作出正确的解释，结果一遇挫折就对马克思主义产生动摇，一接触外来的对马克思主义的这样那样的议论，就会毫无批判地接受下来，道听途说，人云亦云。这当然是不可能坚持、运用并发展马克思主义的。一个真正想运用马克思主义来探索和解决社会实际问题，为马克思主义的发展作出自己的贡献的人，首先需要做的事，就是系统地读马克思主义的书，即从马克思主义创立一直发展到今天的理论成果，分清哪些是马克思主义的普遍原理，哪些是只适用于有限范围的个别的论断或结论，既避免教条主义地简单化地理解和运用，又避免因为个别结论不适用于当今现实的情况而对马克思主义产生怀疑和动摇。

在当代实现马克思主义的真正发展所需要的条件和必须作的工作，决不止于上述三个方面。例如，我们还应该研究现代资本主义，特别是第二次世界大战以来资本主义发展的新情况、新特点、新问题；还应该研究20世纪以来，特别是第二次世界大战以来，哲学、社会科学、自然科学和技术科学的巨大发展与光辉成果，研究当前面临的新的科技革命等等。然而，无论如何，在当前情况下，上述三个方面仍然是至关重要的。只要我们付出百倍的努力，在社会主义现代化建设和改革实践中，努力学习、掌握马克思主义的基本理论和基本方法，把它运用到实践中去，密切联系实际中的问题，大胆探索，大胆创新，我们的事业就一定能以更快的速度前进，马克思主义的不断丰富和发展也是必然能实现的。

当前企业职工思想政治
工作的主要任务

全国总工会　刘效牛

江泽民总书记在建国40周年大会上说："要紧密结合现代化建设和改革开放的实际，结合人们的思想实际，大力加强和改进意识形态领域的工作，加强和改进思想政治工作，坚持不懈地向全国人民特别是青少年进行爱国主义、集体主义、社会主义和自力更生、艰苦奋斗的思想教育以及革命传统教育，对共产党员、共青团员和先进分子还要经常进行共产主义的思想教育。"

工人阶级是我们国家的领导阶级，是社会主义现代化建设和改革的主力军。江泽民总书记在国庆讲话中重申了"全心全意依靠工人阶级"的指导思想。所以，加强和改进工人阶级特别是它的核心部分产业工人的思想政治工作，就成为整个思想政治工作的至关重要的一部分。从目前状况讲，在集中一段时间做好平息暴乱的形势的宣传教育基础上，普遍面临的主要任务是：进行党的基本路线的教育。

党的十三大从我国社会主义初级阶段的实际出发，制订了建设有中国特色的社会主义的基本路线：领导和团结全国各族人民，以经济建设为中心，坚持四项基本原则，坚持改革开放，自力更生，艰苦创业，为把我国建设成为富强、民主、文明的社会主义现代化国家而奋斗。概括起来，"一个中心、两个基本点"就是这一基本路线的主要内容。但党的十三大以来，由于资产阶级自由化思潮的干扰，党的基本路线教育，没有能在企业职工中扎实、深入地进行。职工群众如果不掌握这一基本路线，就不可能真正理解当前改革开放的形势和各项方针政策，就不会具有抵抗"左"的右的特别是资产阶级自由化思潮进袭的能力。补上这项教育，而且要结合近年来形势政策的具体变化，深化这一教育，是当前企业职工思想政治工作的主要任务。从总体上说，这项教育就是系统地把"一个中心、两个基本点"的理论根据、国际国内正反面历史经验的借鉴、我国的国情、建设和改革的战略目标、具体的方针政策以及实施步骤等等，并帮助职工把它掌握清楚。

首先要帮助职工弄清进行社会主义现代化建设的必要性和分三步实现的战略目标的可行性。在当今世界新技术革命风起云涌，经济竞争十分激烈的情况下，没有高度的现代化，就不可能自立于世界民族之林，更不要说跻身于世界强国之列了。那样就会在全世界经济技术大战中，遭到失败，就会受别国的经济剥削甚至政治的欺压，永无出头之日。有了充足的科技经济实力，才可能保障独立自主、经济平等的国际地位，才能不断地充实国力、改善人民生活。

其次，要针对资产阶级自由化思潮的干扰，引导职工认清坚持四项基本原则的历史必然性、现实的必要性和理论上的科学性。没有共产党就没有新中国，只有社会主义才能救中国，是被现代中国历史所证明，并经新中国40年历史再度验证的真理；40年的实践还告诉我们，只有社会主义才能发展中国。社会主义公有制经济使我国的社会生产力得到迅速发展。我国的社会总产值从1952年的1015亿元，增长到1987年的23084亿元，增长了21.7倍，上升到世界第8位。按实物量计算，我国钢产量已由1949年居世界第26位上升到第4位，煤由第9位上升到第1位，原油从第27位上升到第5位，发电量从第25位上升到第4位。以1988年产量同解放前最高年份相比，钢为64倍，煤为16倍，原油为428倍，发电量为91倍，纱为10.5倍，布为6.7倍。这样的发展速度是资本主义制度所无法比拟的。即使以我国改革前30年的速度相比，我国也远远高于资本主义各国。1950年到1979年工业年均增长率，中国为13.4%，美国为4.5%，日本为11.9%，联邦德国为6.7%，英国为2.5%，法国为2.4%。农业年均增长率，中国为4.0%，美国为1.9%，日本为2.1%，联邦德国为2.0%，英国为2.2%，法国为2.4%。更可喜的是40年来我国积累了巨大的"家业"。目前我国国营企业拥有1万多亿元的固定资产，比1952年增长413倍；集体企业拥有1000多亿元固定资产，比1949年增长3000多倍。诚然，我国的人均国民生产总值还很低，据世界银行统计，1986年为300美元，排在世界100位以后，属于"低收入国家"。但我国人民币的国内购买力远远高于它在国际市场的购买力。比如在美国，一个3口之家，每月仅房费和托儿费至少要800美元，而我国通常只要60元人民币，其中国家报销托儿费24元，个人只付36元，按官价兑换也不到10美元，800比10相差多远！其他物价虽然没有这么大差距，我国也低得多。所以我国人民的实际生活水平已达到"中等收入国家"的水平。在世界银行统计的120多个国家中，我国人均寿命占第46位（1986年），人均摄入食物热量占第59位（1985年），1岁以下儿童死亡率之低占第

46位（1985年）。以那样低的人均国民生产总值，依靠自己的力量基本解决人民温饱问题，而且绝大多数人民的生活质量能够达到今天这样的水平，绝不是一件轻而易举的事情。这只有依靠社会主义制度才能做到。在宣传教育中，还要引导职工结合40年来各条战线、各个省市以至各个企业所取得的看得见、摸得着的成就，把理论与实际密切结合起来，让事实证明坚持四项基本原则的正确性。

其三，也是最为繁重的任务是做好改革开放方针的宣传教育。作为基本路线的两个基本点之一，改革开放是我们坚定不移的方针。而当前职工思想上的问题，大都出在对改革开放的方针、政策的认识上。需要着重解决的是引导职工把握改革开放的性质、它的正确性和它的复杂性、艰巨性、长期性。

要弄清改革开放的性质是社会主义制度的自我完善，决不是什么"资本主义补课"，更不是"资本主义化"。改革开放的每项方针政策都必须是以四项基本原则为基础的，都是社会主义的。而我们坚持的四项基本原则的每一原理，又都是充满改革精神的。改革开放与四项基本原则是互相渗透、相辅相成的统一整体。把二者分割开来是错误的。

要弄清改革开放的正确性。从历史发展的规律、中外历史经验和我国国情来看，我国必须走社会主义的改革开放之路。首先认清它为什么必须是社会主义的。我国处于社会主义初级阶段，经济发展水平较低，如果搞资本主义，必然重复资本主义原始积累阶段和早期阶段的残酷剥削和压迫，职工群众绝对不会答应；在国际上又会丧失独立地位，沦为欧美资本主义的附庸。其次要认清为什么必须改革。必须改变僵化的低效率的旧的经济模式，建立有计划的商品经济。把计划调节与市场调节结合起来，就能既保持比例协调、运行稳定的发展，又能发挥商品经济的物质利益机制与竞争机制的巨大刺激作用，提高效率、提高效益。把社会主义没有剥削、没有压迫和计划性的优势同商品经济的强刺激、高效率结合起来，就有可能逐步实现赶上与超过发达国家的宏伟战略目标。改革开放十年来我国经济稳定发展，其发展速度更加明显地高于发达的资本主义国家。从1980年到1986年，我国国民生产总值年均增长9.2%，而发达国家平均为2.3%，美国为2.1%，日本为4%。1980年到1985年，我国农业年均增长9.4%，发达国家平均为1.5%，美国为1.8%，日本为1.6%；工业年均增长率，我国为11.1%，发达国家平均为2.5%，美国为2.4%，日本为5.9%。据世界银行1984年经济考察团估算，中国要在2050年赶上发达国家，人均收入必须每年递增5.5—6.5%；而1979—1984年中国的人均国民收入年增长率为6.8%。可以肯定，凭着我国社会主义商品经济的优越性，经过全国人民的自力更生、艰苦奋斗，我国在今后几十年内以至上百年内首先赶上中等发达国家、然后赶上发达的资本主义国家的经济发展水平（包括人均国民生产总值）的目标，是一定能够实现的。

要弄清改革开放的复杂性、艰巨性与长期性。职工中普遍存在急于求成、期望过高、盲目向发达国家生活水平攀比的心理；对于改革开放的复杂性、艰巨性和长期性，缺乏思想准备。需要下功夫引导职工从我国的国情出发，不仅看到城市而且看到乡村，不仅看到东部而且看到西部，不仅看到今天的潜力而且看到历史的积淀，真正把握复杂性、艰巨性和长期性的含义，自觉地承担起由此带来的长期而艰巨的责任。

复杂性是由于把社会主义和商品经济结合起来，既没有成熟的经验可资借鉴，更没有现成的模式供我仿效。总的方向肯定是正确的，但具体的道路需要探索，需要开拓，需要冒一定的风险。这就难于避免走些弯路、发生点曲折、犯些错误。如果我们不肯在突飞猛进、日新月异的世界上，苟且偷安、因循守旧、满足现状，而是要发展、要前进，而且要大步前进，赶上时代的步伐，那就必须下决心探索、开拓，冒点风险，下决心付出一定的代价。这是当代工人阶级的光荣历史责任。

艰巨性主要是由于我国处于社会主义初级阶段、经济基础薄弱，实行改革、开拓新道路就格外艰巨。据统计，1986年我国在世界总产值中占3.1%，而人口占世界的21%，同年美国在世界总产值中占26.6%，日本占12.4%，苏联占10.3%。有人计算综合国力，把人力优势与国土优势等估计在内，如果以美国为100，则苏联为70，日本为53，中国为17。经济基础落后、国力较弱、财力单薄，使我国不可能拨出很多资金用于改革，不可能使每个人在每项改革中都得到明显的实惠，而且改革带来的人民内部利益调整还会使某些人的利益暂时受到些损失。例如物价改革、贯彻按劳分配、优化劳动组合等等，都会使某些人"吃点亏"，这是我国改革中无法避免的。这就需要我国工人阶级、包括普通职工，有为改革、为大局、为工人阶级整体的长远利益而艰苦奋斗、自我牺牲的精神。要充分理解，不仅进行革命战争需要艰苦奋斗、自我牺牲，搞社会主义现代化、搞改革同样需要艰苦奋斗、同样需要自我牺牲精神。艰苦奋斗是我国经济建设和改革的长期指导方针，是写进党的基本路线的要求。

长期性是因为改革开放决非三年五载、十年八年所能完成，而是需要几十年、几代人的艰苦努力、大胆探索。我们的老一代革命家为了实现创建新中国的理想与信念，流血牺牲、艰苦奋斗，历时28年之久。改革开放是中国的第二次革命，同样需要长期奋斗。我们这一代以至今后几代人，都要树立建设有中国特色的社会主义和实现社会主义现代化的崇高理想和坚定信念，并为实现这一理想与信念，进行坚韧不拔、百折不挠的长期奋斗。要为"振兴中华、实现四化"，为建设富强、民主、文明的社会主义现代化国家而长期奋斗。

总之，企业职工思想政治工作面临的主要矛盾、主要任务，是深入、扎实地搞好党的基本路线的教育，引导职工切实掌握"一个中心两个基本点"的真谛，并能运用它来正确地认识形势、理解政策、把握方向、瞻望前途。

党的基本路线教育搞好了，其他政治思想矛盾和思想政治教育任务便可迎刃而解。我认为爱国主义、集体主义、社会主义和独立自主、艰苦奋斗、革命传统等项教育任务，都可以和基本路线教育结合起来、融为一体。

今后相当一个时期开展的形势与政策教育，也要以党的基本路线教育为思想、理论基础。同时，基本路线的理论教育也要把形势与政策作为理论联系实际的结合点；或者把一定时期的形势与政策教育，作为基本路线教育的有机组成部分。

从企业职工思想政治工作的基本要求、历史的经验教训和当前的任务来看，当前企业职工思想政治工作的途径与方法，需要着重解决下面几个问题。

1. 把企业党组织的政治核心地位与群众组织的纽带、桥梁作用结合起来。

企业的党、政、工、团组织要共同担负思想政治工作责任。党、政、工、团"各就其位，分工协作，才能政通人和"。"无党不动，无政不通，无工不灵"，这是一些企业体会至深的经验之谈。在企业思想政治工作中，党组织是政治核心，如同机器上的发动机和动力系统，没有它的积极作用，企业职工思想政治工作就失去了原动力，失去了方向。企业行政组织要对企业两个文明建设全面负责，有关企业改革、生产技术、经营管理的宣传解释工作以及文明生产、职业道德、环境美化建设等等，只有行政组织才能胜任；其他思想政治教育活动也需要行政方面在人力、时间、场所、资金和其他物质条件上的支持，才能办得通。企业工会是企业党政领导与职工群众之间的桥梁和纽带。它是几乎包括全体职工的、自愿参加的群众组织，需要通过各种生动活泼、机动灵活的群众活动，用吸引人的、民主的、平等的、互助的方法，启发引导职工提高思想政治认识和觉悟程度。

企业党组织是企业思想政治工作的政治核心，应该切实负起责任，把思想政治工作当作自己工作的重点。主要是搞好党的思想、组织和作风建设；领导企业的思想政治工作和精神文明建设；保证监督党和国家的各项方针、政策在本企业的贯彻执行，坚持企业的社会主义方向；对职工代表大会和工会实行思想政治领导，领导和支持共青团组织按照自己的特点开展工作；积极支持厂长依照法律和各项规定行使自己的职权；按照党管干部的原则，把好用人的政治关。其中最为重要的职责，应该是聚精会神地把企业党的建设搞好，使党的每个支部真正发挥战斗堡垒作用，每个党员都能发挥先锋模范作用。特别是要通过各级党组织的严格监督，使党员领导干部保持和发扬廉洁奉公、兢兢业业、自强不息、全心全意为人民服务的精神。已身正不令而行，身教胜于言教。企业党的建设搞好了，党员尤其是党员干部处处以身作则，那么企业的思想政治工作就完成了一大半，其他种种问题都能迎刃而解。职工群众看党如何，首先是看身边的党员和党的干部如何。如果身边的党员个个站得住，即使有个别不好的也能得到及时的批评处理，群众就会对党有信心，外边有关党风的谣言在这里就没有市场或者大大减少其冲击力。群众就会听党的话，同心同德地搞好企业的改革、生产和经营管理，这里的思想政治工作就会好做得多，就会事半而功倍。党中央要求各级党组织聚精会神地搞好党的建设，有其深刻的道理。"聚精会神"四个字千万要认真对待，把企业党组织的主要精力、主要心思、大部分的时间和人员用在扎扎实实地高标准地搞好党的思想政治建设上。我们必须加强党的领导，加强基层党组织的核心作用。而这"加强"的关键就在于首先搞好党的自身建设，最重要的是思想建设。

工会如何在企业中发挥桥梁和纽带作用呢？应该说桥梁、纽带主要是思想政治上的作用，作为企业党政领导从思想政治上联系职工群众的纽带和桥梁。这个作用包含三个方面：首先是下情上达。工会作为职工群众具体利益的代表者参与企业重大决策时，应反映职工的利益、状况、意见、愿望和要求；经常进行职工队伍状况、思想、情绪、意见的调查研究，及时向党政领导反映，作为检验、修订企业决策与监督、考察干部的参考；在职工中组织交流思想和意见，启发职工认识自己的长远利益、整体利益与眼前利益、局部利益的关系。这个下情上达和下情的交流是工会宣传工作的独特之处。其次是上情下达。把党和政府的政策、法规以及企业党政的决策，传播到职工群众中去，使职工了解全局、把握方向、看清前景、坚定信念。同时，把工会参政议政的过程和结果公布于众，取得群众的监督。职工自己选出的代表向群众讲话，容易得到群众信任。这样的上情下达也是其他组织不可替代的。其三是直接搭桥。组织党政领导与职工群众协商座谈，直接沟通思想感情，促进相互理解。有了下情上达、上情下达和直接搭桥，这几种桥梁作用，就可以使企业党政领导与职工之间加深理解，形成共同语言，达到同心同德搞好企业改革与生产经营的目的；可以避免互不通气、互不了解造成的隔阂、猜疑以至反感。

2．把厂长的经营管理权与职工的民主管理、民主监督结合起来。

企业的厂长、经理统一领导好企业的体制改革、生产经营与科学管理，使企业的生产效率、经济效益和职工生活不断提高，是搞好企业思想政治工作的根本条件，无须赘述。

企业工会组织职工参与民主管理和民主监督，在协助企业领导搞好生产技术、经营管理和干部队伍建设的实践中，受到民主生活的教育，增强主人翁精神，会直接产生思想教育作用。它本身就是企业职工思想政治工作的重要组成部分。具体说来：

首先是职工代表会议评议、监督，有的企业还要选举、撤换企业领导干部。这就会强有力地促进企业党风、厂风、干部作风的根本好转。有没有党的监督和群众监督（有的企业群众监督成为领导干部更加敬畏的力量），有没有用人方面的竞争，公开、择优和民主的机制，是大不相同的。没有监督、没有竞争，可以使好的干部放松自己，逐渐变坏；有监督，有竞争可以使差的干部有所收敛，加强自我约束，逐渐变好。企业风气的好转是做好思想政治工作的前提。

其次是职工代表参与重大决策。这样做可以为企业改革经济体制、改善经营管理和革新生产技术，注入强大的动力，吸取更多的群众智慧，并在贯彻执行中得到职工群众更大的支持。当前职工特别关心的问题，一个是在经济承包中，如何使企业、车间以至班组生产经营的好坏与职工的利害直接挂起钩来，使职工和企业"同舟共济，同甘共苦"、"厂兴我富（荣），厂衰我贫（耻）"。有的地方和企业实行全员承包，引入风险机制，产生更大的推动作用。一个是在企业内部分配中，如何真正体现按劳分配的原则。使工资、奖金和福利的多少成为劳动贡献的数量和质量高低的标志，成为从物质利益和社会承认上激励职工积极性、智慧和创造力的强大杠杆。应该下决心解决"大锅饭，养懒汉"的痼疾。1988年全国总工会一个部门对 440 多家企业的21万职工进行调查，工时利用率仅有33—56％，充分发挥生产积极性的职工仅占12％。北京一个先进企业的副厂长说，如果放手让我们实行计件工资，产值和上交利税翻一番是不成问题的。就是说现有分配体制把职工的积极性和创造力压掉了一半。这个局面如不改变，不仅企业的生产技术、经营管理无法真正提高，而且国家、民族的前途令人忧虑！解决思想工作与经济工作"两张皮"的问题，也必须首先从贯彻按劳分配原则做起。思想工作鼓励职工的积极性、主动性和创造性，而"大锅饭"、平均主义的分配使职工"干好干坏一个样"，保护懒汉、鼓励懒汉。按劳分配是社会主义原则，是马克思主义的重要原理，搞平均主义不仅是缺乏改革精神，而且是违反四项基本原则的，是与思想政治工作的方向背道而驰的。

其三，民主管理和民主监督体现了职工在企业里的主人翁地位和权利。人的思想意识是从实践中来的。只有行使主人翁权利的实践才能产生牢固的主人翁精神。如果不保障职工的民主权利，只让他尽主人翁的义务；不具备主人翁的地位，而让他具有主人翁精神；那都是主观唯心主义的徒劳无益的空想。在我国，只有真正当上企业的主人，才能具有国家主人的真情实感。因为对于普通职工来说，国家主人的地位和权利的行使，毕竟是比较间接、比较抽象的。

在企业党政领导和职工群众进行民主管理民主监督的共同努力下，企业里就有可能形成有利于思想政治工作的"小气候"。目前，我国的"大气候"比较复杂，一方面党的路线方针政策得到广大群众由衷的拥护，经济的发展、社会的安定、文化的繁荣和人民生活的改善使群众安居乐业、团结、振奋。这是企业职工思想政治工作极为有利的条件。但另一方面，党政机关的腐败现象，改革开放中的个别失误、暂时困难和难免的曲折，"大锅饭"、平均主义的分配体制以及资产阶级自由化思潮的一度泛滥，都给职工思想政治工作造成极大的困难和不利条件。如果在企业里创造一个有利的"小气候"，就会成为扩大和增强大环境有利条件积极影响的强大杠杆，成为抵制和削弱大环境不利条件消极影响的坚强屏障或过滤网。

3．把自上而下的灌输同组织职工自我教育、自我管理结合起来。

工人阶级先锋队的成立和由先锋队向广大工人阶级群众灌输马克思主义思想、科学社会主义思想，使得工人阶级从自在阶级提高到自为阶级。随着工人阶级队伍的不断更新，这样的马克思主义理论灌输需要一代一代地进行下去。即使在社会主义阶段，由于国内外阶级斗争的影响不断传播，也不能听任工人运动自发性的滋生。十年内乱期间，由于脱离党的领导的自发性，形成工人阶级内部分裂和极端个人主义、无政府主义泛滥的教训，应该牢牢记取。

职工群众自我教育，在近十年来的实践中已经创造出贯穿于职工思想政治学习各个环节的一整套方法：一、吸收新思想，采取组织职工自己读书、看报、看电视、听广播的方法；二、理解新思想，通过组织职工群众中的"能人"进行辅导、咨询、答疑的方法；三、消化新思想，采取组织小组讨论、专题辩论、互相切磋的方法；四是运用新思想（理论联系实际），采用组织职工群众算细账、纵横对比、举办展览、开展社会调查的方法，用新思想把群众的经验上升到理性认识；五是检查学习效果，运用知识竞赛、专题测验、当场问答等方法；六是交流学习心得，采取演讲比赛、专题征文、论文发布会、问题征答、班前三分钟演讲等丰富多采的方式。总之，职工群众通过自己的学习、钻研，运用自己的知识、经验和见解，开动脑筋，互相启发，自己解决自己的思想认识问题，这就是职工自我教育。

职工群众自我管理活动，已经扩展到物质文明和精神文明建设两个领域。社会主义劳动竞赛，是在物质文明建设领域调动职工积极性的传统活动方式。在社会主义现代化建设中，已不再沿袭过去那种一味增大劳动强度、增加劳动时间的竞赛，而是在革新技术、改进管理、提合理化建议、节约消耗、提高效率、安全生产的方向上下功夫。精神文明建设，重点是在职业道德、职业纪律上，由职工群众自订职业道德规范、文明公约、职工守则，自己遵照执行；定期进行自我检查，相互检查，评比奖励；授予文明职工、文明班组、文明车间、文明企业或其他类似称号。这样就把企业的社会主义精神文明建设引向了持久、健康、扎实的发展道路。

职工群众的科学文化技术学习和业余文艺、体育活动，同样具有思想政治教育的效能，可以看作职工自我教育、自我管理的相关形式。

职工业余文艺活动，具有陶冶情操、潜移默化的作用。文化教养的增强有助于思想修养的提高。在欣赏文学艺术的艺术性的同时，引导职工从中吸取思想营养，会发生意想不到的思想效果。

职工业余体育活动，除增强职工体质（体力、韧性、弹性、灵敏度……）外，还能直接通过训练与竞赛，培养艰苦奋斗、坚持不懈、拼搏进取、坚韧不拔以及集体主义、爱国主义的体育精神；培养团结、协作、公正和纪律性等体育道德。长期的体育锻炼和激烈的比赛，如果引导得法，对培养人的精神素质会发生重大作用。企业里通过体育活动引导失足青工走上正路，通过严格的体育训练转变后进青年的事例，是屡见不鲜的。

职工的业余兴趣与爱好，包括文艺、体育以至钓鱼、种花、养鸟、裁缝、烹调等，如能得到企业领导首先是工会的重视，而且为他们提供条件，请人给以辅导，使他们的技艺能够逐步提高，成果能在展览或比赛中显示，展现个人丰富的兴趣与才能，职工群众就会得到极大的精神满足，从而增强对企业的亲近感，大大增强企业的凝聚力。

丰富多采的职工群众自我教育、自我管理活动，如同人民革命战争中的运动战、游击战，是同马克思主义理论"灌输"这样的攻坚战、阵地战，相辅相成、配套成龙、不可或缺的思想政治工作方式。在当前的企业职工思想政治工作中，甚至可以说必须有大量的群众自我教育、自我管理作基础、作铺垫、作前提，才能吸引、凝聚广大职工，搞好画龙点睛的理论灌输。

4．把精干的专职政工队伍、行政干部队伍和宏大的职工思想政治工作积极分子队伍结合起来。

要建立起一支有较高思想政治文化素质、有一定数量（中央提出约占职工总数1％）的精干的专职政工队伍。事在人为，企业党组织的核心作用也必须通过一定的骨干力量，才能充分发挥出来。这一点已经引起普遍重视，无须多说。

企业厂长经理领导下的行政干部队伍，必须担负起有关企业经济改革、生产技术、经营管理、职工生活方面的思想政治工作。两个文明一起抓，是厂长、经理和企业行政系统的整体职责。

一个举足轻重、而又在一些企业被忽视的力量，是企业职工思想政治工作积极分子队伍。当代职工较高的文化程度和政治兴趣，使职工群众中蕴藏着巨大的思想政治潜力，造就了众多的"能人"。这些"能人"懂理论、懂政策、关心政治、作风正派、联系群众、表达能力较强。企业工会就要善于从中发现人才，加以培养、引导、组织和使用，造就一支遍及每个车间、班组，经常活跃于职工群众之中的思想政治工作积极分子队伍。这就使企业职工思想政治工作队伍，几倍十几倍地扩大，而且深深植根于广大群众、善于随时随地进行思想政治工作。建立、培植和使用这样的积极分子队伍，应该是企业工会在职工思想政治工作中最为重要的职责。其他，如职工读书自学积极分子、文体活动积极分子、工会小组长等，都可作为从不同渠道进行职工思想政治工作的积极分子队伍。必须建立起如此宏大的积极分子队伍，才可能把群众自我教育、自我管理活跃地开展起来，才可能取得扎扎实实的思想政治效果。

今天，经过平暴后的深刻反思，我相信我们的企业职工思想政治工作，在建国40年来正反面经验的基础上，随着社会主义现代化建设的不断发展、改革开放各项政策措施的不断完善、党的建设尤其是党风的日益好转，一定会有新的起色和新的成果，创造出合乎时代要求与历史进程的新局面。

责任编辑：古　月

封面设计：丁　品

平暴后的反思

唐绍明　李明三　刘春建　主编

世界知识出版社出版发行（北京外交部街甲31号）

北京世界知识印刷厂排版印刷　　新华书店经销

787×1092毫米32开本　　印张：9.5　字数：209000

1990年6月第1版　　1990年6月第1次印刷

ISBN7-5012-0288-5／D·42　　定价：3.20元

ISBN 7-5012-0288-5/D·42

定　价：3.20 元